빠작 초등 국어 문학 독해 무료 스마트러닝

첫째 QR코드 스캔하여 1초 만에 바로 강의 시청

둘째 최적화된 강의 커리큘럼으로 학습 효과 UP!

지문 분석 강의
- 문학 작품 갈래별 지문 분석을 통한 바른 감상법 강의
- 소설, 시, 수필, 극 등 갈래별 작품 구성 요소와 배경지식 세능

KB059964

빠작 초등 국어 문학 독해 5단계 강의 목록

빠작 초등 국어 문학 독해 5단계 학습 계획표

학습 계획표를 따라 차근차근 독해 공부를 시작해 보세요.
빠작과 함께라면 문학 독해, 어렵지 않습니다.

작품명		학습한 날			교재 쪽수	작품명	학습한 날			교재 쪽수
야, 춘기야 ❶		1일차	월	일	012 ~ 015쪽	홍길동전 ❸	21일차	월	일	092 ~ 095쪽
야, 춘기야 ❷		2일차	월	일	016 ~ 019쪽	양반전 ❶	22일차	월	일	096 ~ 099쪽
야, 춘기야 ❸		3일차	월	일	020 ~ 023쪽	양반전 ❷	23일차	월	일	100 ~ 103쪽
연 ❶		4일차	월	일	024 ~ 027쪽	양반전 ❸	24일차	월	일	104 ~ 107쪽
연 ❷		5일차	월	일	028 ~ 031쪽	홍계월전 ❶	25일차	월	일	108 ~ 111쪽
연 ❸		6일차	월	일	032 ~ 035쪽	홍계월전 ❷	26일차	월	일	112 ~ 115쪽
이상한 선생님 ❶		7일차	월	일	036 ~ 039쪽	홍계월전 ❸	27일차	월	일	116 ~ 119쪽
이상한 선생님 ❷		8일차	월	일	040 ~ 043쪽	이해의 선물 ❶	28일차	월	일	120 ~ 123쪽
이상한 선생님 ❸		9일차	월	일	044 ~ 047쪽	이해의 선물 ❷	29일차	월	일	124 ~ 127쪽
소나기 ❶		10일차	월	일	048 ~ 051쪽	이해의 선물 ❸	30일차	월	일	128 ~ 131쪽
소나기 ❷		11일차	월	일	052 ~ 055쪽	햇비	31일차	월	일	134 ~ 137쪽
소나기 ❸		12일차	월	일	056 ~ 059쪽	성장	32일차	월	일	138 ~ 141쪽
꿩 ❶		13일차	월	일	060 ~ 063쪽	봄 길	33일차	월	일	142 ~ 145쪽
꿩 ❷		14일차	월	일	064 ~ 067쪽	민지의 꽃	34일차	월	일	146 ~ 149쪽
꿩 ❸		15일차	월	일	068 ~ 071쪽	훈민가	35일차	월	일	150 ~ 153쪽
달걀은 달걀로 갚으렴 ❶		16일차	월	일	072 ~ 075쪽	하여가 / 단심가	36일차	월	일	154 ~ 157쪽
달걀은 달걀로 갚으렴 ❷		17일차	월	일	076 ~ 079쪽	막내의 야구 방망이	37일차	월	일	160 ~ 163쪽
달걀은 달걀로 갚으렴 ❸		18일차	월	일	080 ~ 083쪽	어느 날 자전거가 내 삶 속으로 들어왔다	38일차	월	일	164 ~ 167쪽
홍길동전 ❶		19일차	월	일	084 ~ 087쪽	이옥설	39일차	월	일	168 ~ 171쪽
홍길동전 ❷		20일차	월	일	088 ~ 091쪽	토끼와 자라	40일차	월	일	172 ~ 175쪽

초등 국어
문학 독해
5 단계
5·6학년

바른 독해의 빠른 시작,
〈빠작 초등 국어 독해〉를 추천합니다

독해 교재의 홍수 속에서 보석을 하나 찾은 느낌입니다. 『빠작 초등 국어 독해』는 **문학과 비문학을 나누어 초등학생 눈높이에 맞게 만든 독해 전문 교재**라는 생각이 드네요. 특히 지문의 핵심 내용을 이해하는 것은 물론 깊이 있는 배경지식까지 쌓을 수 있도록 섬세하게 구성한 점이 굉장히 마음에 듭니다. 『빠작 초등 국어 문학 독해』와 『빠작 초등 국어 비문학 독해』로 문학과 비문학의 독해 방법을 바르게 배워 보세요.

김소희 원장 | 한올국어학원

최근 수능에서 국어 영역이 가장 까다롭기로 유명합니다. 이런 국어를 잘하려면 무엇보다도 독해력을 길러야 합니다. 특히 문학은 작가가 전하는 주제를 파악하는 것이 중요합니다. 『빠작 초등 국어 문학 독해』는 다양한 갈래의 작품을 읽고, **작품의 구성 요소를 파악해 중심 내용을 스스로 정리해 보는 지문 분석 훈련**을 할 수 있어 좋습니다. 『빠작 초등 국어 문학 독해』로 까다로워진 수능 국어 영역을 지금부터 대비하시기 바랍니다.

하승희 원장 | 리딩아이국어논술학원

독해 능력은 글 읽기를 두려워하지 않는 데에서 출발합니다. 그리고 좋은 제재의 글을 읽으며 호기심과 즐거움을 느낄 때 독해는 완성되지요. 『빠작 초등 국어 비문학 독해』는 **영역별 다양한 제재의 지문과 사실적·추론적 사고력을 묻는 문제, 지문의 핵심 내용을 파악하는 지문 분석 훈련**으로 글을 정확하게 읽게 합니다. 또한 비문학 독해 비법을 충실히 담고 있어 낯설고 어려운 지문도 재미있게 읽을 수 있도록 이끌어 줄 것입니다.

김종덕 원장 | 갓국어학원

『빠작 초등 국어 독해』는 지문 독해, 지문 분석, 어휘 공부까지 탄탄한 구성이 눈길을 끄는 교재입니다. 특히 **비문학에서 영역을 세분화하여 지문을 수록한 것과 문학에서 온 작품을 다룬 것은 깊이 있는 독해를 가능하게** 할 것입니다. 다양한 글을 읽고 내용을 바르게 파악해야 하는 비문학과 작품을 읽고 제대로 감상해야 하는 문학의 독해력은 단기간에 높일 수 없습니다. 지금부터 『빠작 초등 국어 독해』와 함께 독해 연습을 부지런히 하길 추천합니다.

강행림 원장 | 수풀림학원

이 책을 검토하신 선생님

강명자	창원지역방과후교사	배성현	아카데미창논술국어학원	이지은	이지은의이지국어논술학원
강유정	참좋은보습학원	설호준	청암국어학원	이지해	이지국어학원
강행림	수풀림학원	송설아	한우리독서토론논술	이창미	박원국어논술학원
구민경	혜윰국어논술	심억식	천지인학원	이현주	토론하는아이들
권애경	해냄국어논술	안수현	안쌤학원	이화정	창신보습학원
김나나	국어와나	염현경	박쌤과국어논술학원	전민희	토론하는아이들
김미숙	글과문장독서논술	오연	글오름국어언어논술학원	전지영	두드림에듀학원
김민경	리드인	오영미	천호하나보습학원	조원식	이석호국어학원
김소희	한올국어논술학원	윤인숙	윤쌤국어논술	조현미	국어날개달기학원
김수진	브레인논술교습소	이대일	멘사수학과연세국어학원	하승희	리딩아이국어논술학원
김종덕	갓국어학원	이동수	국동국어고샘수학학원	한민수	숙명창의인재교육
문주희	다독과정독논술학원	이선이	수논술교습소	한수진	리드앤드리드논술학원
박윤희	장복논술	이시은	이시은논술	허성완	st클래스입시학원
박창현	탑학원	이용순	한우리공부방	홍미애	이엠영수전문학원
박현순	뿌리깊은독서논술국어교습소	이정선	토론하는아이들		
방은경	열정학원	이지영	해랑		

바른 독해의 빠른 시작,
〈빠작 초등 국어 독해〉를 소개합니다

❶ 비문학과 문학을 분리하여 각각의 특성에 맞게 독해를 훈련하는 초등 국어 독해 기본서입니다.

❷ 설명문, 논설문 등 비문학 글의 종류별 지문 분석 훈련으로 바른 독해 학습이 가능합니다.

❸ 소설, 시, 수필 등 문학 작품의 갈래별 지문 감상 훈련으로 바른 독해 학습이 가능합니다.

빠작 비문학 독해

단계	대상	영역
1단계	1~2학년	언어, 실용/생활, 사회, 문화, 경제, 자연/과학, 기술, 예술, 인물, 안전/위생
2단계		
3단계	3~4학년	언어, 역사, 사회, 문화, 경제, 과학, 기술, 예술, 인물, 환경
4단계		
5단계	5~6학년	언어, 인문, 사회, 문화, 경제, 과학, 기술, 예술, 인물, 환경
6단계		

주요 키워드
- **1~2단계** 가족 (1단계 실용/생활), 낮과 밤 (2단계 자연/과학), 이 닦기 (2단계 안전/위생)
- **3~4단계** 문명 (3단계 역사), 물물 교환 (3단계 경제), 조선 건국 (4단계 역사)
- **5~6단계** 커피 (5단계 인문), 백신 (5단계 과학), 심리학 (6단계 인문)

빠작 문학 독해

단계	대상	갈래
1단계	1~2학년	창작·전래·외국 동화, 동시, 동요, 수필, 희곡
2단계		
3단계	3~4학년	창작·전래·외국 동화, 시, 현대·고전·외국 수필, 희곡
4단계		
5단계	5~6학년	현대·고전·외국 소설, 현대시, 고전 시조, 현대·고전 수필, 시나리오
6단계		

주요 작품
- **1~2단계** 아기의 대답 (1단계 시), 꺼벙이 억수 (2단계 창작 동화), 만복이네 떡집 (2단계 창작 동화)
- **3~4단계** 바위나리와 아기별 (3단계 창작 동화), 잘못 뽑은 반장 (4단계 창작 동화), 물새알 산새알 (4단계 시)
- **5~6단계** 이상한 선생님 (5단계 현대 소설), 고무신 (6단계 현대 소설), 풀잎에도 상처가 있다 (6단계 현대시)

비문학과 문학,
바른 독해 방법이 다릅니다

비문학의 바른 독해 방법

비문학은 핵심 주제를 파악하고 글쓴이의 관점을 이해하는 것이 중요합니다.

비문학은 지식이나 정보 또는 자신의 의견을 전달하는 글의 특성이 있기 때문에, 전체 글의 핵심 주제, 문단별 핵심 내용, 글쓴이의 관점 등을 이해하며 읽는 훈련을 해야 합니다. 따라서 비문학을 바르게 읽고 이해하려면 글의 전체 구조를 그려볼 수 있어야 하고, 글 전체의 중심 내용과 문단별 중심 내용 그리고 핵심 주제를 찾아보는 연습이 필요합니다.

설명문의 일반 구조

논설문의 일반 구조

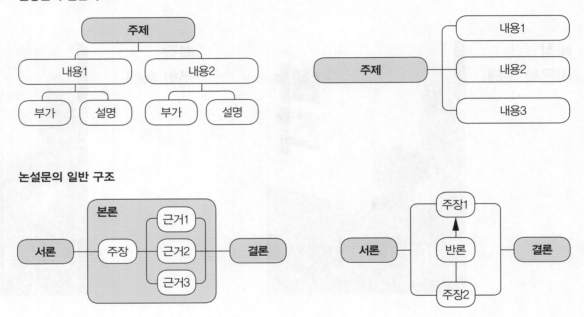

비문학은 정보 전달의 목적이 있기 때문에 다양한 지식과 정보를 쌓아야 합니다.

비문학은 어린이 신문이나 잡지 등을 통해 지식과 정보를 쌓는 것이 독해에 도움을 줍니다. 또한 독해 교재를 학습하면서 비문학 지문의 내용을 깊이 있게 이해하는 것도 중요합니다.

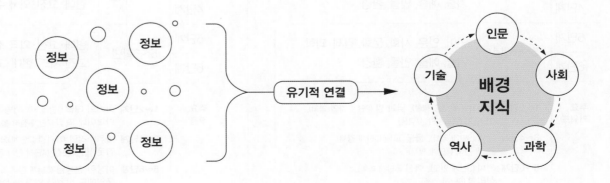

문학의 바른 독해 방법

문학은 갈래별 구성 요소를 이해하고 작품을 감상하는 것이 중요합니다.

문학은 소설, 시, 수필, 희곡 등 갈래에 따라 작품을 구성하는 요소가 다르기 때문에 갈래별 특징을 이해하고 작품을 감상하는 것이 중요합니다. 따라서 문학 작품을 읽고, 갈래에 따른 구성 요소를 중심으로 작품의 중요 내용을 정리하는 훈련이 필요합니다. 이때 온작품을 읽으면 작품 내용을 더욱 깊이 있게 이해할 수 있습니다.

갈래별 구성 요소

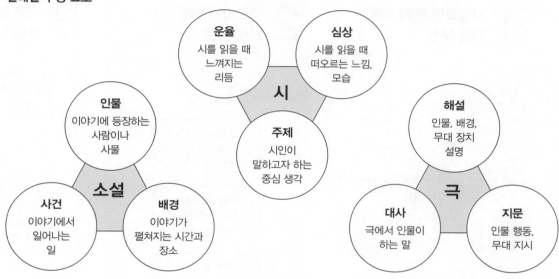

문학 작품을 감상하기 위해서 시대적 배경을 이해하고, 내용 흐름을 파악해야 합니다.

문학 작품을 읽을 때 작품이 쓰인 시대적 배경이나 작가의 삶과 관련지어 감상하면 작가가 전하고 싶은 주제를 파악하는 데 도움이 됩니다. 또 글의 내용 흐름을 제대로 파악하는 것도 중요합니다.

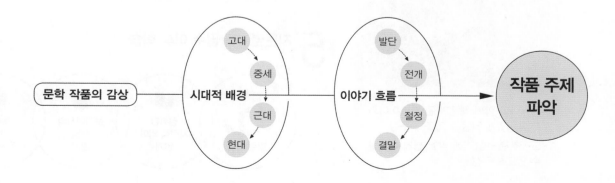

빠작 초등 국어 문학 독해 5단계
구성과 특징

빠작 초등 국어 문학 독해 5단계는 초등 5~6학년 학생들이 문학 작품을 읽고 내용을 정확하게 이해하는 훈련 중심으로 구성하였습니다. 특히 현대 소설, 고전 소설, 외국 소설, 시, 시조, 수필 등 다양한 갈래의 작품을 읽고, 지문 분석 훈련을 통해 바른 독해 학습을 할 수 있습니다.

1 차별화된 문학 독해 지문 구성

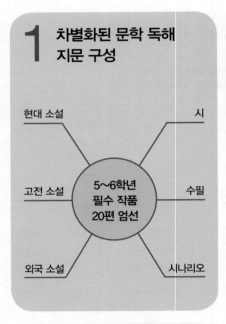

현대 소설 · 시 · 고전 소설 · 수필 · 외국 소설 · 시나리오

5~6학년 필수 작품 20편 엄선

2 구조화된 지문 독해 문제 구성

문항 구조

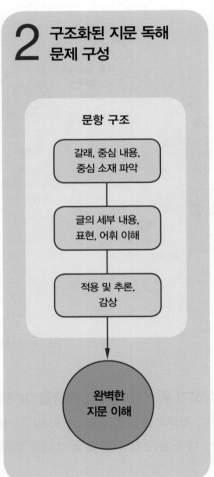

갈래, 중심 내용, 중심 소재 파악

↓

글의 세부 내용, 표현, 어휘 이해

↓

적용 및 추론, 감상

↓

완벽한 지문 이해

3 지문 분석을 통한 바른 독해 훈련

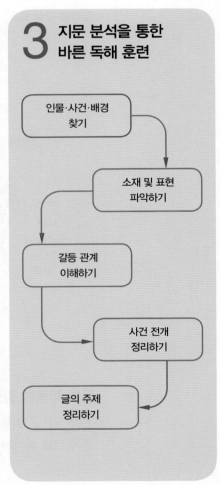

인물·사건·배경 찾기

소재 및 표현 파악하기

갈등 관계 이해하기

사건 전개 정리하기

글의 주제 정리하기

4 다양한 배경지식 습득

- 세밀화와 함께 작품과 관련한 이야기를 재미있게 읽을 수 있도록 구성
- 5~6학년 눈높이에 맞춰 쉽게 이해할 수 있도록 구성

5 지문별 5개 필수 어휘 학습

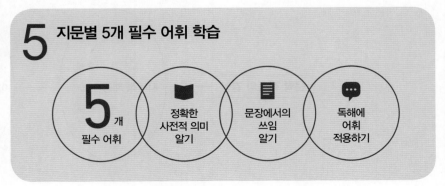

5개 필수 어휘 · 정확한 사전적 의미 알기 · 문장에서의 쓰임 알기 · 독해에 어휘 적용하기

⬇ 차별화된 독해 지문　　　　　　　　⬇ 구조화된 독해 문제

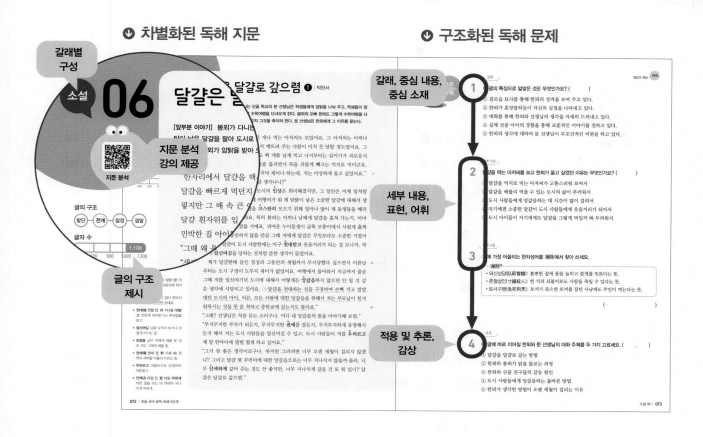

갈래별 구성

소설 **06**

지문 분석 강의 제공

지문 분석

글의 구조
[발단] – [전개] – [절정] – [결말]

글자 수 1,108

글의 구조 제시

달걀은 달걀로 갚으렴 ❶ | 박완서

[앞부분 이야기] 봄뫼가 다니는 산골 학교의 문 선생님은 학생들에게 암탉을 나눠 주고, 학생들이 암탉이 낳은 달걀을 팔아 도시로 수학여행을 다녀오게 한다. 봄뫼의 오빠 한뫼는 그렇게 수학여행을 다녀온 후부터 그것을 죽이려 한다. 문 선생님은 한뫼에게 그 이유를 묻는다.

갈래, 중심 내용, 중심 소재

세부 내용, 표현, 어휘

적용 및 추론, 감상

⬇ 지문 분석 & 배경지식　　　　　　　⬇ 오늘의 어휘

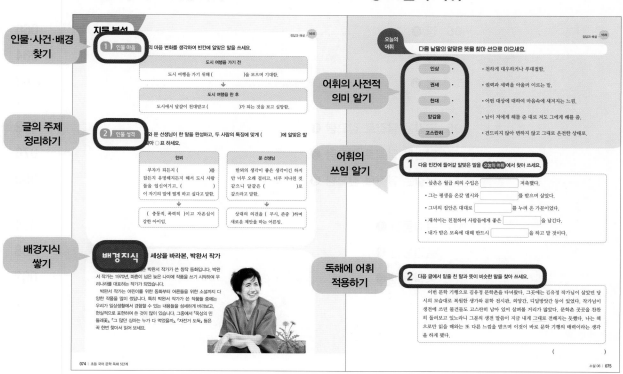

인물·사건·배경 찾기

지문 분석

1 인물 마음

도시 여행을 가기 전
도시 여행을 가기 위해 ( )을 모으며 기대함.

↓

도시 여행을 한 후
도시에서 달걀이 천대받고 ( )가 되는 것을 보고 실망함.

글의 주제 정리하기

2 인물 성격

배경지식 쌓기

배경지식　세상을 바라본, 박완서 작가

어휘의 사전적 의미 알기

인상		천하게 대우하거나 푸대접함.
권세		권력과 세력을 아울러 이르는 말.
천대		어떤 대상에 대하여 마음속에 새겨지는 느낌.
앙갚음		남이 저에게 해를 준 대로 저도 그에게 해를 줌.
고스란히		건드리지 않아 변하지 않고 그대로 온전한 상태로.

어휘의 쓰임 알기

독해에 어휘 적용하기

차례

소설

야, 춘기야 ❶ | 김옥

글의 구조

발단 - 전개 - 절정 - 결말

글자 수

977

400 600 800 1000 1200

"춘기야, 야, 춘기야."

꿈결처럼 부르는 소리가 들렸다.

"방에 있는 거 다 아니까 문 열어. 아직 **초저녁**이야."

하지만 껌처럼 들러붙는 잠을 떨쳐 내기란 정말 힘들다. 다시 **경계선**을 넘어 잠 5
의 세계로 달아나려는 순간, 책상 위에 있던 내 휴대 전화가 울리기 시작했다. 벌
떡 일어나 전화를 받았다.

"여보세요?" / "춘기 너 방에 있으면서 왜 대답 안 해. 얼른 문 안 열어?"

엄마가 건 전화였다. 엄마는 거실에서, 그리고 내 휴대 전화 속에서 소리쳤다.
할 수 없이 문을 열자 엄마는 내 방문에 기대고 있었던 듯 휘청거리며 들어왔다. 10
짧게 자른 머리가 위로 다 뻗쳐 있다.

"대체 방문은 왜 꼭꼭 걸어 잠그는 거야. 아이고, 더워. 그리고 방 좀 치워라. 이
게 다 뭐야."

"아휴, 또." / 잔소리다. 나는 그대로 침대에 벌렁 누워 버렸다.

"혹시 너 내 허리띠 안 가져갔어?"

"내가 엄마 허리띠를 어떻게 알아? 그리고 왜 내가 춘기야. 멀쩡한 이름 놔두고." 15
나는 화를 내며 이불을 확 뒤집어써 버렸다. 그러자 엄마 목소리가 조금 **누그러
졌다.**

"니가 그러니까 춘기지. 사춘기. 에구, 나도 사춘기 딸을 처음 키워 보는 거라 힘
들다. 내가 자랄 때는 어른들 말도 잘 듣고 진짜 열심히 공부만 한 것 같은데."
엄마는 내 방 전신 거울에 요리조리 얼굴을 비춰 보더니 한숨을 푹 쉬면서 말했다. 20

"하여간 엄마 영어 학원 가서 공부하고 운동하다 오면 늦을지 모르니까, 너도 텔
레비전만 보지 말고 수학 문제집 오늘 거 다 풀어 놔. 알았지? 대신 저녁은 피자
시켜 먹어."

나는 벌떡 일어나며 말했다.

㉠"또? 오늘 급식에서도 스파게티 나왔단 말야. 나 김치찌개 끓여 주고 가면 안 25
돼?"

"야, 춘기야, 너 참 이상하다. 다른 애들은 라면이나 피자 먹고 싶어서 **안달**이라
는데, 넌 엄마 힘든 거 안 보이냐? 하루 종일 돈만 세다 왔더니 손가락이 다 **저
리다.**"

엄마는 매니큐어 바른 손가락을 피아노 치듯 허공에 두드리며 말했다. 30

"아무튼 내일 아침은 네 소원인 김치찌개 꼭 끓여 줄게."

- **초저녁** 날이 어두워진 지 얼마 되지 않은 이른 저녁.

- **경계선(境** 지경 경, **界** 지경 계, **線** 줄 선) 어떤 지역과 다른 지역 이 맞닿는 선.

- **누그러졌다** 딱딱한 성질이 부드러워지거나 약해졌다.

- **안달** 속을 태우며 조급하게 구는 일.

- **저리다** 몸의 일부가 오래 눌려서 피가 잘 통하지 못하여 감각이 둔하고 아리다.

지문 독해

갈래

1 이 글의 전개 방식으로 알맞은 것은 무엇인가요? (   )

① 엄마와 '나'의 갈등을 중심으로 이야기가 전개된다.
② 과거에 일어난 일을 떠올리는 방식으로 이야기가 전개된다.
③ 공간의 이동에 따른 '나'의 마음 변화를 중심으로 이야기가 전개된다.
④ 엄마와 '나'에 대한 말하는 이의 설명을 중심으로 이야기가 전개된다.
⑤ '내'가 경험한 일을 엄마에게 자세히 전달하는 방식으로 이야기가 전개된다.

세부 내용

2 이 글의 내용과 일치하지 <u>않는</u> 것을 두 가지 고르세요. (,   )

① 엄마는 자기 계발에 관심이 많다.
② '나'는 혼자 있고 싶어 방문을 걸어 잠근 것이다.
③ 엄마는 '나'와 함께 영어 학원에 다니기를 원한다.
④ 엄마는 허리띠를 찾기 위해 전화를 걸어 '나'를 깨웠다.
⑤ 엄마는 음식 솜씨에 자신이 없어 피자를 시키라고 한다.

표현

3 이 글에서 다음 설명에 해당하는 말을 찾아 쓰세요. (3글자)

- 엄마와 '내'가 다툼을 하게 만드는 것.
- 엄마가 하는 말에 대한 '나'의 생각을 알 수 있는 말.

(   )

추론

4 ㉠에 담긴 '나'의 속마음에 가장 가까운 것은 무엇인가요? (   )

① 엄마의 바쁜 일상을 이해하고 싶다.
② 엄마가 직접 저녁을 챙겨 주시면 좋겠다.
③ 스파게티는 너무 자주 먹어서 이제 질린다.
④ 엄마와 김치찌개를 먹으며 긴 대화를 나누고 싶다.
⑤ 학교 급식이 맛없었다고 엄마에게 투정 부리고 싶다.

지문 분석

1 표현

'나'의 행동을 바탕으로 엄마가 '나'를 '춘기'라고 부르는 이유를 생각하여 빈칸에 알맞은 말을 쓰세요.

'나'의 행동	• '나'는 수시로 ( )을 꼭꼭 걸어 잠금. • '나'는 ( )의 말을 잔소리라 여겨 듣기 싫어함. • '나'는 엄마에게 화를 내고, ( )을 확 뒤집어씀.

⬇

엄마는 '나'를 사춘기라고 여겨 '나'의 이름을 부르는 대신 '( )'라고 부른 것임.

2 인물 마음

엄마의 말이나 행동에 따른 '나'의 마음 상태를 ( )에서 찾아 ○표 하세요.

엄마의 말이나 행동	'나'의 마음 상태
'나'의 ( )에 불쑥 들어와서 ( )를 함.	(궁금함, 억울함, 짜증 남)
'나'에게 저녁으로 ( )를 시켜 먹고 공부하라는 말을 남긴 채 볼일 보러 나감.	(놀람, 서운함, 불안함)

배경지식 또 다른 청소년의 성장 이야기, 「봄바람」

감정 기복이 심한 사춘기 청소년들은 일상을 같이하는 부모님이나 형제자매, 친구들과 갈등을 겪기 쉬워요. 그리고 이렇게 다른 인물과 갈등을 해결하는 과정을 겪으며 성장하게 됩니다.

「야, 춘기야」처럼 한 청소년의 성장기를 다룬 「봄바람」(박상률 글)도 한번 읽어 보세요. 「봄바람」은 1970년대 남도의 한 섬을 배경으로, 훈필이라는 소년이 도시에서의 성공을 꿈꾸며 가출을 시도하는 이야기입니다. 사춘기 소년의 꿈, 또래 여자아이를 좋아하는 마음, 방황, 좌절 등이 섬세하게 그려져 있어 사춘기에 접어든 여러분이 공감하며 읽기 좋아요.

오늘의 어휘

다음 낱말의 알맞은 뜻을 찾아 선으로 이으세요.

안달 •

경계선 •

초저녁 •

저리다 •

누그러졌다 •

• 속을 태우며 조급하게 구는 일.

• 어떤 지역과 다른 지역이 맞닿는 선.

• 딱딱한 성질이 부드러워지거나 약해졌다.

• 날이 어두워진 지 얼마 되지 않은 이른 저녁.

• 몸의 일부가 오래 눌려서 피가 잘 통하지 못하여 감각이 둔하고 아리다.

1 다음 빈칸에 들어갈 알맞은 말을 오늘의 어휘 에서 찾아 쓰세요.

• 오래 앉아 있었더니 다리가 [   ].

• 아이들이 밥을 빨리 달라고 [   ] 한다.

• 그녀의 정중한 사과에 화난 마음이 다소 [   ].

• 아직 [   ]인데도 거리는 쥐 죽은 듯 고요했다.

• 책상 한가운데에는 칼로 그은 듯한 [   ]이 그어져 있었다.

2 다음 글에서 밑줄 친 말과 뜻이 반대인 말을 찾아 쓰세요.

서로 의견이 맞지 않는 어떤 문제를 놓고 여러 사람이 각각 의견을 말하며 논의하는 것을 '토론'이라고 한다. 토론을 할 때는 자신의 의견을 논리적으로 말하는 것도 중요하지만 자신과 다른 의견도 경청해야 한다. 지난주, 한 TV 토론에 참여한 A 씨는 자신의 주장만 계속 앞세우며 감정만 격해졌다. 그리고 결국 다른 사람을 설득하는 데 실패하고 말았다. 반면 토론에서 좋은 결과를 낸 B 씨는, 공격적인 발언을 들을 때마다 심호흡부터 하고 상대의 의견을 차분히 들으니 흥분한 마음이 누그러졌다고 한다.

(   )

야, 춘기야 ❷ | 김옥

글의 구조

발단 — 전개 — 절정 — 결말

글자 수

1,005

400 600 800 1000 1200

[중간 이야기] 엄마에게 짜증을 내던 '나'는 어느 날 단짝 윤선이와 머리를 물들이기로 한다. '나'는 엄마 몰래 집에서 윤선이와 염색을 하며 즐거운 시간을 보냈지만 염색을 마치자 두려운 마음이 든다.

　　오후에 엄마가 여느 때보다 훨씬 일찍 집에 들어왔다. 엄마를 맞이할 마음 준비가 끝나기도 전에 와 버려서 나도 놀랐지만, 엄마도 내 모습에 **어지간히** 놀랐나 보다. 한참을 입을 벌린 채 바라보더니 **비명**처럼 소리를 질렀다.

　　"머리 꼴이 그게 뭐야? 누가 우리 딸 머리를 그렇게 만들어 버렸어? 누구야 누구?" / "아니야, 엄마. 내가 집에서 했어." 　　　　　　　　　　　　　　　　5

　　내가 기어들어 가는 소리로 말하자 엄마의 짧은 머리카락이 일일이 **곤두서는** 것 같더니 눈동자가 커질 대로 커졌다.

　　"너 미쳤구나? 학생이 염색을 다 하고." / "윤선이도 했는데."

　　내 말대꾸에 엄마는 불같이 화를 내기 시작했다.

　　"집에서 하라는 공부는 안 하고 잘한다. 응? 그리고 매니큐어는 왜 발랐어? 너 　10 지금 한 것 내 허리띠 맞지? 도저히 참을 수 없어. 날마다 엉뚱한 짓이나 하고."

　　엄마는 내가 차고 있던 허리띠를 휙 빼앗아 가더니만 또다시 소리쳤다.

　　"휴대 전화도 **압수**야! 내가 너만 한 나이 때는 공부만 하고 책만 읽었다. 도대체 누굴 닮아 엉뚱한 궁리만 하는 거야?"

　　휴대 전화를 뺏기고 나자 억울해서 눈물이 다 나왔다. 더 이상 참을 수가 없어 　15 소리쳤다. / "엄마도 화장하고 파마도 하잖아."

　　"나하고 너하고 같아? 나는 어른이고 너는 학생이잖아."

　　"그럼 엄마처럼 바쁘다는 핑계로 딸 밥도 잘 안 챙겨 주는 거는 엄마 노릇 잘하는 거야?" / 나는 울면서 소리쳤다.

　　"내가 누구 때문에 이렇게 열심히 사는데……." 　　　　　　　　　　　　　　20

　　"누군 누구야. 엄마가 좋아서 엄마 인생 사는 거지. 나는 바보처럼 공부만 하면서 살고 싶지 않아. 해 보고 싶은 것은 다 하면서 살 거야. 그리고 절대로 엄마처럼은 살지 않을 거야." / 엄마 눈이 **휘둥그레졌다**.

　　짧은 순간 커다란 눈 가득 눈물을 글썽이더니 내 등짝을 세게 후려치며 말했다.

　　"난 애들이 어른한테 **대드는** 꼴은 죽어도 못 봐. 하여간 검은 염색약 사다 다시 　25 염색할 거니까 그런 줄 알아."

　　나는 내 방에 들어가 문을 걸어 잠그고 엉엉 울었다.

　　'집 나가 버릴 거야. 혼자서도 얼마든지 살 수 있어.'

　　한참 뒤 엄마가 현관을 나가는 소리가 들렸다.

- **어지간히** 보통 정도보다 훨씬 더.
- **비명**(悲 슬플 비, 鳴 울 명) 일이 매우 위급하거나 몹시 두려움을 느낄 때 지르는 외마디 소리.
- **곤두서는** 거꾸로 꼿꼿이 서는.
- **압수**(押 누를 압, 收 지킬 수) 물건 주인으로부터 강제로 물건을 거두어 보관함.
- **휘둥그레졌다** 놀라서 눈이 크고 둥그렇게 되었다.
- **대드는** 요구하거나 반항하느라고 맞서서 달려드는.

중심 내용

1 이 글의 중심 사건을 파악하여 빈칸에 알맞은 말을 쓰세요.

(1) 엄마가 '나'의 ( )을/를 보고 화를 냈다.

(2) '나'는 엄마에게 반항하며 ( )처럼 살지 않을 것이라고 울면서 소
리쳤다.

세부 내용

2 '나'의 감정이 폭발한 원인으로 알맞지 <u>않은</u> 것은 무엇인가요? ( )

① 엄마에게 휴대 전화를 빼앗겨서

② 엄마에 대한 불만이 계속 쌓여서

③ 엄마가 꾸미는 것을 못 하게 해서

④ 엄마가 다른 친구와 '나'를 비교하며 말해서

⑤ 엄마와 다른 방식으로 살고 싶은 마음이 강해서

어휘

3 엄마와 '나'의 대화 상황에 어울리는 관용 표현으로 적절한 것은 무엇인가요? ( )

① 귀먹은 푸념.   ② 눈물을 거두다.

③ 눈에 불을 켜다.   ④ 도마 위에 오르다.

⑤ 가슴을 쓸어내리다.

추론

4 엄마의 마음을 짐작한 것으로 가장 알맞은 것은 무엇인가요? ( )

① 딸과의 갈등을 없앨 계기를 마련해 안도했을 것이다.

② 양심을 속이는 일을 한 딸에게 매우 화가 났을 것이다.

③ 딸에게 자신의 바쁜 생활을 더욱 강조하고 싶었을 것이다.

④ 경제적으로 무능력해 엄마 노릇을 못 했다는 생각에 괴로웠을 것이다.

⑤ 자신의 생활 방식에 동의하지 않는 딸을 보고 서운한 마음이 들었을 것이다.

지문 분석

1 인물 특징

'나'의 행동을 통해 알 수 있는 특징을 정리할 때, 빈칸에 알맞은 말을 쓰세요.

'나'의 행동	'나'의 특징
• 머리에 ( )을 함. • ( )를 바름. • 엄마 ( )를 허락받지 않고 함.	• 사춘기 소녀로 빨리 어른이 되고 싶어 함. • 공부보다는 외모를 가꾸는 일에 더 관심이 있음.

2 갈등

'나'와 엄마의 갈등 원인을 파악하여 (   )에 알맞은 말을 찾아 ○표 하세요.

'나'	엄마
'나'는 엄마가 화장도 하고 파마도 하면서 자신에게는 어른들이 하는 일을 허락하지 않는 것에 대해서 (불안해함, 억울해함).	엄마는 '내'가 한 일들을 가리켜 (엉뚱한, 게으른) 짓이라고 말하며 학생은 화장이나 파마를 할 수 없다고 생각함.

↕

갈등 원인
'나'와 엄마의 (가치관, 생활 습관)의 차이 때문에 갈등이 생김.

배경지식 **「야, 춘기야」 속 중심인물의 관계**

딸의 사춘기 행동을 이해하지 못하고 화를 냄.

엄마의 생활 방식에 동의하지 않으며 엄마에게 반항적인 태도를 보임.

'나'(예린)의 엄마
자신의 일에 대한 욕심이 있으며 딸을 사랑하면서도 걱정하는 인물

중학교 입학을 앞둔 '나'
멋 내기와 꾸미기에 관심이 많으며 빨리 어른이 되고 싶은 인물

018 | 초등 국어 문학 독해 5단계

오늘의 어휘

다음 낱말의 알맞은 뜻을 찾아 선으로 이으세요.

핑계 •
• 거꾸로 꼿꼿이 서는.

대드는 •
• 보통 정도보다 훨씬 더.

곤두서는 •
• 놀라서 눈이 크고 둥그렇게 되었다.

어지간히 •
• 요구하거나 반항하느라고 맞서서 달려드는.

휘둥그레졌다 •
• 하고 싶지 않은 일을 피하거나 사실을 감추려고 다른 일을 내세움.

1 다음 빈칸에 들어갈 알맞은 말을 오늘의 어휘 에서 찾아 쓰세요.

- 하루 종일 뛰어놀더니 [   ] 고단한 모양이다.

- 귀신 이야기에 겁을 먹은 아이들의 눈은 [   ].

- 그는 바쁘다는 [   ]로 모임에 참석하지 않았다.

- 다 컸다고 [   ] 자식을 보면서 그녀는 슬픔을 느꼈다.

- 갑자기 들린 울음소리에 온몸의 털이 [   ] 것 같았다.

2 다음 글에서 밑줄 친 '어지간히'와 뜻이 비슷한 말, 반대되는 말을 각각 찾아 기호를 쓰세요.

오늘따라 슬기의 표정이 어두웠다. 어제 실험 시간에 의견이 안 맞아서 다투었는데 내가 너무 심한 말을 해서 어지간히 마음이 상했나 보다. 그때는 내 발언이 ⊙그다지 문제되지 않는다고 생각했다. 그런데 시간이 지날수록 ⓛ순간적으로 감정을 참지 못하고 화를 낸 것이 너무 후회되었다. ⓒ꽤 친한 사이였는데 그 일 ⓔ하나로 사이가 틀어지면 너무 아쉬울 것 같다. 오늘 학교 끝나고 집에 갈 때 슬기에게 ⑩진심으로 사과해야겠다.

(1) 비슷한 말: (   )   (2) 반대되는 말: (   )

야, 춘기야 ❸ | 김옥

나는 엄마 잠든 걸 확인하고 할머니에게 소곤소곤 물었다.

"할머니, 엄마는 나만 할 때 공부만 했어?"

그러자 할머니가 잠이 묻은 소리로 말했다. / "누구? 니 엄마가?"

"응, 공부가 너무 재미있어서 멋도 안 부리고 죽으라고 공부만 했대. 그래서 나 ⁵
는 엄마 딸 같지가 않대. 엄마 닮은 구석이 하나도 없어서 그렇게 놀 궁리만 하
는 거래."

"아이고, 별소리를 다 한다. 내 새끼가 어때서. 사과처럼 예쁘기만 하구먼. 힝,
저 클 때는 안 그랬나? 그때 남학생들이랑 빵집으로 들판으로 극장으로 얼마나
쏘다니던지 내가 학교도 한 번 불려 가고 진짜 속 썩었는데 그건 까맣게 잊었는
가 보다." ¹⁰

"정말? 엄마가 그렇게 할머니 속을 썩였단 말야?"

할머니는 아차 했는지 입을 다물더니 얼른 덧붙였다.

"아니, 뭐냐 저, 그게 아니고, 그래도 네 엄마는 형제들 중에 가장 **인정**이 많았
어. 속 썩일 때도 있었지만 용돈 모아서 선물도 사다 주고 과수원 일 하고 오면
등도 주물러 주고 애교도 부리고 하던 건 네 엄마였단다." ¹⁵

㉠엄마의 비밀이 드러나 버렸다. 그동안 나만 **감쪽같이** 속았다. 역시 얼른 어른
이 돼야 한다.

"할머니, 나도 얼른 어른이 되면 좋겠어. 어디든 맘대로 가고 내 맘대로 다 해 볼
거야."

그러자 할머니는 웃으며 말했다. ²⁰

"암, 그래야지. 우리 예린이는 잘할 수 있을 거야. 할머니는 우리 예린이를 믿어
요. 무엇이든 하고 싶은 것은 다 해 보고 세상을 돌아다녀 보렴. 그런데 예린아,
사과는 오랫동안 충분히 익어야 달고 맛있단다. 햇빛도 맘껏 **쬐고** 별빛도 맘껏
받고 비도 맞고 바람도 받고 이슬도 먹고, 먹고…….."

"……?" ²⁵

이상해서 보니 할머니는 어느새 잠들어 있고 엄마의 코 고는 소리만 요란하다.

'엄마는 그래 놓고 나한테는 그렇게 거짓말을 했단 말야?'

자는 엄마 모습을 보니 이상하게도 화가 나기보다 **피식** 웃음이 나왔다. 엄마에
게도 나와 같은 시절이 있었던 것이다. 아무래도 집 나가는 것은 잠깐 뒤로 미뤄야
겠다. ³⁰

할머니랑 할머니 속에서 나온 엄마랑, 엄마 속에서 나온 나는 나란히 누워 그렇
게 잠이 들었다.

- **쏘다니던지** 여기저기 바쁘게 돌
  아다니던지.

- **인정(人** 사람 인, **情** 뜻 정) 남을
  동정하는 따뜻한 마음.

- **감쪽같이** 꾸미거나 고친 것이 전
  혀 알아챌 수 없을 정도로 티가
  나지 않게.

- **쬐고** 볕 따위를 몸에 받고.

- **피식** 싱겁게 한 번 웃을 때 나는
  소리나 모양.

지문 독해

갈래

1 이 글에서 갈등을 해결하는 데 중요한 역할을 한 인물은 누구인지 쓰세요.

(   )

세부 내용

2 ㉠에 대한 설명으로 알맞지 <u>않은</u> 것은 무엇인가요? (   )

① 엄마의 학창 시절 모습을 뜻한다.

② 할머니의 말을 통해 '내'가 알게 된 사실이다.

③ '내'가 집을 나가야겠다는 생각을 바꾸게 한다.

④ 엄마에 대한 '나'의 마음이 변하게 되는 이유이다.

⑤ '내'가 엄마의 겉과 속이 다른 모습에 실망하게 되는 이유이다.

세부 내용

3 '내'가 어른이 되고 싶어 하는 까닭은 무엇인가요? (   )

① 엄마와 떨어져서 혼자 살고 싶어서

② 엄마의 말에 당당하게 반박하고 싶어서

③ 무엇이든 자신의 마음대로 할 수 있어서

④ 더 비싼 돈을 들여서 멋을 부리고 싶어서

⑤ 할머니처럼 넉넉한 인품을 가지고 싶어서

감상

4 이 글을 읽은 학생의 감상으로 알맞은 것을 찾아 기호를 쓰세요.

> ㉮ 엄마도 어린 시절에 '나'처럼 말썽을 피웠다고 하니 엄마에게 친근감이 느껴져.
>
> ㉯ 할머니의 말을 듣고도 엄마에 대한 마음이 풀리지 않은 '나'를 보니 '나'는 철없는 아이라는 생각이 들어.
>
> ㉰ '나'에게 자기를 닮은 구석이 없다고 말하는 엄마를 보니 엄마는 '나'를 친자식처럼 여기지 않는 것 같아.

(   )

지문 분석

1 표현   이 글에서 사과의 비유를 찾아 쓰고, 할머니가 '나'에게 해 주고 싶은 말을 생각하여 (   )에 알맞은 말을 찾아 ○표 하세요.

사과의 비유	할머니가 해 주고 싶은 말
• "사과는 오랫동안 ( ) 익어야 달고 맛있단다." • "( )도 맘껏 쬐고 별빛도 맘껏 받고 ( )도 맞고 바람도 받고 이슬도 먹고, 먹고 ……."	• 한 사람이 어른이 되기 위해서는 많은 (의지, 시간)이/가 필요하다. • 다양한 경험을 하며 몸뿐만 아니라 (마음, 지식)이 성장하는 시간도 필요하다.

2 주제   이 글에서 '나'의 마음 변화를 바탕으로 주제를 파악할 때, 빈칸에 알맞은 말을 쓰세요.

할머니의 말을 듣기 전	할머니의 말을 들은 후
자신의 행동을 계속 간섭하는 엄마에게 ( )가 났음.	엄마도 자신과 같은 어린 시절을 겪은 것을 알고 피식 ( ).

주제
엄마와의 갈등을 통한 사춘기 소녀의 정신적 성장

배경지식 「야, 춘기야」 전체 줄거리

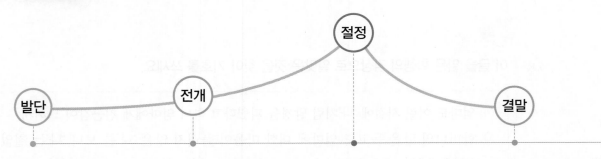

발단	전개	절정	결말
방문을 걸어 잠그고 있는 사춘기인 '나'와 그런 '나'를 이해하지 못하는 엄마가 생각의 차이로 계속해서 티격태격함.	'내'가 윤선이와 엄마 몰래 염색을 하자, 엄마는 화를 내며 '나'의 휴대 전화를 압수하고 '나'도 엄마에게 화를 냄.	'나'는 할머니에게 엄마의 어린 시절 이야기를 들으며, 엄마도 자신과 비슷한 어린 시절을 겪은 것을 알고 피식 웃음.	'나'는 외할머니와 닷새를 보내며 엄마 역시 누군가의 딸이라는 사실을 깨닫고, 엄마와 '나'는 서로의 마음을 이해하며 화해함.

오늘의
어휘

다음 낱말의 알맞은 뜻을 찾아 선으로 이으세요.

쬐고 •　　　• 볕 따위를 몸에 받고.

피식 •　　　• 여기저기 바쁘게 돌아다니던지.

감쪽같이 •　　　• 싱겁게 한 번 웃을 때 나는 소리나 모양.

소곤소곤 •　　　• 작은 목소리로 가만가만 이야기하는 소리나 모양.

쏘다니던지 •　　　• 꾸미거나 고친 것이 전혀 알아챌 수 없을 정도로 티가 나지 않게.

1 다음 빈칸에 들어갈 알맞은 말을 오늘의 어휘 에서 찾아 쓰세요.

- 친구들의 거짓말에 [　　　　] 속았다.

- 그들은 머리를 모으고 [　　　　] 의논을 했다.

- 목수들은 모닥불 옆에서 불을 [　　　　] 있었다.

- 친구의 엉뚱한 행동이 어이가 없어 [　　　　] 웃었다.

- 얼마나 여기저기를 [　　　　] 그를 모르는 사람이 없을 정도였다.

2 다음 글에서 밑줄 친 말과 뜻이 비슷한 말을 찾아 쓰세요.

　　에피메테우스는 상자를 잠그고 아내 판도라에게 절대 열어 보지 말라고 당부하고는 <u>온데간데없이</u> 사라져 버렸다. 호기심 많은 판도라는 상자 속에 무엇이 들었는지 궁금해서 며칠 동안 견딜 수가 없었다.

　　'이 속에 무엇이 들어 있을까? 살짝 열어 보고 감쪽같이 잠가 놓으면 괜찮을 거야.'

　　판도라가 상자를 연 순간, 죽음과 병, 질투와 증오 같은 온갖 나쁜 것이 상자에서 한꺼번에 나와 사방으로 흩어졌다. 판도라는 황급히 상자를 닫았지만 소용이 없었다.

(　　　　　　　　　)

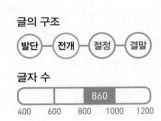
연 ❶ | 이청준

마을 쪽 하늘에선 연이 떠오르지 않는 날이 없었다.

연은 먼 하늘 여행을 꿈꾸는 작은 새처럼 하루 종일 마을 위를 맴돌았다.

들에서나 산에서나 마을 근처에선 언제 어디서나 새처럼 하늘을 떠도는 연을 볼 수 있었다.

연이 하늘에 떠올라 있는 동안은 어머니도 마음이 차라리 편했다.   5

들에서나 산에서나 어머니는 이따금 자신도 모르게 그 연을 찾아 일손을 멈추곤 했다. 그리고 그 ●적막스런 봄 하늘을 바라보며 ●허기진 한숨을 삼키곤 했다.

아비 없이 자란 놈이라 하는 수가 없는가 보았다.

"우리 집 처지에 상급 학교가 ●당하기나 한 소리냐. 이름자나마 쓰고 읽게 된 걸 다행으로 알거라."   10

어미 곁에서 함께 땅이나 파고 살자던 소리가 아들놈의 어린 가슴에 못을 박은 모양이었다.

"상급 학교 못 가면 연이나 실컷 띄우고 놀 거야. 상급 학교 안 보내 준 대신 연 실이나 많이 만들어 줘."

상급 학교 진학을 ●단념한 대신 아들놈은 그 철 늦은 연날리기 놀이를 시작했다.   15
연실 마련이 어려워서 ●제철에는 남의 집 애들 연 띄우는 거나 곁에서 늘 부러워해 오던 녀석이었다.

어머니는 큰맘 먹고 연실을 마련해 냈고, 아들놈은 그때부터 ●하고한 날 연에만 붙어 지냈다.

봄이 되어 제 또래 아이들이 모두 마을을 떠나 읍내 상급 학교로 가 버린 다음에   20
도 아들놈은 혼자서 그 파란 봄 보리밭 위로 하루같이 연만 띄워 올리고 있었다.
아침나절에 띄워 올린 연이 해 질 녘까지 마을의 하늘을 맴돌았다.

어머니는 언제 어디서나 그 아들의 연을 볼 수 있었다.

연을 보면 아들의 얼굴을 보는 것 같았고, 아들의 마음을 보는 것 같았다.

연은 언제나 머나먼 하늘 여행을 꿈꾸고 있는 작은 새처럼 보였고, 그래서 언젠   25
가는 실줄을 끊고 마을의 하늘을 떠나가 버릴 것처럼 어머니의 마음을 불안하게 했다.

● **적막**(寂 고요할 적, 寞 고요할 막)**스런** 고요하고 쓸쓸한.

● **허기**(虛 빌 허, 飢 주릴 기)**진** 몹시 굶어 기운이 빠진.

● **당하기나** 일의 이치에 마땅하거나 가능하기나.

● **단념**(斷 끊을 단, 念 생각할 념)**한** 품었던 생각을 아주 끊어 버린.

● **제철** 알맞은 시절.

● **하고한** 많고 많은.

갈래

1 이 글의 말하는 이에 대한 설명으로 알맞은 것은 무엇인가요? (   )

① 어린아이이다.

② 어머니의 마음을 모두 꿰뚫고 있다.

③ 다른 사람에게 들은 내용을 전달하고 있다.

④ 등장인물에게 강압적인 말투로 말하고 있다.

⑤ 자기 모습을 돌아보며 잘못을 반성하고 있다.

세부 내용

2 이 글의 내용과 일치하는 것은 무엇인가요? (   )

① 아들은 지난봄부터 또래 아이들과 함께 연을 날린다.

② 아들은 친구들과 어울리기 위해 매일 똑같은 행동을 한다.

③ 아들은 홀어머니와 함께 살면서 집안의 가장 노릇을 하고 있다.

④ 어머니는 아들이 연날리기를 하는 것으로 아들의 존재를 확인한다.

⑤ 어머니는 아들이 상급 학교 진학을 포기하면 연실을 마련해 주기로 했다.

표현

3 다음 ☐☐☐에 들어갈 알맞은 표현을 찾아 쓰세요. (4글자)

'다른 사람에게 원통한 생각을 마음속 깊이 맺히게 하는.'이라는 뜻의 관용 표현으로, 이 글에서 어머니가 아들에게 마음의 상처를 준 행동을 '어린 가슴에 ☐☐☐☐ 모양'이라고 비유적으로 표현했다.

(   )

추론

4 아들이 연날리기 놀이를 시작한 까닭은 무엇일까요? (   )

① 연날리기 기술을 익혀 돈을 벌기 위해서였을 것이다.

② 자신이 연 날리고 있으면 어머니가 좋아해서였을 것이다.

③ 어머니에게 상급 학교에 보내 달라고 조르기 위해서였을 것이다.

④ 상급 학교에 가지 못해 섭섭한 마음을 달래기 위해서였을 것이다.

⑤ 상급 학교에 진학한 아이들이 자신을 부러워하게 만들기 위해서였을 것이다.

지문 분석

1 인물 처지 글의 내용을 바탕으로 아들의 처지를 파악하여 빈칸에 알맞은 말을 쓰세요.

글의 내용	아들의 처지
• 우리 집 처지에 상급 학교가 당하기나 한 소리냐. • 어미 곁에서 함께 ( )이나 파고 살자던 소리 • ( ) 마련이 어려워서 제철에는 남의 집 애들 연 띄우는 거나 곁에서 늘 부러워해 오던 녀석	• ( ) 진학을 포기해야 하는 처지임. • 연실 마련도 어려울 정도로 집안 형편이 매우 가난함.

2 인물 성격 인물이 한 일을 통해 알 수 있는 인물의 성격을 각각 찾아 ○표 하세요.

인물	한 일	성격
어머니	• ( )을 위하여 큰맘 먹고 연실을 마련해 줌. • 하늘의 ( )을 보며 아들을 항상 생각함.	• 집요한 성격 ( ) • 경솔한 성격 ( ) • 자상한 성격 ( ) • 인색한 성격 ( )
아들	• ( )의 뜻대로 상급 학교 진학을 포기함. • 어머니에게 별다른 불평을 말하지 않고, ( )에 집중함.	• 엉뚱한 성격 ( ) • 온순한 성격 ( ) • 융통성 없는 성격 ( )

배경지식 ## 길이 남을 이청준 작가의 명작, 「눈길」

「연」을 쓴 이청준 작가는 아버지를 일찍 여의고 어머니 아래에서 컸어요. 그래서 그의 많은 작품들은 고향과 어머니에 대한 기억에 그 뿌리를 두고 있습니다. 그중에서도 가장 아름다운 작품으로 소설 「눈길」이 자주 꼽히고는 합니다.

「눈길」 속 '나'는 일찍 세상을 떠난 아버지와 큰형 대신 어린 나이에 가장 노릇을 했어요. 그래서 자신은 노모에게 효도하지 않아도 된다고 생각해 왔지요. 중년이 된 '나'는 오랜만에 고향을 찾아 노모를 만납니다. 그리고 눈길을 걸어 자신을 떠나보내며 자식의 앞날을 기원했던 어머니의 깊은 사랑을 알게 되지요. 20년 전 어머니와 함께 걷던 눈길을 회상하는 내용은, 바로 작가의 이야기랍니다.

오늘의 어휘

다음 낱말의 알맞은 뜻을 찾아 선으로 이으세요.

단념 •　　　　　• 알맞은 시절.

제철 •　　　　　• 많고 많은.

허기진 •　　　　　• 몹시 굶어 기운이 빠진.

당하기나 •　　　　　• 품었던 생각을 아주 끊어 버림.

하고한 •　　　　　• 일의 이치에 마땅하거나 가능하기나.

1 다음 빈칸에 들어갈 알맞은 말을 오늘의 어휘 에서 찾아 쓰세요.

- 　　　　　　　에 나는 과일이 신선하고 맛이 좋다.

- 그는 　　　　　　　배를 채우느라고 정신이 없었다.

- 제 처지에 그렇게 비싼 옷이 어디 　　　　　　　합니까?

- 방학이라고 　　　　　　　날 누워서 빈둥거리기만 하면 되겠니?

- 그는 어떤 어려움이 닥쳐도 　　　　　　　을 모르는 사람이었다.

2 다음 글에서 밑줄 친 말과 뜻이 비슷한 말을 찾아 쓰세요.

　　봄이 오면 개나리가 피고, 가을이 되면 국화가 계절을 알려 준다. 식물은 어떻게 제철인 줄 알고 꽃을 피울까? 식물이 계절의 변화를 아는 방법에는 두 가지가 있다. 첫째는 온도이다. 기온이 따뜻해지면 지난해에 만들어 놓은 꽃눈이 피는 것이다. 둘째는 밤과 낮의 길이 변화이다. 무궁화는 밤의 길이가 아주 짧아지면 꽃을 피우기 때문에 한여름에 핀다. 하지만 온실에서는 적기와 상관없이 아무 때나 필요할 때 꽃을 피우게 할 수도 있다. 사람이 인공적으로 온도와 밤낮의 길이를 바꿔 주기 때문이다.

(　　　　　　　　)

소설
02
지문 분석

글의 구조

발단 — 전개 — 절정 — 결말

글자 수

400 | 600 | 800 | 941 | 1000 | 1200

연 ❷ | 이청준

가 연이 그렇게 하늘에 떠올라 있는 동안엔 어머니도 아직은 마음을 놓을 수 있었다. 연이 하늘을 나는 동안은 어느 집 **양지바른** 담벼락 아래, 마을의 회관 뜰 한구석에, 또는 **아지랑이** 피어오르는 어느 보리밭 **이랑** 끝에 그 봄 하늘처럼 적막스럽고 외로운 아들의 모습이 **선하기** 때문이었다.

그래서 어머니는 아들놈의 연날리기를 탓해 본 일이 한 번도 없었다. 5

철 늦은 연날리기에 넋이 나간 아들놈을 원망해 본 일이 한 번도 없었다.

녀석의 마음이 고이 머물고 있는 연의 위로를 감사할 뿐이었다.

연에 실린 아들의 마음이 하늘을 내려오는 저녁 연처럼 조용히 다시 마을로 가라앉기를 기다릴 뿐이었다.

그러던 어느 날이었다. 10

하루는 결국 **이변**이 일어나고 말았다.

그날은 유독 봄바람이 들녘을 설치던 날이었다.

어머니는 이날도 고개 너머 들밭 언덕에서 봄 **무릇**을 캐고 있던 참이었다.

바람을 태우기가 좋아 그랬던지 아들놈은 이날따라 연을 더 하늘 높이 띄워 올리고 있었다. 마을에서 띄워 올린 녀석의 연이 고개 이쪽 어머니의 머리 위까지 까맣게 떠올라 와 있었다. **얼레**의 실이 모조리 풀려 나와 하늘 끝까지 닿고 있는 것 같았다. 15

무릇 싹을 찾아 헤매던 어머니의 발길이 자꾸만 헛디딤질을 되풀이했다. 연이 너무 높은 데다가 전에 없이 드센 바람기 때문에 마음이 놓이지 않는 탓이었다. 팽팽하게 하늘을 가로질러 올라간 연실 끝에서 드센 바람을 받고 심하게 오르내리는 20 연을 따라 어머니의 마음도 불안하게 흔들리고 있었다.

나 아니나 다를까.

불안감에 쫓기던 어머니가 어느 순간엔가 다시 그 하늘의 연을 찾았을 때였다.

연이 있어야 할 곳에 연의 모습이 보이질 않았다.

연은 어느새 실이 끊어져 날아간 것이었다. 25

빗살처럼 곧게 하늘로 뻗어 오르던 연실이 머리 위를 구불구불 힘없이 흘러 내려오고 있었다.

실이 뻗쳐 올라가 있던 쪽 하늘을 자세히 살펴보니, 아직도 한 점 까만 새처럼 **허공** 속으로 아득히 멀어져 가고 있는 것이 있었다.

• **양지(陽 볕 양, 地 땅 지)바른** 땅이 볕을 잘 받게 되어 있는.

• **아지랑이** 주로 봄날 햇빛이 강하게 찔 때 공기가 아른아른 움직이는 현상.

• **이랑** 논이나 밭을 갈아 골을 타서 두두룩하게 흙을 쌓아 만든 곳.

• **선하기** 눈앞에 생생하게 보이는 듯하기.

• **이변(異 다를 이, 變 변할 변)** 예상하지 못한 상황.

• **무릇** 백합과의 여러해살이풀.

• **얼레** 연줄, 낚싯줄 등을 감는 데 쓰는 기구.

• **허공(虛 빌 허, 空 빌 공)** 텅 빈 공중.

지문 독해

1 갈래

가와 **나** 부분에 드러난 갈등의 전개 과정을 바르게 설명한 것을 찾아 ○표 하세요.

(1) **가**: 갈등이 시작된다. → **나**: 갈등이 커진다. ( )

(2) **가**: 갈등이 커진다. → **나**: 갈등이 해결된다. ( )

(3) **가**: 갈등이 해결된다. → **나**: 새로운 갈등이 시작된다. ( )

2 세부 내용

어머니가 연을 고마운 존재라고 생각한 까닭을 찾아 기호를 쓰세요.

㉮ 아들이 매일같이 연을 날려도 튼튼하게 버텨 주어서
㉯ 아들이 연을 놓쳤지만 바람을 타고 다시 돌아와 주어서
㉰ 아들이 연날리기를 하며 마음의 안정을 찾는다고 생각해서

( )

3 표현

이 글에 쓰인 비유하는 표현과 그 특징을 찾아 선으로 이으세요.

(1) 연실 • ㉮ 빗살 • ㉠ 곧다.

(2) 아들의 모습 • ㉯ 봄 하늘 • ㉡ 적막스럽고 외롭다.

4 감상

이 글을 읽은 학생의 반응으로 적절한 것을 두 가지 고르세요. (,)

① 어머니 자신도 연처럼 자유롭게 지내고 싶었던 것 같아.
② 연이 있어야 할 곳에 연이 보이질 않았다는 부분에서 긴장감이 느껴졌어.
③ 봄바람이 들녘을 설치던 날 일어난 이변은 아들과 어머니의 관계가 돈독해지는 계기가 되어 줄 거야.
④ 평소에 어머니는 하늘의 연이 저녁이면 내려오듯이 아들도 마음을 잡고 자기 곁에 머물러 주기를 바랐어.
⑤ 어머니는 끊어진 연실이 힘없이 내려오는 걸 보면서 연을 너무 팽팽하게 날린 아들에게 원망하는 마음이 들었을 거야.

지문 분석

1 소재 의미

연의 특징과 연에 담긴 뜻을 선으로 잇고, 빈칸에 알맞은 말을 쓰세요.

연의 특징	연에 담긴 뜻

연의 특징	연에 담긴 뜻
연실이 끊어지면 자유롭게 날아갈 수 있음.	떠나고 싶지만 떠나지 못하는 사람
하늘에 떠 있지만 얼레에 감긴 연실에 매여 있음.	현실의 제약에서 벗어나 새로운 세계로 떠나는 사람

연의 의미	이 글에서 연은 ( )을 의미함.

2 인물 마음

어머니의 행동을 통해 알 수 있는 어머니의 마음을 (   )에서 찾아 ○표 하세요.

어머니의 행동		어머니의 마음
하늘에 떠 있는 ( )을 바라봄.	→	(안도감, 한스러움)
무릇 싹을 찾아 헤매던 발길이 자꾸만 헛디딤질을 되풀이함.	→	(미안함, 불안함)

배경지식 이별을 위한 연습, 연날리기

이 소설에서 어머니는 아들이 날린 연을 먼발치에서 보며 아들이 떠나지 않았다는 사실에 마음을 놓았어요. 하지만 실이 끊어지면 날아가 버리는 연처럼 언젠가는 아들도 자기 곁을 떠날 것이라고도 생각했어요. 어머니에게 '연날리기'는 아들을 떠나보내는 연습이었던 것이죠.

결국 어머니는 연이 사라진 것을 알고 난 다음에 아들이 마을을 떠난 현실을 담담하게 받아들이게 됩니다. 자신보다 자식의 꿈과 희망이 더 중요하기에, 아들과의 이별도 받아들이는 엄마의 마음을 이해할 수 있겠나요?

오늘의 어휘

다음 낱말의 알맞은 뜻을 찾아 선으로 이으세요.

드센 •
• 텅 빈 공중.

허공 •
• 예상하지 못한 상황.

이변 •
• 땅이 볕을 잘 받게 되어 있는.

선하기 •
• 눈앞에 생생하게 보이는 듯하기.

양지바른 •
• 힘이나 기세가 몹시 강하고 사나운.

1 다음 빈칸에 들어갈 알맞은 말을 오늘의 어휘 에서 찾아 쓰세요.

- 그날따라 더욱 [   ] 바람이 몰아쳤다.

- 기러기 떼가 [   ]을 가로질러 날아간다.

- 이번 체육 대회에서 많은 [   ]이 일어났다.

- [   ] 땅에 파릇파릇한 새싹이 돋아나기 시작했다.

- 그녀의 뒷모습이 아직 눈에 [   ] 때문에 눈물이 난다.

2 다음 글에서 밑줄 친 말과 뜻이 비슷한 말을 찾아 쓰세요.

오늘은 전학을 가기 전 내가 5년 동안 다닌 학교에 마지막으로 등교한 날이다. 교문에 들어서자 갑자기 울컥한 마음이 들었다. 운동장에서 친구들과 어울려 신나게 놀던 기억들이 눈에 선하기 때문이다. 그저 큰 건물에서 많은 친구들과 함께 어울릴 수 있다는 사실에 신이 나 어머니의 손을 잡고 등교했던 첫날의 그 설렘이 아직도 <u>생생하기에</u> 학교를 떠난다는 사실이 믿어지지 않는다. 나는 나를 한 뼘 더 자랄 수 있게 해 준 모든 것에 인사를 하며 교실로 향했다.

(   )

소설 02 | 지문 분석

글의 구조

발단 — 전개 — 절정 — 결말

글자 수

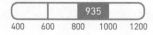

935

400 600 800 1000 1200

연 ❸ | 이청준

어머니는 아예 밭 언덕에 주저앉아 연의 흔적이 **시야**에서 사라질 때까지 그 **하염 없는** 눈길을 하늘에 못 박고 있었다.

그리고 ㉠그 연의 모습이 완전히 시야에서 **자취**를 감추고 난 다음에야 어머니는 비로소 가는 한숨을 삼키면서 천천히 다시 자리를 털고 일어났다.

하지만 이제 반나마 차오른 무릇 바구니를 옆에 끼고 마을 길을 돌아가고 있는 5 어머니는 방금 전에 무슨 아쉬운 배웅이라도 끝내고 돌아선 사람처럼 **거동**이 무척 차분했다. 연을 지킬 때처럼 초조한 눈빛도 없었고, 발길을 조급히 서둘러 가려는 기색도 아니었다.

어머니는 이미 모든 것을 알고 있고, 모든 것을 미리 체념해 버린 것 같은 거동 이었다. 마을 쪽에서 그 땅으로 내려앉은 연실을 거두어들이는 **기미**가 보이지 않 10 는 것도 전혀 이상스럽지가 않은 얼굴이었다.

"아지매요. 건이 새끼 좀 빨리 쫓아가 봐야 혀요. 건이 새낀 아까 **도회지** 돈벌이 간다고 읍내께로 튀었다니께요. 지는 도회지 가서 돈 벌어 온다고 연실 같은 건 내나 실컷 감아 가지라면서요…….."

어머니가 흐느적흐느적 허기진 걸음걸이로 마을을 들어섰을 때였다. 15

아들놈의 연실을 감아 들이고 있던 이웃집 조무래기 놈이 **제풀에** 먼저 변명을 하 고 나섰으나, 어머니는 이번에도 미리 모든 것을 짐작하고 있었던 것처럼 놀라는 빛이 없었다. 앞뒤 사정을 궁금해하거나 집을 나간 녀석을 원망하는 기색 같은 것 도 없었다. 아들의 뒤를 서둘러 쫓아 나서려기는커녕 걸음 한 번 멈추지 않고 말없 이 그냥 녀석의 곁을 지나쳐 갈 뿐이었다. 그러고는 **내처** 그 텅 빈 초가의 사립문 20 을 들어서고 나서야 아들의 연이 날아간 하늘을 향해 어머니는 발길을 잠깐 머물러 섰을 뿐이었다.

하지만 이제 연의 흔적은 보이지 않았다. 텅 빈 하늘만 하염없이 멀어져 가고 있 었다.

어머니는 다만 그 **무심한** 하늘을 향해 다시 한 번 가는 한숨을 삼키며 **허망스럽** 25 **게** 중얼거리고 있었다.

"아가, 어딜 가거나 몸이나 **성하거라**…….."

- **시야**(視 볼 시, 野 들 야) 눈으로 볼 수 있는 범위.

- **하염없는** 시름에 싸여 멍하니 이렇다 할 만한 아무 생각이 없는.

- **자취** 어떤 것이 남긴 표시나 자리.

- **거동**(擧 들 거, 動 움직일 동) 몸을 움직임.

- **기미**(幾 몇 기, 微 작을 미) 어떤 일을 알아차릴 수 있는 눈치.

- **도회지**(都 도읍 도, 會 모일 회, 地 땅 지) 사람이 많이 살고 상공 업이 발달한 곳.

- **제풀에** 내버려 두어도 저 혼자 저절로.

- **내처** 어떤 일 끝에 더 나아가.

- **무심**(無 없을 무, 心 마음 심)**한** 아무런 생각이나 감정 따위가 없는.

- **허망**(虛 빌 허, 妄 헛될 망)**스럽 게** 어이없고 허무한 데가 있게.

- **성하거라** 몸에 병이나 탈이 없이 건강하거라.

지문 독해

1 〔갈래〕

이 글에 대한 설명으로 알맞은 것은 무엇인가요? (   )

① 아들을 연과 연결지으며 내용을 전개하고 있다.

② 대화를 통해 이웃집 아이와 어머니의 갈등을 나타내고 있다.

③ 어머니의 말로 이야기를 끝맺어 행복한 결말을 보여 주고 있다.

④ 과거로 거슬러 올라가 사건이 일어나게 된 원인을 밝히고 있다.

⑤ 사건이 일어난 공간을 자세하게 설명하여 따뜻한 분위기를 보여 주고 있다.

2 〔세부 내용〕

이 글을 이해한 내용으로 알맞지 <u>않은</u> 것은 무엇인가요? (   )

① 이웃집 아이는 자기가 아들의 연실을 감는 이유를 말했다.

② 집에 온 어머니는 하늘을 보며 아들이 아무 탈 없기를 바랐다.

③ 어머니는 이웃집 아이의 말을 듣고도 아들을 원망하지 않았다.

④ 어머니는 처음에는 아들이 도회지로 갔다는 사실을 믿지 않았다.

⑤ 어머니는 아들이 떠났다는 사실을 받아들이고 행동이 차분해졌다.

3 〔세부 내용〕

글의 흐름을 고려할 때, ㉠이 의미하는 것은 무엇인가요? (   )

① 연실이 약했음.   ② 아들이 떠났음.

③ 바람이 갑자기 멈추었음.   ④ 어머니의 불안감이 사라졌음.

⑤ 아들의 꿈이 이루어지지 않았음.

4 〔추론〕

도회지로 간 아들의 심정으로 가장 적절한 것을 찾아 기호를 쓰세요.

> ㉮ '고향에서 어머니와 함께 농사짓는 것도 재미있었지만 도회지에서의 생활에 비하면 그건 시시한 일에 불과해.'
>
> ㉯ '도회지에 나오고 싶어 하셨던 어머니를 모시고 나오지 못한 것은 안타깝지만 일단 나라도 먼저 이곳에 정착해야지.'
>
> ㉰ '지금 당장은 상급 학교에 진학할 수 없지만 어느 정도 돈을 모으면 반드시 상급 학교에 진학하여 꿈을 이루고 싶어.'

(   )

지문 분석

1 사건 전개 이 글에서 일어난 사건의 전개 과정에 맞게 빈칸에 알맞은 말을 쓰세요.

> 어머니는 (   )에 주저앉아 연의 흔적이 시야에서 사라질 때까지 하늘을 봄.

         ⬇

> 어머니는 (   )의 모습이 완전히 시야에서 사라진 뒤 한숨을 삼키며 일어남.

         ⬇

> 어머니는 모든 것을 (   )한 것 같은 거동으로 마을 길을 돌아감.

2 주제 다음 구절에 담긴 어머니의 마음과 주제를 파악하여 빈칸에 알맞은 말을 쓰세요.

구절	"아가, 어딜 가거나 몸이나 성하거라⋯⋯."
어머니의 마음	( )을 원망하기보다 아들의 앞날을 걱정함.

         ⬇

주제	연을 날리다가 고향을 떠나가는 ( )을 바라보는 ( )의 마음

배경지식 「연」 전체 줄거리

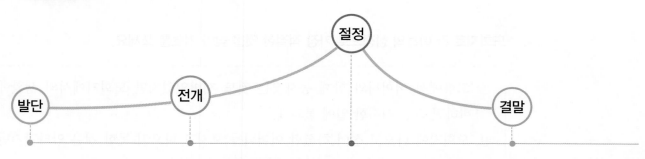

발단 어머니는 가난한 집안 형편 때문에 자신의 아들을 상급 학교에 보내 주지 못함.

전개 상급 학교 진학을 단념한 아들은 하루 종일 연날리기를 하고, 어머니는 연을 보며 아들을 생각함.

절정 어느 날, 높이 떠오른 연을 보며 어머니는 불안을 느끼고, 결국 날아간 연을 바라보며 망연자실함.

결말 아들이 도회지로 떠났음을 알게 된 어머니는 하늘을 바라보며 아들이 몸 성히 지내기를 바람.

오늘의 어휘

다음 낱말의 알맞은 뜻을 찾아 선으로 이으세요.

시야 •
• 눈으로 볼 수 있는 범위.

기미 •
• 어이없고 허무한 데가 있게.

제풀에 •
• 내버려 두어도 저 혼자 저절로.

하염없는 •
• 어떤 일을 알아차릴 수 있는 눈치.

허망스럽게 •
• 시름에 싸여 멍하니 이렇다 할 만한 아무 생각이 없는.

1 다음 빈칸에 들어갈 알맞은 말을 오늘의 어휘 에서 찾아 쓰세요.

• 짙은 안개가 그의 [   ]를 가로막았다.

• 그녀는 자신의 처지가 [   ] 느껴졌다.

• 가뭄에서 벗어날 [   ]가 보이지 않는다.

• 친구와 다툰 그는 [   ] 눈으로 먼 산을 바라보았다.

• 동생을 내버려 두면 [   ] 지쳐서 울음을 그칠 것이다.

2 다음 글에서 밑줄 친 말과 뜻이 비슷한 말을 찾아 쓰세요.

안녕하십니까? 오늘의 날씨 정보입니다.

장마가 오는 19일께 끝나면 지금보다 한층 더 심한 더위가 찾아올 것으로 예상됩니다. 아직 장마 기간이지만 중부 지방에서는 비가 내릴 기미가 보이지 않고 있습니다. 그리고 남부 지방을 비롯한 중부 지방에서도 찜통 같은 더위가 기승을 부릴 전망입니다.

올해도 작년 못지않은 폭염이 전국에 닥칠 낌새가 보이니 야외 활동 시 온열 질환이 발생하지 않도록 각별히 건강 관리에 유의하셔야겠습니다.

(   )

이상한 선생님 ❶ | 채만식

우리 박 선생님은 참 이상한 선생님이었다.

박 선생님은 생긴 것부터가 무척 이상하게 생긴 선생님이었다. 키가 한 뼘밖에 안 되어서 뼘생 또는 뼘박이라는 별명이 있는 것처럼, 박 선생님의 키는 키 작은 사람 가운데에서도 유난히 작은 키였다. 일본 정치 때에, 혈서로 지원병을 지원했 다 체격 검사에 키가 제 척수에 차지 못해 낙방이 되었다면, 그래서 땅을 치고 울 었다면, 얼마나 작은 키인지 알 일이다.

그런 작은 키에 몸집은 그저 한 줌만 하고. 이 한 줌만 한 몸집, 한 뼘만 한 키 위 에 깜짝 놀랄 만큼 큰 머리통이 위태위태하게 올라앉아 있다. 그래서 박 선생님 또 하나의 별명은 대갈장군이라고도 했다.

머리통이 그렇게 큰 박 선생님의 얼굴은 어떻게 생겼느냐 하면, 또한 여느 사람 과는 많이 달랐다.

뒤통수와 앞이마가 툭 내솟고, 내솟은 좁은 이마 밑으로 눈썹이 시꺼멓고, 왕방 울 같은 두 눈은 부리부리하니 정기가 있고도 사납고, 코는 매부리코요, 입은 메기 입으로 귀밑까지 넓죽 째지고, 목소리는 쇠꼬챙이로 찌르는 것처럼 쨍쨍하고.

이런 대갈장군인 뼘생 박 선생님과 아주 정반대로 생긴 이가 강 선생님이었다.

강 선생님은 키가 크고, 몸집도 크고, 얼굴이 너부룻하고, 얼굴이 검기는 해도 순하여 사나움이 든 데가 없고, 눈은 더 순하고, 허허 웃기를 잘하고, 별로 성을 내 는 일이 없고, 아무하고나 장난을 잘하고…… 강 선생님은 이런 선생님이었다.

뼘박 박 선생님과 강 선생님은 만나면 싸움이었다.

하학을 하고 나서, 우리가 청소를 한 교실을 둘러보다가 또는 운동장에서(그러 니까 우리들이 여럿이는 보지 않는 곳에서 말이다.) 두 선생님이 만난다 치면, 강 선생님은 괜히 장난이 하고 싶어 박 선생님을 먼저 건드리곤 했다.

하나는 커다란 몸집을 해 가지고 싱글싱글 웃으면서, 하나는 한 뼘만 한 키에 그 무섭게 큰 머리통을 한 얼굴을 바싹 대들고는 사나움이 좔좔 흐르면서, 그렇게 마 주 서서 싸우는 모양은 마치 큰 수캐와 조그만 고양이가 마주 만난 형국이었다.

5

10

15

20

25

글의 구조
발단 — 전개 — 절정 — 결말

글자 수
976
400 600 800 1000 1200

- **뼘** 비교적 짧은 길이를 잴 때 쓰 는 단위.
- **혈서**(血 피 혈, 書 쓸 서) 제 몸의 피를 내어 자기의 결심 따위를 쓴 글.
- **척수**(尺 자 척, 數 셀 수) 길이에 대한 몇 자 몇 치의 셈.
- **낙방**(落 떨어질 락, 榜 붙일 방) 시험, 모집 따위에 응하였다가 떨 어짐.
- **정기**(精 정할 정, 氣 기운 기) 생 기 있고 빛이 나는 기운.
- **쇠꼬챙이** 쇠로 만든 가늘고 길면 서 끝이 뾰족한 물건.
- **너부룻하고** 조금 넓고 평평한 듯 하고.
- **하학**(下 아래 하, 學 배울 학) 학 교에서 그날의 수업을 마침.
- **바싹** 몹시 우기는 모양. 아주 가 까이 달라붙는 모양.
- **형국**(形 모양 형, 局 판 국) 어떤 일이 벌어진 형편이나 장면.

지문 독해

1 이 글에 대한 설명으로 알맞은 것은 무엇인가요? (   )

① 박 선생님의 체험을 듣고 읽는 이에게 전해 주고 있다.

② 박 선생님의 겉모습과 행동을 우스꽝스럽게 표현하고 있다.

③ 박 선생님과 강 선생님의 대화를 통해 박 선생님의 생각을 드러내고 있다.

④ 상상의 공간을 배경으로 하여 현실에서 일어날 수 없는 일이 일어나고 있다.

⑤ 이야기 밖에 있는 말하는 이가 이야기 안의 강 선생님에 대하여 말하고 있다.

세부 내용

2 이 글의 내용과 일치하는 것은 무엇인가요? (   )

① 박 선생님과 강 선생님은 서로 사이가 좋다.

② 박 선생님은 키가 작아서 지원병에 지원하지 못했다.

③ 강 선생님은 웃기를 잘하고 별로 성을 내지 않는 성격이다.

④ 강 선생님은 박 선생님이 자신에게 장난치는 것을 좋아한다.

⑤ 박 선생님은 우리가 보라는 식으로 강 선생님에게 대들었다.

표현

3 박 선생님과 강 선생님이 싸울 때, 강 선생님을 비유한 표현을 찾아 쓰세요.

(   )

감상

4 이 글을 감상한 내용으로 알맞지 <u>않은</u> 것은 무엇인가요? (   )

① 강 선생님에 대한 '나'의 표현으로 볼 때, '나'는 강 선생님을 좋게 생각하고 있다.

② 강 선생님한테 바싹 대드는 박 선생님을 보니, 박 선생님은 성격이 사나운 것 같다.

③ 박 선생님을 이상한 선생님이라고 하는 것으로 볼 때, '나'는 박 선생님을 좋게 여기지 않는 것 같다.

④ 강 선생님이 괜히 박 선생님을 건드리는 걸 보니, 강 선생님은 박 선생님이 아이들을 괴롭힌다고 생각하는 것 같다.

⑤ 박 선생님이 혈서까지 썼다는 것으로 보아, 박 선생님은 친일적 성향을 지니고 있어 간절하게 지원병이 되고 싶었던 것 같다.

지문 분석

1 표현 효과 · 박 선생님을 부르는 별명의 의미와 이를 통해 얻을 수 있는 효과를 생각하여 빈칸에 알맞은 말을 쓰세요.

별명	박 선생님의 특징		효과
뺌생, ( )	혈서로 지원병을 지원했다 낙방할 만큼 키가 작음.	→	• 이 글을 읽는 사람들의 웃음을 유발함. • ( )에 대한 '나'의 부정적인 태도를 드러냄.
( )	작은 몸집과 키에 비해 깜짝 놀랄 만큼 머리통이 큼.		

2 인물 특징 · '박 선생님'과 '강 선생님'을 비교하고, ( )에 알맞은 말을 찾아 ○표 하세요.

	박 선생님	강 선생님
외모	키가 작고 ( ) 생김.	키가 크고 ( ) 생김.
성격	너그럽지 못하고 화를 잘 냄.	마음이 넓고 여유로우며 온순함.

> 박 선생님과 강 선생님의 외모와 성격을 비교하여 그 차이를 드러냄으로써 박 선생님의 (긍정적인, 부정적인) 모습을 두드러지게 보여 주고, 읽는 이가 박 선생님을 (동정적, 비판적)으로 바라볼 수 있게 함.

배경지식 · 소설 속 풍자

풍자란 소설에서 사실을 곧이곧대로 드러내지 않고, 과장하거나 비꼬아서 표현하는 방식을 말합니다. 풍자를 통해 작품을 읽는 사람을 웃게 하고, 현실의 부정적인 내용 등을 적극적으로 고발하는 것이지요. 작가가 이러한 풍자 표현을 사용하면 개인이나 사회의 부정적인 면이나 사람들의 어리석은 행동이나 생각 등을 효과적으로 비판할 수 있습니다.

그렇다면 「이상한 선생님」에서 풍자의 대상은 누구일까요? 네, 맞아요. 우스꽝스러운 모습으로 비꼼의 대상이 된 박 선생님이에요. '이 한 줌만 한 몸집, 한 뺌만 한 키 위에 깜짝 놀랄 만큼 큰 머리통'을 한 박 선생님이 바로 작가가 비판하고자 하는 부정적인 인물이랍니다.

오늘의 어휘

다음 낱말의 알맞은 뜻을 찾아 선으로 이으세요.

혈서 • • 몹시 우기는 모양.

낙방 • • 생기 있고 빛이 나는 기운.

정기 • • 어떤 일이 벌어진 형편이나 장면.

바싹 • • 시험, 모집 따위에 응하였다가 떨어짐.

형국 • • 제 몸의 피를 내어 자기의 결심 따위를 쓴 글.

1 다음 빈칸에 들어갈 알맞은 말을 오늘의 어휘 에서 찾아 쓰세요.

- 책에 집중하는 그의 두 눈에는 [   ]가 있다.
- 아이는 고집을 세우며 [   ] 우기기 시작했다.
- 그는 자신의 굳은 의지를 [   ]를 써서 보였다.
- 비가 쏟아져 강이 마을을 휘감아 도는 [   ]이었다.
- 과거에 응시한 선비는 [   ] 소식을 듣고 좌절했다.

2 다음 글에서 밑줄 친 말과 뜻이 반대인 말을 찾아 쓰세요.

형은 대학 입시에서 낙방한 뒤에 한동안 큰 좌절에 빠져 있었습니다. 누구보다 열정적으로 시험 준비를 했기에 우리 가족은 누구도 형의 <u>합격</u>을 의심하지 않았습니다. 우리는 모두 살얼음판을 걷는 심정으로 형이 스스로 마음을 추스를 때까지 기다려야 했습니다. 다행히 형은 금세 절망의 늪을 빠져 나왔고, 다시 입시 공부를 시작하겠다며 우리 앞에서 굳게 선언했습니다.

(   )

이상한 선생님 ❷ | 채만식

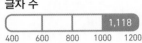
다른 학교에서도 다 그랬을 테지만 우리 학교에서도 그때 말로 '국어'라던 일본 말, 그 일본 말로만 말을 하게 하고 엄마 아빠 할 적부터 배운 조선말은 아주 한 마디도 쓰지 못하게 했다.

그러나 **주재소의 순사**, 면의 면 서기, 도 평의원을 한 송 주사, 또 군이나 도에서 연설하러 온 사람, 이런 사람들이나 조선 사람끼리 만나도 척척 일본 말로 인사를 하고 이야기를 했지, 다른 사람들이야 일본 사람과 만났을 때 말고는 다들 조선말로 말을 하고, 그래서 학교 문밖에만 나가면 **만판** 조선말로 말을 하는 사람들이요, 더구나 집에 돌아가면 어머니, 아버지, 언니, 누나, 아기 모두들 조선말로 말을 했다. 〈중략〉

학교에서고 학교 밖에서고 조선말로 말을 하다 선생님한테 들키는 날이면 **경치는** 판이었다. 선생님들 중에서도 제일 심하게 ㉠밝히는 선생님이 뺌박 박 선생님이었다. 교장 선생님이나 다른 일본 선생님은 나무라기만 하고 마는 수가 있어도, 뺌박 박 선생님만은 절대로 용서가 없었다.

나도 여러 번 혼이 나 보았다.

한번은 상준이 녀석과 어떡하다 쌈이 붙었는데 둘이 서로 부둥켜안고 구르면서 이 자식아, 저 자식아, 죽어 봐, 때려 봐, 하면서 한참 때리고 **제기고** 하는 참이었다.

그런데, 느닷없이

"고랏! 조셍고데 겡까 스루야쓰가 이루까(이놈아! 조선말로 쌈하는 녀석이 어딨어)."

하면서 구둣발길로 넓적다리를 걷어차는 건, 정신없는 중에도 뺌박 박 선생님이었다.

우리 둘이는 그 자리에서 뺨이 붓도록 따귀를 맞았고, 공부 시간에 들어가지도 못하고 그 시간 동안 변소 청소를 했고, 그리고 **조행** 점수를 듬뿍 깎였다. 이렇게 뺌박 박 선생님한테 제일 중한 벌을 받는 때가 언제냐 하면, 조선말로 지껄이다 들키는 때였다.

강 선생님은 그와 반대로 아무 **시비**가 없었다.

교실에서 공부를 할 때 빼고는 그리고 다른 선생님, 그중에서도 교장 이하 일본 선생님들과 뺌박 박 선생님이 보지 않는 데서는, 강 선생님은 우리한테, 일본 말로 말을 하지 않았다. 우리들이 일본 말을 해도 강 선생님은 조선말을 하곤 했다.

우리가 어쩌다 / "선생님은 왜 '국어(일본 말)'로 안 하세요?"

하고 물으면 강 선생님은 웃으면서

"나는 '국어'가 **서툴러서** 그런다." / 하고 대답했다.

그렇지만 우리가 보기에도 강 선생님은 일본 말이 서투른 선생님이 아니었다.

- **주재소**(駐 머무를 주, 在 있을 재, 所 바 소) 일제 강점기에, 순사가 머무르면서 사무를 맡아보던 경찰의 말단 기관.
- **순사**(巡 돌 순, 査 조사할 사) 일제 강점기에 둔, 경찰관의 가장 낮은 계급. 또는 그 계급의 사람.
- **만판** 다른 것은 없이 온통 한가지로.
- **경치는** 혹독하게 벌을 받는.
- **제기고** 팔꿈치나 발꿈치 따위로 지르고.
- **조행**(操 잡을 조, 行 행할 행) 태도와 행실을 아울러 이르는 말.
- **시비**(是 옳을 시, 非 아닐 비) 옳고 그름을 따짐.
- **서툴러서** 일 따위에 익숙하지 못하여 다루기에 설어서.

1 이 글의 말하는 이인 '나'에 대한 설명으로 알맞은 것은 무엇인가요? (   )

① 어른들의 행동의 의미를 잘 이해하지 못하고 있다.

② 일본이 조선말을 금지시키는 이유를 잘 알고 있다.

③ 조선이 일본의 지배에서 벗어나기를 소망하고 있다.

④ 조선 사람이 일본 말을 쓰는 것에 대해 거부감이 있다.

⑤ 아이들과 싸울 때는 조선말로 해야 한다고 생각하고 있다.

2 이 글에 나타난 당시의 언어생활로 알맞지 <u>않은</u> 것은 무엇인가요? (   )

① '국어'는 일본 말을 의미했다.

② 학교 안에서 일본 말만 사용하게 했다.

③ 평소에 관료들은 일본 말을 사용하여 말했다.

④ 보통의 사람들은 가정에서 주로 조선말을 사용했다.

⑤ 많은 학생이 학교 밖에서 조선말 대신 일본 말로 말했다.

3 글의 흐름을 고려할 때, ㉠의 구체적 의미는 무엇인가요? (   )

① 일본 말을 사용하는

② 강 선생님을 비난하는

③ 아이들의 싸움을 말리는

④ 조선말을 쓰지 못하게 하는

⑤ 집에 가서 조선말을 사용하는

4 강 선생님이 조선말을 사용하는 까닭은 무엇일까요? (   )

① 일본 말을 잘하지 못하는 것이 부끄러웠기 때문일 것이다.

② 일본어 사용을 강요하는 일제에 비판적이기 때문일 것이다.

③ 박 선생님과는 무조건 반대로 행동하는 성격 때문일 것이다.

④ 교장 이하 일본 선생님들과 사이가 안 좋았기 때문일 것이다.

⑤ 조선말의 아름다움을 일본 사람들에게 알리기 위해서일 것이다.

지문 분석

정답과 해설 08쪽

1 말하는 이

이 글의 말하는 이를 어린아이로 설정한 효과를 생각하여 (   )에 알맞은 말을 찾아 ○표 하세요.

말하는 이		효과
• 국민학생(지금의 초등학생)인 어린아이로, 순진하며 어수룩함. • 상황을 정확하게 파악하지 못하고, 판단이 미숙함.	→	이 글에서 작가가 비판하는 대상인 (강 선생님, 박 선생님)의 부정적인 면을 두드러지게 보여 줌으로써 (묘사, 풍자)의 효과를 높임.

2 인물 성격

일본 말 사용에 대한 두 인물의 태도를 비교하며 알맞은 내용을 찾아 선으로 이으세요.

박 선생님 •

• 조선말을 쓰는 학생들을 때리거나 중한 벌을 주는 등 심하게 혼냄. •

• 일제에 동조하지 않고 자신의 신념을 지키는 인물

강 선생님 •

• 일본 말 사용을 강요하지 않고, 학생들이 일본 말로 물어도 조선말로 대답함. •

• 일제에 자기 의견을 일치시키면서 자신의 이익만 추구하는 인물

배경지식 우리말도 마음껏 사용할 수 없었던 그때

소설을 읽으면 우리는 과거로 여행을 떠날 수 있습니다. 「이상한 선생님」을 읽으면 우리 민족의 아픈 역사인 일제 강점기 때의 삶의 모습을 엿볼 수 있어요. 당시 일제는 우리나라 사람들을 전쟁에 동원하기 위해 한국과 일본은 하나라고 주장하며 우리의 민족정신을 없애려고 했습니다. 그래서 우리말과 글을 사용하지 못하게 했고, 우리 역사를 거짓으로 꾸며 가르쳤습니다. 또, 성과 이름을 일본식으로 고치도록 강요했습니다. 남녀노소 할 것 없이 모두 일제의 탄압으로부터 자유로울 수 없었고, 무서운 분위기 속에서 매일을 살아야 했어요.

다음 낱말의 알맞은 뜻을 찾아 선으로 이으세요.

만판 • • 옳고 그름을 따짐.

시비 • • 혹독하게 벌을 받는.

제기고 • • 다른 것은 없이 온통 한가지로.

경치는 • • 팔꿈치나 발꿈치 따위로 지르고.

서툴러서 • • 일 따위에 익숙하지 못하여 다루기에 설어서.

1 다음 빈칸에 들어갈 알맞은 말을 오늘의 어휘 에서 찾아 쓰세요.

• 모르는 사람과는 괜히 [   ]를 붙지 마라.

• 공부는 안 하고 [   ] 놀기만 하니 걱정이다.

• 아이는 젓가락질이 [   ] 음식을 질질 흘렸다.

• 그는 상대의 등을 팔꿈치로 [   ] 나서 쓰러뜨렸다.

• 훈장님의 훈계를 듣는 중에 웃다가는 [   ] 수가 있었다.

2 다음 글에서 밑줄 친 '미숙해서'와 비슷한 말, 반대되는 말을 찾아 기호를 쓰세요.

어떤 일이든 처음 그 일을 시작할 때는 누구나 ㉠서툴러서 실수를 할 수밖에 없다. 나 역시 요리는 ㉡처음이어서 매번 실수투성이였다. 음식의 간을 맞추는 데 미숙해서 짜고 달고 맵게 하기를 수십 번 되풀이했다. 너무 ㉢힘들어서 포기할 뻔했지만 결국 우리 가족 모두의 입맛에 맞는 음식을 만들어 낼 수 있었다. 이제는 국 끓이는 일은 너무 ㉣능숙해서 눈대중만으로도 간을 맞출 수 있는 경지에 도달했다. 익숙하지 않은 일은 계속 ㉤반복해서 연습하는 것이 중요하다.

⑴ 비슷한 말: (   )   ⑵ 반대되는 말: (   )

이상한 선생님 ③ | 채만식

[중간 이야기] 해방이 된 뒤, 강 선생님이 교장이 되었으나 얼마 안 있어 박 선생님의 모함으로 강 선생님은 학교에서 **파면**된다.

　강 선생님이 파면을 당한 뒤를 물려받아 뼘박 박 선생님이 교장 선생님이 되었다. 교장이 된 뼘박 박 선생님은 그 작은 키가 **으쓱했다.**

　뼘박 박 선생님은 미국을 침이 마르도록 칭찬했다. 이 세상에 미국같이 훌륭한 나라가 없고, 미국 사람같이 훌륭한 백성이 없다고 했다.

　우리 조선은 미국 덕분에 해방이 되었으니까 미국을 누구보다도 고맙게 여기고, 미국이 시키는 대로 **순종**해야 하느니라고 했다.

　우리가 혹시 말끝에 "미국 놈……."이라고 하면, 뼘박 박 선생님은 **단박** 붙잡아다 벌을 세우곤 하였다. 전에 "덴노헤이까 바가(천황 폐하 망할 자식)!"라고 한 것만큼이나 엄한 벌을 주었다.

　"이놈아, 아무리 미련한 **소견**이기로, 자아 보아라. 우리 조선을 독립을 시켜 주느라구 자기 나라 백성을 많이 죽여 가면서 전쟁을 했지. 그래서 그 덕에 우리 조선이 왜놈의 **압제**에서 벗어나서 독립이 되질 아니했어? 그뿐인감? 독립을 시켜 주구 나서두 우리 조선 사람들 배 아니 고프구 편안히 잘 살라고 **양식**이야, 옷감이야, 기계야, 자동차야, 석유야, 설탕이야, 구두야, 무어 **죄다** 골고루 가져다주지 않어? 그런데 그런 고마운 사람들더러, 미국 놈이 무어야?"

　벌을 세우면서 뼘박 박 선생님은 이렇게 꾸짖곤 하였다.

　우리는 뼘박 박 선생님더러 미국에도 덴노헤이까가 있느냐고 물었다. 미국에 덴노헤이까가 있지 않고서야 그렇게 일본의 덴노헤이까처럼 우리 조선 사람을 친아들과 같이 사랑하고, 우리 조선 사람들이 잘 살도록 근심을 하며, 온갖 물건을 가져다주고 할 이치가 없기 때문이었다(해방 전에 뼘박 박 선생님은, 덴노헤이까는 우리 조선 사람들을 일본 사람들과 같이 사랑하고, 우리 조선 사람들이 잘 살기를 근심하신다고 늘 가르쳐 주곤 했다.).

　뼘박 박 선생님은 미국에는 덴노헤이까는 없고, 덴노헤이까보다 훌륭한 '돌멩이'라는 양반이 있다고 대답했다.

　우리는 그럼 이번에는 그 '돌멩이'라는 훌륭한 어른을 위하여 「미국 신민노 세이시(미국 신민 서사)」를 부르고, 기미가요(일본의 국가) 대신 돌멩이 가요를 부르고 해야 하나 보다고 생각했다.

　아무튼 뼘박 박 선생님은 참 이상한 선생님이었다.

- **파면**(罷 마칠 파, 免 면할 면) 잘못을 저지른 사람에게 직무나 직업을 그만두게 함.

- **으쓱했다** 어깨를 들먹이며 우쭐해 했다.

- **순종**(順 순할 순, 從 좇을 종) 순순히 따름.

- **단박** 그 자리에서 바로.

- **소견**(所 바 소, 見 볼 견) 어떤 일이나 사물을 살펴보고 가지게 되는 생각이나 의견.

- **압제**(壓 누를 압, 制 억제할 제) 권력이나 폭력으로 남을 꼼짝 못하게 강제로 누름.

- **양식**(糧 양식 양, 食 밥 식) 생존을 위하여 필요한 사람의 먹을거리.

- **죄다** 남김없이 모조리.

지문
독해

중심 내용

1 이 소설의 제목 '이상한 선생님'이 의미하는 것은 무엇인가요? (   )

① 박 선생님의 엄격한 교육 방식에 대한 불만

② 박 선생님의 풍부한 역사 지식에 대한 감탄

③ 박 선생님의 우스꽝스러운 외모에 대한 안타까움

④ 박 선생님이 미국을 찬양하는 의도에 대한 호기심

⑤ 박 선생님이 상황에 따라 태도를 바꾸는 것에 대한 비판

표현

2 다음 설명에 해당하는 표현을 찾아 쓰세요. (6글자)

> '다른 사람이나 물건에 대하여 거듭해서 말하다.'라는 뜻으로, 끊임없이 미국을 칭찬하는 박 선생님의 태도를 빗댄 표현이다.

(   )

세부 내용

3 이 글의 내용과 일치하지 <u>않는</u> 것은 무엇인가요? (   )

① 박 선생님은 강 선생님 다음으로 교장이 되었다.

② 박 선생님은 미국 덕분에 조선이 독립했다고 가르쳤다.

③ 박 선생님은 우리가 '미국 놈'이라는 말을 하면 꾸짖었다.

④ 우리는 미국에도 일본처럼 '덴노헤이까'가 있는지 궁금했다.

⑤ 우리는 기미가요와 미국 신민 서사를 함께 부르는 것이 불만이었다.

적용

4 이 글의 박 선생님과 비슷한 사람은 누구인가요? (   )

① 자신보다 힘이 센 사람과는 거리를 두는 사람

② 어떤 상황에서든 자신의 친구를 보호해 주려는 사람

③ 자신의 신념을 지키기 위해 손해를 입기도 하는 사람

④ 자신에게 피해를 주는 사람에게 두 배로 갚아 주는 사람

⑤ 상황에 따라 자신에게 이익이 되는 사람만 가까이하는 사람

지문 분석

1 인물 특징   미국에 대한 박 선생님의 주장과 근거를 정리할 때, 알맞은 것을 모두 찾아 ○표 하세요.

주장	근거
• 미국을 고맙게 여겨야 한다. • 미국이 시키는 대로 순종해야 한다.	• 미국에도 조선 사람들이 잘 살도록 근심하는 덴노헤이까가 있기 때문이다. ( ) • 미국이 조선 사람들을 위해 양식, 옷감 등을 골고루 가져다 주기 때문이다. ( ) • 미국이 자기 나라 백성을 죽여 가며 조선의 독립을 위해 전쟁했기 때문이다. ( )

2 주제   '나'의 눈에 비친 박 선생님을 통해 글의 주제를 파악할 때, 빈칸에 알맞은 말을 쓰세요.

'나'의 눈에 비친 박 선생님
해방 전에는 (   )을 찬양하다가 해방 후에는 (   )을 찬양함. '나'는 박 선생님을 이상한 선생님이라고 생각함.

글의 주제
*기회주의적인 인물에 대한 비판

*기회주의적인: 일관된 입장을 지니지 못하고 그때그때의 형편에 따라 이로운 쪽으로 행동하는.

배경지식   「이상한 선생님」 전체 줄거리

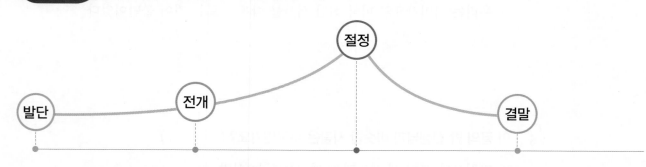

발단	전개	절정	결말
'내'가 학교에서 만난 박 선생님과 강 선생님의 외모와 성격은 정반대이고, 박 선생님과 강 선생님의 사이는 좋지 않음.	학생들에게 일본 말 사용을 강요하는 박 선생님과 달리 강 선생님은 조선말을 사용함. 일본이 패망하자 강 선생님은 기뻐함.	강 선생님은 교장이 되지만 일 년 만에 쫓겨나고, 뒤를 이어 교장이 된 박 선생님은 미국을 침이 마르도록 칭찬함.	'나'는 해방 전에는 일본을 찬양하고, 해방 후에는 미국을 찬양하는 박 선생님을 보고 참 이상한 선생님이라고 생각함.

오늘의 어휘

다음 낱말의 알맞은 뜻을 찾아 선으로 이으세요.

죄다 • • 순순히 따름.

순종 • • 남김없이 모조리.

단박 • • 그 자리에서 바로.

소견 • • 어깨를 들먹이며 우쭐해 했다.

으쓱했다 • • 어떤 일이나 사물을 살펴보고 가지게 되는 생각이나 의견.

1 다음 빈칸에 들어갈 알맞은 말을 오늘의 어휘 에서 찾아 쓰세요.

- 날씨가 더워 아이스크림이 [   ] 녹았다.
- 멋있다는 칭찬에 아들은 헤헤대며 어깨를 [   ].
- 찬물을 마시니 정신이 [   ]에 맑아지는 것 같았다.
- 이번 안건에 대하여 각자의 [   ]을 말해 주십시오.
- 옛날 세대는 웃어른에게 [   ]하는 것을 당연히 여겼다.

2 다음 글에서 밑줄 친 말과 뜻이 비슷한 말을 찾아 쓰세요.

　예로부터 '농사를 짓다 보면 하늘에 겸손해진다'라는 말이 있다. 왜 하늘에 겸손해진 다고 하는 것인지 처음 농사를 지을 때만 해도 그 뜻을 헤아리기 어려웠다. 그러던 중에 지난가을의 일을 겪고서야 큰 깨달음을 얻었다. 막 수확을 하려고 할 무렵에 갑자기 쏟아진 우박을 맞아 배추들이 <u>모조리</u> 주저앉아 버린 것이다. 배춧잎들은 죄다 구멍이 송송 뚫려 있었고 이를 본 나는 허탈감을 느끼지 않을 수 없었다. 그리고 생각했다. 이 또한 하늘의 뜻이니 항상 당연하게 여기지 말고, 겸손하게 수확물을 기다리자고.

(　　　　　　　)

소설 04

소나기 ❶ | 황순원

소년은 개울가에서 소녀를 보자 곧 윤 **초시**네 **증손녀**라는 걸 알 수 있었다. 소녀는 개울에다 손을 잠그고 물장난을 하고 있는 것이다. 서울서는 이런 개울물을 보지 못하기나 한 듯이.

벌써 며칠째 소녀는, 학교에서 돌아오는 길에 물장난이었다. 그런데 어제까지는 개울 기슭에서 하더니, ⓐ오늘은 징검다리 한가운데 앉아서 하고 있다.   5

소년은 개울둑에 앉아 버렸다. 소녀가 비키기를 기다리자는 것이다.

요행 지나가는 사람이 있어, 소녀가 길을 비켜 주었다.

ⓑ다음 날은 좀 늦게 개울가로 나왔다.

이날은 소녀가 징검다리 한가운데 앉아 세수를 하고 있었다. 분홍 스웨터 소매를 걷어 올린 팔과 목덜미가 마냥 희었다.   10

한참 세수를 하고 나더니, 이번에는 물속을 빤히 들여다본다. 얼굴이라도 비추어 보는 것이리라. 갑자기 물을 움켜 낸다. 고기 새끼라도 지나가는 듯.

소녀는 소년이 개울둑에 앉아 있는 걸 아는지 모르는지, 그냥 날쌔게 물만 움켜 낸다. 그러나 번번이 **허탕**이다. 그대로 재미있는 양, 자꾸 물만 움킨다. 어제처럼 개울을 건너는 사람이 있어야 길을 비킬 모양이다.   15

그러다가 소녀가 물속에서 무엇을 하나 집어낸다. 하얀 조약돌이었다.

그러고는 벌떡 일어나 팔짝팔짝 징검다리를 뛰어 건너간다.

다 건너가더니만 홱 이리로 돌아서며,

"이 바보."

조약돌이 날아왔다.   20

소년은 저도 모르게 벌떡 일어섰다.

단발머리를 나풀거리며 소녀가 막 달린다. 갈밭 사잇길로 들어섰다. 뒤에는 **청량한** 가을 햇살 아래 빛나는 **갈꽃**뿐.

이제 저쯤 갈밭머리로 소녀가 나타나리라. 꽤 오랜 시간이 지났다고 생각됐다. 그런데도 소녀는 나타나지 않는다. ⓒ발돋움을 했다. 그러고도 상당한 시간이 지났다고 생각됐다.   25

저쪽 갈밭머리에서 갈꽃이 한 **옴큼** 움직였다. 소녀가 갈꽃을 안고 있었다. 그리고 이제는 천천한 걸음이었다. 유난히 맑은 가을 햇살이 소녀의 갈꽃 머리에서 반짝거렸다. 소녀 아닌 갈꽃이 들길을 걸어가는 것만 같았다.

소년은 이 갈꽃이 아주 뵈지 않게 되기까지 그대로 서 있었다. 문득, 소녀가 던진 조약돌을 내려다보았다. ⓓ물기가 걷혀 있었다. ⓔ소년은 조약돌을 집어 주머니에 넣었다.   30

글의 구조

발단 – 전개 – 절정 – 결말

글자 수

| | | | 1,021 |
400 600 800 1000 1200

- **초시**(初 처음 초, 試 시험 시) 과거의 첫 시험. 또는 그 시험에 급제한 사람.
- **증손녀**(曾 일찍 증, 孫 손자 손, 女 여자 녀) 손자의 딸. 또는 아들의 손녀.
- **요행**(僥 요행 요, 倖 요행 행) 뜻밖에 얻은 행운.
- **허탕** 어떤 일을 시도하였다가 아무 소득이 없이 일을 끝냄.
- **청량**(淸 맑을 청, 涼 서늘할 량)한 맑고 서늘한.
- **갈꽃** 갈대의 꽃. 솜과 같은 흰 털이 많고 부드러움.
- **옴큼** 한 손으로 옴켜질 만한 분량을 세는 단위.

지문 독해

갈래

1 이 글의 특징으로 알맞지 <u>않은</u> 것은 무엇인가요? ( )

① 시간의 흐름에 따라 사건이 전개된다.

② 계절적 배경, 공간적 배경이 드러난다.

③ 인물의 겉모습을 자세하게 묘사하고 있다.

④ 대체로 짧은 문장과 시와 같은 표현을 사용하고 있다.

⑤ 현실과는 동떨어진 소재를 사용해 신비로운 분위기를 만든다.

세부 내용

2 이 글의 내용과 일치하지 <u>않는</u> 것은 무엇인가요? ( )

① 소녀는 서울에서 살다가 시골로 내려왔다.

② 소년은 소녀가 길을 비켜 주기만 기다렸다.

③ 소년은 소녀가 조약돌을 던지자 벌떡 일어났다.

④ 소녀는 소년이 있는 것을 모른 채 개울물을 움켜 냈다.

⑤ 소년은 개울가에서 만난 소녀가 윤 초시네 증손녀라는 것을 알았다.

표현

3 이 글에서 소녀를 비유한 표현은 무엇인가요? ( )

① 햇살   ② 갈꽃   ③ 들길

④ 분홍 스웨터   ⑤ 하얀 조약돌

추론

4 ㉠~㉤을 해석한 것으로 알맞은 것은 무엇인가요? ( )

① ㉠: 소년에 대한 소녀의 서운함이 드러난다.

② ㉡: 소년이 소녀를 만나려고 한 계산적인 행동이다.

③ ㉢: 소녀에 대한 소년의 관심을 드러낸다.

④ ㉣: 작품의 비극적인 결말을 암시한다.

⑤ ㉤: 소년과 소녀의 갈등이 해소된 것을 의미한다.

지문 분석

정답과 해설 10쪽

1 사건 전개

일어난 일의 순서에 맞게 보기 에서 기호를 찾아 쓰세요.

보기

㉮ 소년이 조약돌을 주머니에 넣음.

㉯ 소녀가 징검다리에 앉아서 물장난을 함.

㉰ 소녀가 징검다리를 건너가 소년에게 조약돌을 던짐.

㉱ 소년이 개울둑에 앉아서 소녀가 비켜 주기를 기다림.

(   ) → (   ) → (   ) → (   )

2 인물 성격

인물이 한 일을 통해 성격을 파악하여 (   )에 알맞은 말을 찾아 ○표 하세요.

인물	한 일	성격
소녀	• 징검다리 (한가운데, 가장자리)에 앉아 물장난을 함. • 소년을 향해 돌아서 "이 바보."라고 말하며 (갈꽃, 조약돌)을 던짐.	(적극적, 소극적)이고 당당함.
소년	• 소녀가 비켜 주기만을 기다리며 (개울둑, 징검다리)에 앉음. • 다음 날 (늦게, 일찍) 개울가로 나옴.	(의심, 부끄러움)이 많고 자신감이 없음.

배경지식 이야기를 더욱 아름답게 만들어 주는 '배경'

소설에서 공간적 배경은 사건을 생생하게 보여 주고, 전반적인 분위기를 조성합니다. 또 소설 속 배경 자체가 상징적인 의미를 나타내기도 하고, 주제를 드러내기도 하지요.

「소나기」는 아름다운 자연을 품고 있는 향토적인 시골 마을을 배경으로 하고 있습니다. 그래서 「소나기」의 주인공인 소년과 소녀의 사랑을 더욱 순수하고 서정적으로 보여 주지요. 실제 「소나기」의 배경 지역인 양평은 물 맑고 산세가 좋기로 유명하답니다. 늦여름에서 가을로 접어들 때, 양평에 들러 소년과 소녀의 풋풋한 사랑을 온 마음으로 느껴 보는 건 어떨까요?

다음 낱말의 알맞은 뜻을 찾아 선으로 이으세요.

양 •	• 맑고 서늘한.
마냥 •	• 뜻밖에 얻은 행운.
허탕 •	• 보통의 정도를 넘어 몹시.
요행 •	• 어떤 일을 시도하였다가 아무 소득이 없이 일을 끝냄.
청량한 •	• 어떤 모양을 하고 있거나 어떤 행동을 일부러 취함을 나타내는 말.

1 다음 빈칸에 들어갈 알맞은 말을 오늘의 어휘 에서 찾아 쓰세요.

- 그는 [   ]을 바라고 복권을 샀다.

- 동생은 소풍을 간다고 [   ] 즐거워했다.

- 일자무식인 그가 학자인 [   ] 행세하였다.

- 나무 밑에 서니 [   ] 가을바람이 불어왔다.

- 가족들이 모두 바둑이를 찾아 나섰지만 [   ]만 쳤다.

2 다음 글에서 밑줄 친 말과 뜻이 비슷한 말을 찾아 쓰세요.

나무들은 대부분 추운 겨울을 나기 위해 가을이면 잎을 모두 떨어뜨리고 가지만 남은 채로 겨울을 납니다. 그러나 계절에 상관없이 늘 푸른 잎을 자랑하는 나무들이 있습니다. 이런 나무를 '상록수'라고 합니다. 소나무, 잣나무, 가문비나무, 그리고 전나무 등이 상록수에 해당합니다. 유럽 사람들은 예로부터 상록수를 마냥 신성하게 여겼는데, 그 가운데서도 전나무를 아주 좋아했습니다. 그래서 크리스마스 때 전나무에 장식을 달아 놓고 소원을 비는 풍습이 오래전부터 전해져 오고 있습니다.

(   )

소나기 ❷ | 황순원

[중간 이야기] 소녀의 제안으로 소년과 소녀는 함께 산으로 가서 놀다가 갑자기 내린 소나기를 피해 수숫단 속에 들어간다. 소년은 추위에 떠는 소녀를 위해 겉옷을 벗어 주고, 소녀를 업고 물이 불어난 도랑을 건넌다. 그날 이후 소녀는 한동안 학교에 나오지 않는다.

글의 구조

발단 - 전개 - 절정 - 결말

글자 수

400 600 800 1000 1200

"그동안 앓았다." / 알아보게 소녀의 얼굴이 **해쓱해져** 있었다.

"그날, 소나기 맞은 것 땜에?" / 소녀가 가만히 고개를 끄덕이었다.

"인제 다 났냐?" / "아직두……."

"그럼 누워 있어야지."

"너무 갑갑해서 나왔다. …… ㉠그날 참 재밌었어. …… 근데 그날 어디서 이런 ⁵ 물이 들었는지 잘 **지지** 않는다."

소녀가 분홍 스웨터 앞자락을 내려다본다. 거기에 검붉은 진흙물 같은 게 들어 있었다.

소녀가 가만히 보조개를 떠올리며, / "이게 무슨 물 같니?"

소년은 스웨터 앞자락만 바라다보고 있었다. ¹⁰

"내, 생각해 냈다. 그날, **도랑** 건널 때 내가 업힌 일이 있지? 그때, 네 등에서 **옮은** 물이다."

소년은 얼굴이 확 달아오름을 느꼈다.

갈림길에서 소녀는,

"저, 오늘 아침에 우리 집에서 대추를 땄다. 낼 제사 지낼려구……." ¹⁵

대추 한 **줌**을 내어 준다. / 소년은 **주춤한다.**

"맛봐라. 우리 **증조할아버지**가 심었다는데, 아주 달다."

소년은 두 손을 오그려 내밀며, / "참, 알두 굵다!"

"그리구 저, 우리 이번에 제사 지내고 나서 좀 있다 집을 내주게 됐다."

소년은 소녀네가 이사해 오기 전에 벌써 어른들의 이야기를 들어서, ㉡『윤 초시 ²⁰ 손자가 서울서 사업에 실패해 가지고 고향에 돌아오지 않을 수 없게 됐다는 걸 알고 있었다. 그것이 이번에는 고향 집마저 남의 손에 넘기게 된 모양이었다.』

"왜 그런지 난 이사 가는 게 싫어졌다. 어른들이 하는 일이니 어쩔 수 없지만……."

전에 없이, 소녀의 까만 눈에 쓸쓸한 빛이 떠돌았다. ²⁵

소녀와 헤어져 돌아오는 길에, 소년은 혼잣속으로, 소녀가 이사를 간다는 말을 수없이 되뇌어 보았다. 무어 그리 안타까울 것도 서러울 것도 없었다. 그렇건만 소년은 지금 자기가 씹고 있는 대추알의 단맛을 모르고 있었다.

- **해쓱해져** 얼굴에 핏기나 생기가 없어져.
- **지지** '지워지지'의 의미.
- **도랑** 매우 좁고 작은 개울.
- **옮은** 물이 든.
- **줌** 한 손에 쥘 만한 양을 세는 단위.
- **주춤한다** 망설이거나 가볍게 놀라서 갑자기 멈칫하거나 몸이 움츠러든다.
- **증조(曾** 일찍 증, **祖** 할아버지 조) **할아버지** 아버지의 할아버지.

갈래

1 말하는 이에 대한 설명으로 알맞은 것은 무엇인가요? ( )

① 이야기 속에 등장하여 생각을 말하고 있다.

② 이야기 밖에서 소년의 마음과 생각을 직접 말하고 있다.

③ 이야기 밖에서 소년과 소녀의 행동에 대해서만 말하고 있다.

④ 이야기 속에 등장하여 소년과 소녀의 생각을 직접 말하고 있다.

⑤ 이야기 속에 등장하여 소년과 소녀의 행동을 관찰하여 말하고 있다.

세부 내용

2 ⊙'그날'에 일어난 일을 두 가지 고르세요. (,)

① 소녀가 앓아서 누워 있었다.

② 소년과 소녀가 소나기를 맞았다.

③ 소녀가 소년을 업고 도랑을 건넜다.

④ 소녀가 분홍 스웨터를 입고 있었다.

⑤ 소녀가 소년에게 이사 소식을 알렸다.

어휘

3 ⓒ『 』의 상황에 적절한 관용 표현은 무엇인가요? ( )

① 눈독 들이다. ② 찬물을 끼얹다.

③ 엎친 데 덮치다. ④ 간담이 서늘하다.

⑤ 뒤통수를 때리다.

감상

4 이 글을 바르게 감상한 사람을 찾아 이름을 쓰세요.

> 하은: 소녀가 옷에 진흙물이 묻었다고 굳이 말한 것을 보니, 그동안 소녀는 소년
> 을 원망하고 있었던 것 같아.
> 준수: 소년이 대추알의 단맛을 모르고 있었다고 한 것을 보니, 소년은 소녀가 이
> 사 간다는 사실을 많이 아쉬워한 것 같아.
> 민서: 소년에게 이사 소식을 말하는 소녀를 보니, 소녀는 새 집으로 이사 가는 것
> 에 설렘과 걱정을 동시에 느끼고 있는 것 같아.

( )

지문 분석

1 인물 마음　이 글에 나타난 소년의 마음을 찾아 선으로 이으세요.

"그럼 누워 있어야지." ·	· 소녀의 몸 상태를 걱정함.
소년은 얼굴이 확 달아오름을 느꼈다. ·	· 소녀의 말을 듣고 부끄러워함.
소년은 두 손을 오그려 내밀며, / "참, 알두 굵다!" ·	· 소녀의 마음 씀씀이에 고마움을 느낌.

2 소재 의미　이 글에 쓰인 소재의 의미를 생각하여 빈칸에 알맞은 말을 쓰세요.

소재	내용		의미
분홍 스웨터	얼마 전 소녀가 소년에게 업혀서 (　　　　　　)을 건널 때 진흙물이 듦.	→	소년과 소녀의 맑고 순수한 사랑의 추억
대추	소녀가 (　　　　　　) 간다고 말하며 소년에게 건네줌.	→	(　　　　　　)을 생각하는 소녀의 마음

배경지식　「소나기」속 중심인물의 관계

소년

시골 아이
착하고 순진한 성격으로 소녀에게 소극적이었으나 점차 적극적으로 대하는 인물

순수하고 짧은 사랑을 나눈 사이

소녀

서울에서 전학 온 아이
적극적이고 당당한 성격으로 소년에게 먼저 호감을 표현하는 인물

오늘의 어휘

다음 낱말의 알맞은 뜻을 찾아 선으로 이으세요.

줌 •

도랑 •

해쓱해져 •

주춤한다 •

갑갑해서 •

• 매우 좁고 작은 개울.

• 얼굴에 핏기나 생기가 없어져.

• 한 손에 쥘 만한 양을 세는 단위.

• 좁고 닫힌 공간 속에 있어 꽉 막힌 느낌이 있어서.

• 망설이거나 가볍게 놀라서 갑자기 멈칫하거나 몸이 움츠러든다.

---

1 다음 빈칸에 들어갈 알맞은 말을 오늘의 어휘 에서 찾아 쓰세요.

- 갑자기 날아온 돌에 놀라서 발걸음을 [   ].

- 동네 아이들이 [   ]에서 가재를 잡고 있다.

- 아이가 한 [   ]의 흙을 쥐어 화분에 담았다.

- 좁은 방 안에만 있으려니 [   ] 좀이 쑤신다.

- 그녀의 얼굴이 [   ] 있는 것을 보니 안타까웠다.

---

2 다음 글에서 밑줄 친 말과 뜻이 반대인 말을 찾아 쓰세요.

코로나19의 유행으로 5인 이상 모임이 금지된 가운데 맞은 설 연휴. 이전에 마주해 오던 명절 풍경과는 사뭇 다르게 실내보다는 야외 명소로 사람들의 발길이 이어졌습니다.

이○○ 씨는 "이번 설은 코로나 때문에 집에서 가족과 조용히 시간을 보냈다."라며 "긴 연휴에 집에만 있기 갑갑해서 바람도 쐴 겸 가족과 함께 집 앞 공원으로 산책 나왔다."라고 하였습니다. 오랜만에 야외 나들이에 나선 사람들은 전망이 탁 트여 시원해서 기분까지 상쾌해졌다는 반응입니다.

(   )

소나기 ❸ | 황순원

글의 구조

발단 — 전개 — 절정 — 결말

글자 수

| | | | 1,004 | |
| 400 | 600 | 800 | 1000 | 1200 |

아버지는 안고 있는 닭의 무게를 겨냥해 보면서, / "이만하면 될까?"

어머니가 **망태기**를 내주며,

"벌써 며칠째 '걀걀' 하구 알 날 자리를 보던데요. 크진 않아두 살은 쪘을 거예요."

소년이 이번에는 어머니한테, 아버지가 어디 가시느냐고 물어보았다.

"저, 서당골 윤 초시 댁에 가신다. 제사상에라도 놓으시라구……." 5

"그럼 큰 놈으루 하나 가져가지. 저 얼룩 수탉으루……."

이 말에, 아버지는 허허 웃고 나서,

"인마, 그래두 이게 **실속**이 있다."

소년은 **공연히 열적어**, 책보를 집어 던지고는 외양간으로 가, 소 잔등을 한 번

철썩 갈겼다. 쇠파리라도 잡는 척. 10

개울물은 날로 여물어 갔다.

소년은 갈림길에서 아래쪽으로 가 보았다. 갈밭머리에서 바라보는 서당골 마을

은 **쪽빛** 하늘 아래 한결 가까워 보였다.

어른들의 말이, 내일 소녀네가 양평읍으로 이사 간다는 것이었다. 거기 가서는

조그마한 가겟방을 보게 되리라는 것이었다. 15

소년은 저도 모르게 주머니 속 호두알을 만지작거리며, 한 손으로는 수없이 갈

꽃을 휘어 꺾고 있었다.

그날 밤, 소년은 자리에 누워서도 같은 생각뿐이었다. 내일 소녀네가 이사하는

걸 가 보나 어쩌나. 가면 소녀를 보게 될까 어떨까.

그러다가 **까무룩** 잠이 들었는가 하는데, 20

"허, 참, 세상일두……."

마을 갔던 아버지가 언제 돌아왔는지,

"윤 초시 댁두 말이 아니여. 그 많던 **전답**을 다 팔아 버리구, 대대로 살아오던 집

마저 남의 손에 넘기더니, 또 악상까지 당하는 걸 보면……."

남폿불 밑에서 바느질감을 안고 있던 어머니가 25

"증손이라곤 계집애 그 애 하나뿐이었지요?"

"그렇지, 사내애 둘 있던 건 어려서 잃구……."

"어쩌믄 그렇게 자식 복이 없을까."

"글쎄 말이지. 이번 앤 꽤 여러 날 앓는 걸 약두 변변히 못 써 봤다더군. 지금 같

애서는 윤 초시네두 대가 끊긴 셈이지. 그런데 참, 이번 계집애는 어린것이 여간 30

잔망스럽지가 않어. 글쎄, 죽기 전에 이런 말을 했다지 않어? 자기가 죽거든 자

기 입던 옷을 꼭 그대루 입혀서 묻어 달라구……."

- **망태기** 물건을 담아 들거나 어깨에 메고 다닐 수 있도록 만든 그릇.
- **실속** 실제의 알맹이가 되는 내용.
- **공연히** 아무 까닭이나 실속이 없게.
- **열적어** 좀 겸연쩍고 부끄러워.
- **쪽빛** 짙은 푸른빛.
- **까무룩** 갑자기 정신이 흐려지는 모양.
- **전답**(田 밭 전, 畓 논 답) 논과 밭을 아울러 이르는 말.
- **악상**(惡 나쁠 악, 喪 죽을 상) 젊어서 부모보다 먼저 자식이 죽는 경우를 이르는 말.
- **남폿불** 남포등에 켜 놓은 불.
- **잔망스럽지** 얄밉도록 맹랑한 데가 있지.

지문 독해

1 갈래

가에 대한 설명으로 적절하지 않은 것은 무엇인가요? (   )

① 이야기 전체의 결말 부분에 해당한다.

② 소년과 소녀의 생각을 변화시킨 부분이다.

③ 감동과 여운을 주며 이야기를 마무리하고 있다.

④ 말줄임표를 사용하여 읽는 이의 상상력을 자극한다.

⑤ 어른들의 대화를 통해 사건의 전개 과정을 알 수 있다.

2 세부 내용

이 글에서 소년이 한 일로 알맞지 않은 것은 무엇인가요? (   )

① 내일 소녀를 보러 갈지 말지 갈등했다.

② 소녀네 이삿날이 다가오자 온종일 소녀를 생각했다.

③ 소녀네 집에 가는 아버지에게 큰 수탉을 가져가라고 권했다.

④ 아버지와 어머니의 대화를 통해 윤 초시 댁의 근황을 알고 슬피 울었다.

⑤ 어른들의 말을 듣고 소녀네가 양평읍에서 가겟방을 보기로 한 계획을 알았다.

3 세부 내용

악상에 해당하는 사건은 무엇인지 쓰세요.

(   )

4 추론

소녀가 죽기 전에 자기가 입던 옷을 입혀서 묻어 달라고 말한 까닭은 무엇일까요?

(   )

① 소년이 분홍 스웨터 입은 모습을 좋아해서

② 소년과의 추억을 영원히 간직하며 떠나고 싶어서

③ 병을 앓다가 죽는 자신의 운명을 비극적으로 느껴서

④ 평소에 가장 즐겨 입던 옷을 입은 채로 잠들고 싶어서

⑤ 아픈 자신을 보러 오지 않은 소년에게 원망하는 마음이 들어서

지문 분석

1 갈등

소년이 한 일과 마음속 갈등을 알아보며 (   )에 알맞은 말을 찾아 ○표 하세요.

소년이 한 일
• 소년이 갈림길에서 아래쪽으로 가 (양평읍, 서당골) 마을을 바라봄.   • 소년이 주머니 속의 (조약돌, 호두알)을 만지작거림.   • 소년이 (갈꽃, 진달래꽃)을 휘어 꺾음.

소년의 마음속 갈등
소년은 (소녀, 윤 초시)를 그리워하고 있으나 직접 보러 가지는 못하고 마음속으로 (갈등, 체념)하고 있음.

2 주제

제목의 의미를 통해 알 수 있는 주제를 파악하여 빈칸에 알맞은 말을 쓰세요.

제목의 의미		주제
제목: ( ) → 갑자기 세차게 내렸다가 곧 그치는 비.	→	갑자기 왔다가 금방 사라지는 ( ) 처럼 짧게 끝나 버린 ( )과 소녀의 순수한 사랑

배경지식 「소나기」 전체 줄거리

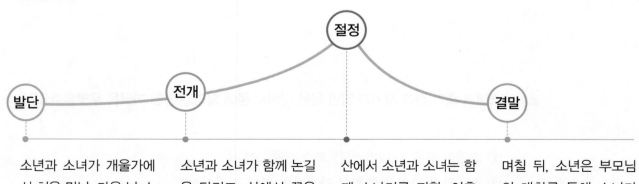

발단 — 전개 — 절정 — 결말

소년과 소녀가 개울가에서 처음 만남. 다음 날 소녀가 소년에게 조약돌을 던지며 '바보'라고 함.

소년과 소녀가 함께 논길을 달리고, 산에서 꽃을 꺾으며 즐거운 시간을 보냄.

산에서 소년과 소녀는 함께 소나기를 피함. 이후 오랜만에 만난 소녀가 이사 소식을 전함.

며칠 뒤, 소년은 부모님의 대화를 통해 소녀가 앓다가 죽었다는 소식을 알게 됨.

오늘의 어휘

다음 낱말의 알맞은 뜻을 찾아 선으로 이으세요.

실속 •　　　　　• 아무 까닭이나 실속이 없게.

전답 •　　　　　• 실제의 알맹이가 되는 내용.

책보 •　　　　　• 얄밉도록 맹랑한 데가 있지.

공연히 •　　　　　• 책을 싸는 보자기 또는 가방.

잔망스럽지 •　　　　　• 논과 밭을 아울러 이르는 말.

1 다음 빈칸에 들어갈 알맞은 말을 오늘의 어휘 에서 찾아 쓰세요.

- 쓸데없는 일에 [　　　　　] 고집을 부렸다.

- 나의 고향에는 계단식 [　　　　　]이 남아 있다.

- 그는 겉치레보다 [　　　　　]을 중요하게 여겼다.

- 옆집 아이는 말하는 걸 보면 여간 [　　　　　] 않더라.

- 예전에는 책가방이 귀해서 책을 [　　　　　]에 싸고 다녔다.

2 다음 글에서 밑줄 친 말과 뜻이 비슷한 말을 찾아 쓰세요.

　　저는 늘 아버지가 생전에 남기신 말씀을 가슴 깊이 새기며 생활합니다. 아버지께서는 첫 번째로, "괜히 쓸데없는 곳에 돈 쓰지 말고 어려울 때를 생각해서 저축해라."라고 하시며 근검한 생활을 강조하셨습니다. 두 번째로, "공연히 뒤에서 불평불만을 늘어놓지 마라."라고 하시면서 어디에서든 한결같이 당당하게 생활해야 한다고 말씀하셨습니다. 아버지의 두 가지 말씀을 몸소 실천하면서 현재 저는 인격적으로 잘 성장해 가고 있는 것 같아 뿌듯한 마음이 듭니다.

(　　　　　)

글의 구조

발단 — 전개 — 절정 — 결말

글자 수

1,090

400 600 800 1000 1200

꿩 ❶ | 이오덕

㉠"엄마, 정말 나 이제 학교 안 갈래요."

김이 모락모락 오르는 보리밥 그릇을 무릎 앞에 놓고 먹을 생각도 않는 용이가 투정을 부렸습니다.

"야가 또 이런다. 지발 어미 속 그만 썩여라. 3년이나 다닌 학교를 그만두면 어쩔래? 순이 봐라. 글 한 자도 모르제. 국민학교도 졸업 못 하면 어떡할라고." 5

순이는 뒷집에 있는 아이입니다. 작년에 학교에 입학했는데, 하도 아이들이 곰보딱지라고 놀려서 한 달도 다니지 못하고 학교를 그만두었습니다. 그래서 순이는 요즘 아침밥만 먹으면 책 **보퉁이** 대신 바구니를 들고 혼자 들로 나갑니다. 냉이를 캐는 것입니다.

"나도 이젠 4학년 됐잖아요? 남의 책 보퉁이만 메고 다니는 거 부끄럽다니까요." 10

"글쎄, 그거 늘 하는 소리제. 지발 좀 참아라. 아이구, 없는 기 원수지. 그 애들이 왜 그렇게 못살게 하나!"

어머니도 밥숟갈을 들 생각을 않으시고 한숨을 쉬시더니 또 말을 이었습니다.

"야야, 너 아부지도 올해만 남의 일을 하면 그만두실 끼다. 한 해만 참아라. 부디 한 해만……." 15

용이는 아버지가 남의 집 **머슴살이**를 올해만 하면 그만두신다는 말에 귀가 번쩍 열렸습니다.

"정말 그만둬요? 올해만 하고?"

"너 장래를 생각해서도 그만두시게 해야지. 남의 **산전**을 얻어서 죽을 먹더래도……."

㉡용이는 된장국에 보리밥을 말더니 **단숨에** 퍼먹고는 책 보퉁이를 허리에 둘러 20 매고 일어났습니다. / '올해만 참으면 된다!'

"용아, 빨리 나와!" / 바깥에서는 벌써 아이 하나가 기다리고 있었습니다. 마을 앞을 지났을 때는 여러 아이가 되었습니다.

"야들아, 오늘은 우리, 고개 위에서 **참꽃** 좀 꺾어 가자!"

"아직 꽃도 안 폈을걸?" / "병에 꽂아 두면 빨리 핀단다." 25

"그래, 꺾어 가자. 새 교실이 환하게."

모진 겨울을 이겨 낸 보리들이 푸릇푸릇 살아난 밭둑길을 걸어가면서 아이들은 모두 어깨를 **우쭐거리며** 향토 예비군의 노래를 소리쳐 불렀습니다.

㉢그러다가 산기슭을 돌아 고갯길에 올라섰을 때 그들은 모두 용이 발밑에 책 보퉁이를 던졌습니다. 3년 동안 용이 어깨에 매달려 **재**를 넘어가고 넘어오던 책 보 30 퉁이들입니다. 용이 아버지가 같은 동네에서 머슴살이를 하고 있기 때문에 아이들은 모두 용이까지 남의 짐을 날라 주어야 하는 것으로 생각하고 있는 것입니다.

- **보퉁이** 물건을 보자기에 싸서 꾸려 놓은 것.
- **머슴살이** 남의 농사일이나 잡일을 대신 해 주고 대가를 받는 일.
- **산전**(山 뫼 산, 田 밭 전) 산에 있는 밭.
- **단숨에** 쉬지 아니하고 곧장.
- **참꽃** 먹는 꽃이라는 뜻. 진달래를 이름.
- **우쭐거리며** 가볍게 율동적으로 몸을 자꾸 움직이며.
- **재** 길이 나 있어서 넘어 다닐 수 있는, 높은 산의 고개.

지문
독해

갈래

1 이 글의 시대적 배경을 드러내는 소재를 두 가지 고르세요. (　　　,　　　)

① 참꽃 　　　　　② 산기슭 　　　　　③ 밭둑길

④ 국민학교 　　　　⑤ 책 보퉁이

세부 내용

2 용이와 엄마의 갈등이 해소된 계기를 찾아 기호를 쓰세요.

> ㉮ 용이가 순이처럼 학교도 졸업하지 못하면 안 된다고 생각을 고쳐 먹음.
> ㉯ 아버지가 내년에는 머슴살이를 그만두신다는 말을 듣고 용이가 마음을 바꿈.
> ㉰ 엄마가 용이에게 친구들의 책 보퉁이를 대신 메지 않아도 된다고 말씀해 주심.

(　　　　　　　　　　)

세부 내용

3 ㉠～㉢에서 용이의 마음 변화로 알맞은 것은 무엇인가요? (　　　　　)

	㉠	㉡	㉢
①	놀람	설렘	분노함
②	서러움	즐거움	만족함
③	기대함	만족함	당당함
④	속상함	희망참	답답함
⑤	괴로움	실망함	짜증 남

감상

4 이 글을 제대로 감상한 사람을 찾아 이름을 쓰세요.

> 영준: 계속해서 남의 책 보퉁이를 메야 하는 용이의 모습이 안쓰러워.
> 슬아: 용이의 마음을 헤아리지 않고 학교에 가라고 하는 어머니가 참 매정한 것 같아.
> 선호: 용이에게 책 보퉁이를 맡긴 아이들은 용이를 진정한 친구라 믿은 것이 틀림 없어.

(　　　　　　　　　　)

지문 분석

1 인물 특징 이 글의 등장인물들의 공통점을 생각하여 빈칸에 알맞은 말을 쓰세요.

용이
아버지가 (　　　　　)를 한다는 이유로 다른 아이들의 책 보퉁이를 대신 메고 학교에 감.

순이
아이들이 (　　　　　)라고 놀려서 (　　　　　)를 그만두고 들로 나가 나물을 캠.

공통점	아버지의 직업이나 자신의 외모와 같은 외적인 조건 때문에 다른 아이들에게 괴롭힘을 당함.

2 갈등 용이와 아이들의 갈등을 정리하여 (　　　)에 알맞은 말을 찾아 ○표 하세요.

용이		아이들
남의 책 보퉁이를 대신 메고 학교 가는 것이 (부끄럽고, 당황스럽고) 답답함.		용이 아버지가 머슴살이를 하니 용이도 (친구, 머슴)처럼 남의 짐을 날라 주어야 한다고 생각함.

갈등한 결과	용이가 (정당한, 부당한) 요구를 거절하지 못하고 아이들의 책 보퉁이를 대신 메고 감.

배경지식 ## 교육자이자 아동 문학가, 이오덕 작가

　소설 「꿩」을 쓴 이오덕 작가는 어린이 글쓰기 운동부터 우리말과 우리글을 다듬는 일에 힘써 온 우리말 연구가입니다. 이오덕 작가는 무엇보다 어린이들을 위해 아름다운 시와 동화를 여러 편 쓰신 아동 문학가이기도 합니다. 「꿩」은 1971년 『동아일보』 신춘문예 동화 부문의 당선작으로, 중학교 국어 교과서에서도 자주 만나 볼 수 있는 유명한 작품이랍니다.

　이오덕 작가는 초등학교에서 아이들을 가르치면서 농촌 아이들의 생활 모습을 담은 작품을 주로 쓰셨습니다. 이오덕 작가가 쓴 주요 작품으로 「별들의 합창」, 「탱자나무 울타리」, 「까만 새」, 「아기 별이 사는 세상」 등이 있습니다.

오늘의 어휘

다음 낱말의 알맞은 뜻을 찾아 선으로 이으세요.

재 •
• 산에 있는 밭.

산전 •
• 쉬지 아니하고 곧장.

단숨에 •
• 가볍게 율동적으로 몸을 자꾸 움직이며.

머슴살이 •
• 길이 나 있어서 넘어 다닐 수 있는, 높은 산의 고개.

우쭐거리며 •
• 남의 농사일이나 잡일을 대신 해 주고 대가를 받는 일.

1 다음 빈칸에 들어갈 알맞은 말을 오늘의 어휘 에서 찾아 쓰세요.

- 누이는 [   ] 너머 마을에 산다.

- 그는 목이 말라서 물을 [   ] 들이켰다.

- 두메산골의 [   ]에는 씀바귀꽃이 피어 있었다.

- 바람이 세게 불자 허수아비가 자꾸 [   ] 춤을 춘다.

- 그는 남의 집에서 [   ]를 하였지만 비교적 자유롭게 생활했다.

2 다음 글에서 밑줄 친 말과 뜻이 비슷한 말을 찾아 쓰세요.

산에서 "야호!" 하고 외치면 잠시 후 "야호!" 하는 소리가 들린다. 이것은 '메아리'이다. 소리는 초속 340미터의 빠른 속도로 앞으로 나아간다. 그러다 장애물에 부딪치면 흡수되거나 대번에 반사된다. 이때 흡수되지 않고 반사되어 되돌아온 소리가 바로, 메아리이다. 소리는 장애물과의 거리가 가까우면 단숨에 반사되어 돌아오기 때문에 원래 소리와 구분되지 않는다. 그러나 산에서 내는 소리는 멀리까지 가다가 절벽 같은 곳에 부딪쳐 돌아오므로, 원래 소리와 시간 차이를 두고 또렷이 들을 수 있는 것이다.

(   )

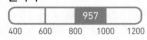

꿩 ❷ | 이오덕

저 밑에서 따라 올라오던 2학년, 3학년 아이들이 모두 책 보퉁이를 허리에 둘러 매고 용이를 앞질러 올라갑니다. 그 아이들은 용이를 돌아보면서 저희끼리 무엇이 라 **수군거렸습니다.**

"헤헤, 4학년이 됐다는 아이가 남의 책 보퉁이나 메다 주고……." 5

"참 못난 아이제."

모두 이런 말로 수군거리는 것 같았습니다.

'뭐, 못난 아이라고?'

용이는 화가 났습니다. 벌써 고개 위에 다 올라갔는지 아이들의 고함이 산 위에 서 들려왔을 때, 갑자기 용이는 눈앞에 있는 책 보퉁이들을 그냥 꽉꽉 짓밟아 버리 고 싶은 생각이 났습니다. 발밑에 돌멩이 하나가 밟혔습니다. 용이는 벌떡 일어나 10 그 돌멩이를 집어 힘껏 골짜기 아래로 던졌습니다. 돌멩이가 저 밑에 떨어지자, 갑 자기 온 산골을 뒤흔드는 소리를 치면서 커다란 뭉텅이 하나가 솟아올랐습니다.

"꼬공 꼬공, 푸드득!"

그것은 온 산골의 가라앉은 공기를 뒤흔들어 놓고 하늘을 날아오르는, 정말 살 아 있는 생명의 소리였습니다. 15

'야, 참 멋지다!'

날개를 쫙 펴고 **꽁지**를 쭉 뻗고 아침 햇빛에 눈부신 모습으로 산을 넘어가는 꿩 을 쳐다보는 용이의 온몸에 갑자기 어떤 힘이 마구 솟구쳤습니다. 용이는 그 자리 에서 한번 훌쩍 뛰어올라 보았습니다. 하늘에라도 날아오를 듯합니다. 용이는 발 에 **채는** 책 보퉁이 하나를 집어 들었습니다. 20

그리고 그것을 하늘 위로 던졌습니다.

횡! 공중에서 몇 바퀴 돌던 책 보퉁이가 퍽 소리를 내면서 골짜기에 떨어졌을 때, 용이는 두 번째 책 보퉁이를 집어 던졌습니다.

또 하나, 또 하나……

마지막에 던진 작대기는 건너편 **벼랑**의 소나무 가지를 철썩 치도록 멀리 떨어졌 25 습니다. / "됐다!"

용이는 이제 하늘이 탁 **트이고** 가슴이 시원해져서, 저 건너 산을 보고 "하하하." 웃었습니다.

떠가는 구름을 따라 **마구** 날아갈 것 같았습니다.

'내가 정말 못난이였구나! 이제 다시는 그런 짓 안 한다!' 30

용이는 제 책 보퉁이만 허리에 둘러맸습니다. 그러고는 고개를 향해 날 듯이 뛰 어 올라갔습니다.

- **수군거렸습니다** 남이 알아듣지 못하도록 낮은 목소리로 자꾸 가만가만 이야기했습니다.

- **꽁지** 새의 꽁무니에 붙은 깃.

- **채는** 발에 힘껏 치이는.

- **벼랑** 낭떠러지의 험하고 가파른 언덕.

- **트이고** 마음이나 가슴이 답답한 상태에서 벗어나게 되고.

- **마구** 몹시 세차게.

중심 내용

1 이 글의 중심 사건은 무엇인가요? (   )

① 꿩이 하늘 위로 날아간 일

② 용이가 꿩에게 돌을 던진 일

③ 용이가 고개를 향해 날 듯이 뛰어 올라간 일

④ 2, 3학년 아이들이 용이에 대해 수군거린 일

⑤ 용이가 꿩을 보고 아이들의 책 보퉁이를 집어 던진 일

표현

2 가 부분에서 용이의 분노를 나타낸 소재를 찾아 쓰세요. (3글자)

(   )

세부 내용

3 용이가 다시는 하지 않겠다고 한 그런 짓 은 무엇인가요? (   )

① 책을 많이 들고 학교에 다니는 짓

② 돌멩이를 아이들을 향해 던지는 짓

③ 책 보퉁이를 골짜기에 집어 던지는 짓

④ 아이들의 책 보퉁이를 대신 메고 다니는 짓

⑤ 아이들과 함께 남을 보고 수군거리는 부끄러운 짓

추론

4 하늘로 날아오르는 꿩을 본 용이의 감정을 짐작한 것으로 알맞은 것은 무엇인가요?

(   )

① 아이들에게 맞설 용기와 자신감을 얻었을 것이다.

② 책 보퉁이를 짓밟고 싶은 충동을 일으켰을 것이다.

③ 자신은 꿩처럼 하늘로 날아오를 수 없어서 실망했을 것이다.

④ 답답한 곳에서 벗어나 더 넓고 화려한 도시로 나아가고 싶었을 것이다.

⑤ 돌멩이를 맞고 날아오른 꿩을 보며 염치없고 뻔뻔한 자신에게 화가 났을 것이다.

지문 분석

정답과 해설 14쪽

1 소재 의미 | 이 글에 나타난 꿩의 모습을 찾아 쓰고, 꿩의 의미를 파악하여 (   )에 알맞은 말을 찾아 ○표 하세요.

꿩의 모습	꿩의 의미
'정말 살아 있는 ( )의 소리'를 내며 힘차게 ( )을 날아오름.	→ (포용력, 생명력)
날개를 쫙 펴고 ( )를 쭉 뻗고 아침 햇빛에 눈부신 모습으로 ( )을 넘어감.	→ (용기, 평화)

2 사건 전개 | 이 글의 사건 전개에 따라 순서대로 번호를 쓰세요.

골짜기 아래에서 꿩이 하늘로 날아올랐다.	
용이가 돌멩이를 집어 골짜기 아래로 던졌다.	
용이가 제 책 보퉁이만 메고 고개로 뛰어 올라갔다.	
용이가 2, 3학년 아이들이 자신을 비웃는다고 생각했다.	

배경지식 **용이를 변화시킨 '꿩'**

소설 「꿩」에서 용이는 꿩을 보기 전에 어떤 모습이었나요? 용이는 학교를 오고 갈 때마다 또래 아이들의 책 보퉁이를 나르면서 자신의 처지를 속상하게 여겼습니다. 하지만 힘차게 날아오르는 꿩을 우연히 마주한 다음, 아이들의 책 보퉁이를 하나씩 던져 버렸지요. 꿩이 용이에게 큰 힘을 주는 역할을 한 것입니다. 용이는 원래 다른 아이들의 책 보퉁이를 나르는 자신을 못난 아이라고 여기면서도 아이들의 요구를 거절하지 못했던 아이입니다. 하지만 꿩을 본 다음부터 용이는 아이들과 당당하게 맞서게 된 것이지요. 이처럼 꿩은 이 작품에서 용이의 행동 변화를 불러온 중요한 소재로, '자유', '용기', '자신감' 등을 상징해요. 소설을 읽을 때는 소재의 상징적 의미를 깊이 있게 이해하는 연습을 하는 것이 좋습니다.

오늘의 어휘

다음 낱말의 알맞은 뜻을 찾아 선으로 이으세요.

벼랑 • • 몹시 세차게.

마구 • • 발에 힘껏 치이는.

채는 • • 낭떠러지의 험하고 가파른 언덕.

트이고 • • 마음이나 가슴이 답답한 상태에서 벗어나게 되고.

수군거렸습니다 • • 남이 알아듣지 못하도록 낮은 목소리로 자꾸 가만가만 이야기했습니다.

1 다음 빈칸에 들어갈 알맞은 말을 오늘의 어휘 에서 찾아 쓰세요.

- 비바람이 [   ] 몰아쳤다.
- 현지는 산에서 발을 헛디뎌 [   ]으로 굴렀다.
- 한바탕 웃고 나니 속이 [   ] 기분이 좋아졌다.
- 발에 [   ] 풀포기마다 흠뻑 이슬을 머금고 있었다.
- 그 사람이 우스꽝스러운 모습으로 무대에 오르자 여기저기서 [   ].

2 다음 글에서 밑줄 친 말과 뜻이 반대인 말을 찾아 쓰세요.

갈수록 앞길이 트이고 무엇인가 보이는 게 아니라 오히려 더욱 첩첩산중으로 들어가는 느낌이 들었다. 이러다가 정말 영화에서나 보던 환상의 공간으로 들어가는 것이 아닌가 헷갈릴 정도였다.
그런데 빽빽한 나무들로 꽉 막히고 더 이상 들어갈 수 없을 것 같은 길을 지나자 순식간에 드넓은 벌판이 펼쳐졌다. 우리는 아무도 입을 열지 못했고 다들 넋이 나간 표정을 짓고 있었다.

(   )

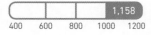
꿩 ❸ | 이오덕

"어, 용이가 빈손으로 오네?" / "정말 저 자식이?" / "**인마**, 책 보퉁이 모두 어쨌나?"

용이는 아무 말이 없이 그냥 올라오고만 있습니다. 아이들이 용이를 **빙** 둘러쌌습니다.

"너, 책 보퉁이 어쨌어?" / "이 자식, 죽고 싶나? 빨리 말해!"

용이는 아이들을 한번 둘러보고는 조용히, 그러나 힘찬 소리로 말했습니다. 이상하게도 책 보퉁이를 모두 날리고 나니 마음이 가라앉는 것이 조금도 겁이 나지 않았습니다. / "너희들 책보 말이제? 저 밑에 두꺼비 바위 아래 던져 놨어." 5

"뭐? 이 자식이!" / "이 자식 돌았나?" / "빨리 못 가져오겠나?"

그러나 용이는 여전히 조용한 소리로 말했습니다.

"나, 이젠 못난 아이 아니야!" / "어, 이 자식이?" 10

"요런, 머슴의 자식이." / "나쁜 자식! 맛 좀 볼래?"

아이들의 발과 주먹이 용이를 덮쳐 왔을 때, 용이는 번개같이 거기를 빠져나와 몇 걸음 발을 옮기더니, 발밑에 있는 돌을 두 손으로 한 개씩 거머쥐고는 거기 있는 커다란 바윗돌 위에 껑충 뛰어올랐습니다.

그 **몸놀림**이 어찌나 **재빠른지**, 아이들이 모두 놀랐습니다. 지금까지의 용이와는 아주 다른, 딴 아이였습니다. 15

"자, 덤빌람 덤벼! 누구든지 오는 녀석은 가만두지 않을 끼다!"

아이들이 입을 벌리고 어쩔 줄 모르고 서 있을 때, 뒤에서 한 아이가,

"난, 내 책보 가질러 갈란다."

하고 달려갔습니다. 그 소리에 다른 아이들도 모두 정신이 돌아온 것처럼, 20

"나도 간다." / "나도 간다." / 하고 달려갔습니다.

"이 자식, 두고 봐라." / 맨 마지막에 내려가면서 성윤이가 말했습니다.

"오냐, 인마, 얼마든지 봐 준다." / 용이 목소리는 **한층** 크고 자랑스러웠습니다.

아이들이 모두 '와아!' 하고, 아까 올라온 길을 내려가는 뒷모양을 보면서 용이는 또 한 번 가슴을 확 펴고 '하하하.' 웃었습니다. 25

'나 **인제** 못난 아이 아니야!' / 그러고는 다시 혼잣말로 중얼거렸습니다.

"내일 아침에는 순이를 데리고 오자. 순이를 놀리는 녀석은 어떤 녀석이고 용서 안 할 끼다."

용이는 돌아서서, 햇빛이 눈부신 **내리받이** 길을 바라보았습니다. 이제는 단숨에 학교까지 뛰어갈 듯합니다. 하늘에는 하얀 구름 한 송이가 날고 있었습니다. 용이는 훌쩍 한번 뛰더니 마구 두 팔을 내저으면서 내리달렸습니다. ㉠그것은 마치 한 마리의 꿩이 소리치면서 하늘을 날아오르는 모습과도 같았습니다. 30

- **인마** '이놈아'가 줄어든 말.

- **빙** 일정한 둘레를 넓게 둘러싸는 모양.

- **몸놀림** 몸의 움직임.

- **재빠른지** 동작 따위가 재고 빠른지.

- **한층** 일정한 정도에서 한 단계 더.

- **인제** 이제에 이르러.

- **내리받이** 비탈진 곳의 내려가는 방향.

갈래

1 이 글에 대한 설명으로 알맞은 것은 무엇인가요? (   )

① 이야기 속에 또 다른 이야기가 들어 있다.

② 용이의 말과 행동을 통해 용이의 태도를 드러낸다.

③ 꿩에 대한 용이와 아이들의 생각 차이를 나타낸다.

④ 새로운 사람이 등장하여 이야기가 다른 방향으로 전개된다.

⑤ 배경이 되는 시간을 자세히 표현하여 앞으로 일어날 갈등을 알려 준다.

세부 내용

2 이 글의 내용과 일치하지 <u>않는</u> 것은 무엇인가요? (   )

① 용이는 아이들에게 재빠른 움직임을 보여 주었다.

② 아이들은 용이의 달라진 태도에 더 이상 맞서지 못했다.

③ 용이는 책 보퉁이를 찾으러 가는 아이들에게 돌을 던졌다.

④ 아이들은 용이에게 책 보퉁이를 도로 가져오라고 요구했다.

⑤ 용이는 자신을 향해 달려드는 아이들을 피해 바위로 올라갔다.

표현

3 ㉠과 같은 표현 방법을 사용한 문장을 찾아 ○표 하세요.

(1) 꽃이 생글생글 웃는다.   (   )

(2) 부모님의 사랑은 바다이다.   (   )

(3) 그는 여우처럼 얄밉게 말했다.   (   )

추론

4 이 글에 이어질 내용을 상상한 것으로 알맞은 것을 찾아 기호를 쓰세요.

> ㉮ 용이는 순이가 걱정되어 다시 아이들의 책 보퉁이를 대신 메고 다닐 것이다.
>
> ㉯ 용이는 순이를 데리고 학교에 가고 아이들이 순이를 놀리지 못하게 지켜 줄 것이다.
>
> ㉰ 아이들이 용이의 기세에 눌려 용이의 책 보퉁이를 번갈아 가며 대신 메고 다닐 것이다.

(   )

지문 분석

1 표현 효과 　이 글에 사용된 비유적 표현과 그 효과를 정리하여 빈칸에 알맞은 말을 쓰세요.

표현하려는 대상	빗댄 대상
두 팔을 내저으며 학교를 향해 달려가는 (　　　　　)의 모습	소리를 치면서 하늘을 날아오르는 (　　　　　)의 모습

↓

효과	(　　　　　)의 당당한 기세와 자유로움을 표현함.

2 주제 　용이의 말에 드러난 태도를 통해 알 수 있는 이 글의 주제를 생각하며 (　　　　)에 알맞은 말을 찾아 ○표 하세요.

용이의 말	용이의 태도
• "나, 이젠 못난 아이 아니야!" • "자, 덤빌람 덤벼! 누구든지 오는 녀석은 가만두지 않을 끼다!"	용이는 자신감 없던 과거와 달리, 아이들의 부당한 요구를 (거부, 회피) 하고 아이들과 당당하게 맞섬.

↓

주제	옳지 않은 (명예, 차별)에 당당하게 맞서는 (희망, 용기)

배경지식 　「꿩」 전체 줄거리

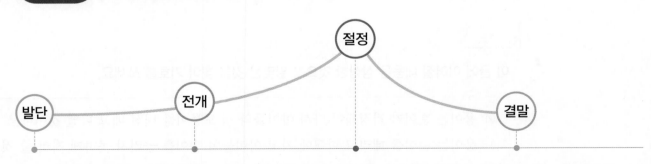

발단	전개	절정	결말
아이들의 책보를 대신 메기 싫어 학교에 가지 않겠다던 용이는 아버지가 올해까지만 머슴살이를 한다는 말에 집을 나섬.	용이는 아이들의 책보를 대신 메고 올라가다 날아오르는 꿩의 모습을 보고 용기를 얻어 아이들의 책보를 골짜기 아래로 던짐.	용이는 책보를 찾아오라는 아이들에게 자신은 이제 못난 아이가 아니라고 말하며 당당한 태도를 보이며 맞섬.	자신감이 생긴 용이는 꿩이 날아오르는 몸짓과 비슷하게 자신의 두 팔을 마구 내저으며 학교를 향해 달려감.

오늘의 어휘

다음 낱말의 알맞은 뜻을 찾아 선으로 이으세요.

빙 •   • 이제에 이르러.

인제 •   • 동작 따위가 재고 빠른지.

한층 •   • 일정한 정도에서 한 단계 더.

재빠른지 •   • 비탈진 곳의 내려가는 방향.

내리받이 •   • 일정한 둘레를 넓게 둘러싸는 모양.

1 다음 빈칸에 들어갈 알맞은 말을 오늘의 어휘 에서 찾아 쓰세요.

- [   ] 막 가려는 참이다.

- 이 도시는 산으로 [   ] 둘러싸여 있다.

- [   ]에서 가속이 붙은 차는 마구 달려 내려갔다.

- 그 쥐는 달아나는 것이 얼마나 [   ] 잡을 수가 없었다.

- 날씨가 더워지자 시원한 얼음 생각이 [   ] 더 간절하다.

2 다음 글에서 밑줄 친 말과 뜻이 반대인 말을 찾아 쓰세요.

우리 반의 친구 A와 B는 청소하는 방식이 전혀 딴판입니다. A는 청소 시간이 되는 즉시 신속하게 주변 정리부터 합니다. 얼마나 재빠른지 내가 못 따라갈 정도입니다. 반면 B는 느긋하게 일을 처리하는 유형입니다. 얼마나 굼뜬지 옆에서 보는 내 속이 다 탈 지경이지요. 하지만 모든 것에 장단점이 있듯이 A는 간혹 구석진 곳을 살펴보지 않는 실수를 하는데 그럴 때는 B가 꼼꼼하게 챙겨서 보완해 주기도 합니다. 둘은 영락없는 환상의 짝꿍이랍니다.

(   )

달걀은 달걀로 갚으렴 ❶ | 박완서

[앞부분 이야기] 봄뫼가 다니는 산골 학교의 문 선생님은 학생들에게 암탉을 나눠 주고, 학생들이 암탉이 낳은 달걀을 팔아 도시로 수학여행을 다녀오게 한다. 봄뫼의 오빠 한뫼도 그렇게 수학여행을 다녀왔는데, 봄뫼가 암탉을 받아 오자 그것을 죽이려 한다. 문 선생님은 한뫼에게 그 이유를 묻는다.

"한자리에서 달걀을 백서른 개나 먹는 아저씨도 보았어요. 그 아저씨는 어찌나 달걀을 빠르게 먹던지 옆에서 깨뜨려 주는 사람이 미처 못 당할 정도였어요. 그렇지만 그 배 속 큰 아저씨도 백 개를 넘게 먹고 나서부터는 삼키기가 괴로운지 달걀 흰자위를 입 주변에 줄줄 흘리면서 목을 괴롭게 빼고는 억지로 먹더군요. 민박한 집 아이들은 손뼉을 치며 재미나 하는데, 저는 이상하게 울고 싶었어요." 5

"그때 왜 울고 싶었는지 지금 생각나니?"

"생각나고말고요. 그동안 도시의 **인상**은 희미해졌지만, 그 일만은 어제 일처럼 생생한걸요. 그때 저는 제 여행비가 된 제 암탉이 낳은 소중한 달걀에 대해서 생각했어요. 저는 제 달걀을 **고스란히** 모으기 위해 얼마나 많이 제 동생들을 때리고 쥐어박았는지 몰라요. 특히 봄뫼는 어찌나 날쌔게 달걀을 훔쳐 가는지, 아마 10 제일 많이 쥐어박았을 거예요. 귀여운 누이동생이 굴뚝 모퉁이에서 서럽게 훌쩍이건 말건 아랑곳하지 않을 만큼 그때 저에게 달걀은 무엇보다도 소중한 거였어요. 그런 달걀이 도시 사람한테는 마구 **천대받고** 웃음거리가 되는 걸 보니까, 꼭 제가 **업신여김**을 당하는 것처럼 분한 생각이 들었어요.

제가 달걀한테 들인 정성과 그동안의 세월까지 무시당했다 싶으면서 이튿날 15 부터는 도시 구경이 도무지 재미가 없었어요. 여행에서 돌아와서 지금까지 줄곧 그때 저를 업신여기던 도시에 대해서 어떻게든 **앙갚음**하지 않으면 안 될 것 같은 생각에 시달리고 있어요. ㉠달걀을 천대하는 것을 구경하며 손뼉 치고 깔깔 대던 도시의 아이, 어른, 모든 사람에 대한 앙갚음을 위해서 저는 부모님이 힘겨워하시는 것을 못 본 척하고 중학교에 갔는지도 몰라요." 20

"그래? 선생님은 처음 듣는 소리구나. 어디 네 앙갚음의 꿈을 이야기해 보렴."

"무지무지한 부자가 되든지, 무지무지한 **권세**를 잡든지, 무지무지하게 유명해지든지 해서 저는 도시 사람들을 업신여길 수 있고, 도시 사람들이 저를 **우러르고** 제 말 한마디에 벌벌 떨게 하고 싶어요."

"그거 참 좋은 생각이로구나. 하지만 그러려면 너무 오랜 세월이 걸리지 않겠 25 니? 그리고 달걀 몇 꾸러미에 대한 앙갚음으로는 너무 지나치지 않을까 몰라. 너무 **인색하게** 갚아 주는 것도 안 좋지만, 너무 지나치게 갚을 건 또 뭐 있니? 달걀은 달걀로 갚으렴."

- **인상**(印 도장 인, 象 상상 상) 어떤 대상에 대하여 마음속에 새겨지는 느낌.
- **고스란히** 건드리지 않아 변하지 않고 그대로 온전한 상태로.
- **천대**(賤 천할 천, 待 기다릴 대)**받고** 천하게 대우받거나 푸대접을 받고.
- **업신여김** 남을 낮추어 보거나 하찮게 여기는 일.
- **앙갚음** 남이 저에게 해를 준 대로 저도 그에게 해를 줌.
- **권세**(權 권세 권, 勢 기세 세) 권력과 세력을 아울러 이르는 말.
- **우러르고** 마음속으로 공경하여 떠받들고.
- **인색**(吝 아낄 인, 嗇 아낄 색)**하게** 어떤 일을 하는 데 대하여 지나치게 박하게.

지문
독해

갈래

1 이 글의 특징으로 알맞은 것은 무엇인가요? (   )

① 겉모습 묘사를 통해 한뫼의 성격을 보여 주고 있다.

② 한뫼가 혼잣말하듯이 자신의 심정을 나타내고 있다.

③ 대화를 통해 한뫼와 선생님의 생각을 자세히 드러내고 있다.

④ 실제 산골 아이의 경험을 통해 교훈적인 이야기를 전하고 있다.

⑤ 한뫼의 생각에 대하여 문 선생님이 무조건적인 비판을 하고 있다.

세부 내용

2 달걀을 먹는 아저씨를 보고 한뫼가 울고 싶었던 이유는 무엇인가요? (   )

① 달걀을 억지로 먹는 아저씨가 고통스러워 보여서

② 달걀을 배불리 먹을 수 있는 도시의 삶이 부러워서

③ 도시 사람들에게 앙갚음하는 데 시간이 많이 걸려서

④ 자기에겐 소중한 달걀이 도시 사람들에게 웃음거리가 되어서

⑤ 도시 아이들이 자기에게도 달걀을 그렇게 먹일까 봐 두려워서

세부 내용

3 ㉠에 가장 어울리는 한자성어를 보기 에서 찾아 쓰세요.

> **보기**
> • 와신상담(臥薪嘗膽): 불편한 섶에 몸을 눕히고 쓸개를 맛본다는 뜻.
> • 촌철살인(寸鐵殺人): 한 치의 쇠붙이로도 사람을 죽일 수 있다는 뜻.
> • 토사구팽(兔死狗烹): 토끼가 죽으면 토끼를 잡던 사냥개도 주인이 먹는다는 뜻.

(   )

추론

4 이 글에 바로 이어질 한뫼와 문 선생님의 대화 주제를 두 가지 고르세요. (,   )

① 달걀을 달걀로 갚는 방법

② 한뫼와 봄뫼가 닭을 돌보는 과정

③ 한뫼와 산골 친구들의 갈등 원인

④ 도시 사람들에게 앙갚음하는 올바른 방법

⑤ 한뫼가 생각한 방법이 오랜 세월이 걸리는 이유

지문 분석

1 인물 마음   한뫼의 마음 변화를 생각하여 빈칸에 알맞은 말을 쓰세요.

도시 여행을 가기 전
도시 여행을 가기 위해 (   )을 모으며 기대함.

도시 여행을 한 후
도시에서 달걀이 천대받고 (   )가 되는 것을 보고 실망함.

2 인물 성격   한뫼와 문 선생님이 한 말을 완성하고, 두 사람의 특징에 맞게 (   )에 알맞은 말을 찾아 ○표 하세요.

한뫼	문 선생님
부자가 되든지 ( )를 잡든지 유명해지든지 해서 도시 사람들을 업신여기고, ( )이 자기의 말에 떨게 하고 싶다고 말함.	한뫼의 생각이 좋은 생각이긴 하지만 너무 오래 걸리고, 너무 지나친 것 같으니 달걀은 ( )로 갚으라고 말함.

(충동적, 폭력적)이고 자존심이 강한 아이임.	상대의 의견을 (무시, 존중)하며 새로운 제안을 하는 어른임.

배경지식   ## 섬세하게 세상을 바라본, 박완서 작가

「달걀은 달걀로 갚으렴」은 박완서 작가가 쓴 창작 동화입니다. 박완서 작가는 1970년, 마흔이 넘은 늦은 나이에 작품을 쓰기 시작하여 우리나라를 대표하는 작가가 되었습니다.

박완서 작가는 어린이를 위한 동화부터 어른들을 위한 소설까지 다양한 작품을 많이 썼답니다. 특히 박완서 작가가 쓴 작품들 중에는 우리가 일상생활에서 경험할 수 있는 내용들을 섬세하게 바라보고, 현실적으로 표현하여 쓴 것이 많이 있습니다. 그중에서 『옥상의 민들레꽃』, 『그 많던 싱아는 누가 다 먹었을까』, 『자전거 도둑』 등은 꼭 한번 찾아서 읽어 보세요.

다음 낱말의 알맞은 뜻을 찾아 선으로 이으세요.

인상 • • 천하게 대우하거나 푸대접함.

권세 • • 권력과 세력을 아울러 이르는 말.

천대 • • 어떤 대상에 대하여 마음속에 새겨지는 느낌.

앙갚음 • • 남이 저에게 해를 준 대로 저도 그에게 해를 줌.

고스란히 • • 건드리지 않아 변하지 않고 그대로 온전한 상태로.

1 다음 빈칸에 들어갈 알맞은 말을 오늘의 어휘 에서 찾아 쓰세요.

- 삼촌은 월급 외의 수입은 [   ] 저축했다.
- 그는 평생을 온갖 멸시와 [   ]를 받으며 살았다.
- 그녀의 집안은 대대로 [   ]를 누려 온 가문이었다.
- 재석이는 친절하여 사람들에게 좋은 [   ]을 남긴다.
- 내가 받은 모욕에 대해 반드시 [   ]을 하고 말 것이다.

2 다음 글에서 밑줄 친 말과 뜻이 비슷한 말을 찾아 쓰세요.

이번 문학 기행으로 김유정 문학촌을 다녀왔다. 그곳에는 김유정 작가님이 살았던 당시의 모습대로 복원한 생가와 문학 전시관, 외양간, 디딜방앗간 등이 있었다. 작가님이 생전에 쓰던 물건들도 고스란히 남아 있어 살펴볼 거리가 많았다. 문학촌 곳곳을 찬찬히 둘러보고 있노라니 그분의 생전 말씀이 지금 내게 그대로 전해지는 듯했다. 나는 책으로만 읽을 때와는 또 다른 느낌을 받으며 이것이 바로 문학 기행의 매력이라는 생각을 하게 됐다.

(   )

달걀은 달걀로 갚으렴 ❷ | 박완서

글의 구조

발단 — 전개 — 절정 — 결말

글자 수

1,165

400 600 800 1000 1200

"한뫼야, 봄뫼가 암탉 기르는 일을 **훼방** 놓지 말고 도와주렴."

"선생님은 기어코 봄뫼까지 도시의 업신여김을 당하게 하실 셈이군요."

"아니지. 선생님은 다만 달걀을 달걀로 갚는 일을 도와주려는 것뿐이다."

문 선생님이 소년처럼 뽐내면서 말했습니다.

좋은 생각이 떠올랐나 봅니다.   5

"선생님 생각을 말씀해 주세요."

"암탉을 잘 먹이고 잘 돌봐서 알을 많이 낳게 하는 거야. 아직 어리지만 다 자라면 곧 알을 낳기 시작할 거야. 형제간에 싸워 가면서라도 달걀을 잘 모았다가 팔아서 **여비**를 마련해야지. 숙박비는 언제나처럼 민박으로 할 것이니 준비할 필요가 없고…….."   10

"선생님까지 결국은 절 업신여기시는군요."

한뫼가 일어섰다. 어둠 때문일까. 한뫼는 의젓해 보이기보다는 오히려 퍽 쓸쓸해보였다. 문 선생님도 따라 일어서서 한뫼의 어깨를 안아 토닥거리며 다시 앉혔다.

"그렇지만 이번에는 여행하는 사람이 바뀔 거야. 금년에는 우리 반 아이들이 도시로 여행하는 게 아니라 우리 반 아이들이 도시 아이들을 초청하는 거야. 우리   15
가 여비까지 부담하면서 말이야. 왜 진작 그런 생각을 못 했을까. 이건 진짜 기막힌 생각이야. 네 덕이다. 한뫼야, 고맙다."

문 선생님 혼자 뛸 듯이 기뻐할 뿐, 한뫼는 여전히 우울해 보였습니다.

"**기발한** 생각이군요. 선생님, 그렇지만 좋은 생각은 아니에요. 편안한 방에 앉아서 초콜릿을 야금야금 핥으며, 주스를 찔끔찔끔 마시며, 달걀을 한꺼번에 백서   20
른 개씩 먹는 쇼를 보고 깔깔대던 아이들을 이 **두메산골**에 데려다 어쩌겠다는거죠?"

"우선 달걀을 보여 줘야지. 그들이 보고 배운 달걀과는 또 다른 달걀을. 너도 도시에 가서 우리가 보고 배운 달걀의 **쓸모**와는 전혀 다른 달걀의 쓸모를 배웠지않니? 너는 네가 새롭게 배운 것에 대해 후회하거나 업신여기는 마음을 가져선   25
안 된다. 사물을 바르게 이해하기 위해서는 그 사물의 헤아릴 수 없이 많은 쓸모에 대해 골고루 알아 두는 게 좋아. 아마 도시 아이들도 놀랄 거야. 그들이 천대하고 웃음거리로 삼던 달걀이 여기서는 얼마나 값어치 있게 쓰이는가를 알면."

"그것 때문에 여기까지 도시 아이들을 부를 건 없잖아요. 우린 도시에서 달걀만본 게 아니라 별의별 걸 다 보았는데, 이 두메에 뭐가 있다고…….."   30

"이 두메에 없는 것이 뭐 있니? 나는 도시 사람들이 달걀을 업신여기는 것보다네가 우리가 가진 것을 업신여기는 것이 더 섭섭하다."

- **훼방**(毁 헐 훼, 謗 헐뜯을 방) 남의 일을 방해함.

- **여비**(旅 나그네 여, 費 쓸 비) 여행하는 데 드는 비용.

- **기발**(奇 기이할 기, 拔 뺄 발)한유달리 재치가 뛰어난.

- **두메산골** 도시에서 멀리 떨어져있는 깊은 산속.

- **쓸모** 쓸 만한 가치.

지문 독해

1 <u>갈래</u>
이 글에서 중심인물 두 사람을 쓰세요.

(   )

2 <u>세부 내용</u>
<u>달걀을 달걀로 갚는 일</u>이 뜻하는 일은 무엇인가요? (   )

① 달걀을 업신여기는 도시 아이들을 꾸짖는 일

② 한뫼와 봄뫼가 도시 아이들과 도시를 여행하는 일

③ 도시 아이들을 초청하여 달걀을 식사로 대접하는 일

④ 달걀로 여비를 마련하여 도시 아이들을 초청하는 일

⑤ 달걀을 팔아 초콜릿과 주스를 사서 도시 아이들에게 주는 일

3 <u>세부 내용</u>
문 선생님의 성격을 가장 잘 나타낸 말은 무엇인가요? (   )

① 순발력이 뛰어나다.

② 너그럽고 신중하다.

③ 성실하고 무뚝뚝하다.

④ 희생정신이 투철하다.

⑤ 남에게 받은 은혜를 꼭 갚으려 한다.

4 <u>적용</u>
문 선생님과 같은 생각을 지니고 행동하는 사람은 누구인가요? (   )

① 오늘의 숙제는 오늘 안에 반드시 끝내는 경진

② 이웃과 나누어 먹을 양을 계산해서 만두를 빚는 예린

③ 친구들과 함께 학용품을 싼 가격에 공동 구매하는 우혁

④ 낮에도 하늘의 별자리를 볼 수 있는 천체 과학관을 좋아하는 루민

⑤ 놀이공원도 좋지만 산과 들에도 그것만의 매력이 있다며 그곳을 찾는 준이

지문 분석

1 갈등   한뫼와 문 선생님의 생각 차이를 파악하여 빈칸에 알맞은 말을 쓰세요.

한뫼		문 선생님
• ( )을 기르는 것은 도시의 업신여김을 받는 것이므로 기르지 말아야 한다. • 두메산골에는 특별한 것이 없으므로 ( )을 데려올 필요가 없다.	↔	• 봄뫼가 ( )을 기르는 일을 훼방 놓지 말고 도와주어야 한다. • 도시 아이들이 두메산골에 와서 보고 ( )의 쓸모를 알아야 한다.

2 인물 특징   한뫼와 문 선생님의 말을 완성하고, 두 사람의 태도를 생각하여 (   )에 알맞은 말을 찾아 ○표 하세요.

인물	말	태도
한뫼	"( )까지 결국은 절 업신여기시는군요."	닭 키우는 일에 반감을 가지고 선생님의 말에 (협력적, 비협력적)인 태도로 말함.
문 선생님	"왜 진작 그런 생각을 못 했을까. 이건 진짜 ( ) 생각이야. 네 덕이다. 한뫼야, 고맙다."	한뫼의 상황을 이해하고 한뫼를 설득하려고 (협력적, 비협력적)인 태도로 말함.

배경지식 ## 달걀이 주는 메세지

이 글은 1970년대, 산골을 배경으로 한 작품입니다. 당시에는 달걀을 팔아 수학여행을 갈 정도로 산골에서는 달걀이 귀한 것이었지요. 그런데 주인공 한뫼는 자신에게 더없이 소중한 달걀이 도시 사람들에게 천대를 받고 놀림감이 되는 것을 알게 되고, 그 사실을 참을 수 없어 하였습니다. 달걀 하나가 탄생하기까지의 과정에 담긴 어려움과 생명의 소중함을 한뫼는 잘 알고 있었기 때문입니다.

이 글은 자연을 제대로 알지 못하고 자연의 소중함을 느끼지 못하는, 우리에게 많은 생각할 거리를 줍니다. 도심의 분수, 우리에 갇혀 있는 맹수만 보려 하지 말고, 깊은 산속 폭포와 들에 뛰어노는 동물도 보라는 것이지요. 닭을 키우고, 달걀을 얻으면서 자연과 함께하는 삶도 생각해 보아요.

오늘의 어휘

다음 낱말의 알맞은 뜻을 찾아 선으로 이으세요.

훼방 •   • 쓸 만한 가치.

여비 •   • 남의 일을 방해함.

쓸모 •   • 유달리 재치가 뛰어난.

기발한 •   • 여행하는 데 드는 비용.

두메산골 •   • 도시에서 멀리 떨어져 있는 깊은 산속.

1 다음 빈칸에 들어갈 알맞은 말을 오늘의 어휘 에서 찾아 쓰세요.

- 이 물건은 여러모로 [   ]가 많다.
- 그는 우리가 하는 일에 [   ]을 놓았다.
- 문제 해결을 위한 [   ] 생각이 떠올랐다.
- 우리는 여행 중에 [   ]가 모자라서 애를 먹었다.
- 그의 고향은 [   ]이라 버스가 하루에 한 번만 운행한다.

2 다음 글에서 밑줄 친 말과 뜻이 반대인 말을 찾아 쓰세요.

광고는 상품이나 생각을 알리고 권장하는 것을 의미한다. 따라서 광고는 정보를 알리고자 하는 정보 전달 기능과 상대가 관심을 가질 수 있게 하는 설득의 기능을 동시에 가지고 있다. 광고 작업에서 가장 중요한 것은 아이디어, 기발한 발상이다. 누구든지 쉽게 떠올릴 수 있는 내용이라면 소비자들의 시선을 끌 수 없기 때문이다. 아무리 평범한 사물이라 할지라도 새로운 시각으로 바라보고, 다양한 기법으로 광고물을 만들 때 비로소 소비자들의 주목을 받을 수 있는 것이다.

(   )

달걀은 달걀로 갚으렴 ❸ | 박완서

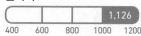
"도시에는 **문명**이 있어요."

"두메에는 자연이 있다."

"우리가 문명을 보고 깜짝깜짝 놀랄 때마다 도시 아이들은 우리를 시골뜨기 취급했어요."

"당연하지. 우린 시골뜨기니까. 이번에는 도시 아이들이 자연을 보고 깜짝 놀랄 5
차례다. 그러면 우린 걔네들을 서울뜨기 취급하자꾸나."

"그건 재미없을 거예요." / "왜?"

"걔네들은 더욱 **으스댈** 테니까요."

"우리의 마음속에 시골뜨기보다는 서울뜨기가 더 잘났다는 마음이 있으면 걔네
들은 으스댈 테고, 시골뜨기나 서울뜨기나 각각 환경이 다를 뿐 어느 쪽이 못나 10
거나 잘나지 않았다는 걸 알고 있으면 결코 걔네들은 으스대지 못할 거다."

"그렇지만 우린 걔네들보다 모르는 게 너무 많아요. 걔네들 눈에는 우리가 바보
처럼 보일 거예요."

"선생님 조카는 도시의 초등학교에서 쭉 반장 노릇만 하는 아이지, 마치 너처럼.
그 녀석이 90점 맞은 자연 시험지를 보니까 글쎄 콩은 외떡잎식물, 옥수수는 쌍 15
떡잎식물이라고 바꾸어 썼더구나. 자연 시험 보기 전날 밤새도록 **달달** 외우고도
그런 실수를 하다니. 넌 그 녀석이야말로 바보라고 생각하지 않니?" 〈중략〉

"도시에는 아마 토끼풀하고 괭이밥하고도 구분하지 못하는 아이들이 많을걸. 한
뫼야, 우리가 문명의 **이기**에 대해 모르는 건 무식한 거고, 도시 아이들이 밤나무
와 떡갈나무와 참나무와 나도밤나무와 참피나무와 물푸레나무와 피나무와 가시 20
나무와 은사시나무와 가문비나무와 전나무와 삼나무와 잣나무와 측백나무에 대
해 몰라도 유식하다는 생각일랑 제발 버려야 한다. 그건 똑같이 무식한 거니까,
우리가 특별히 **주눅** 들 필요는 없지 않겠니. 우리들은 싫건 좋건 앞으로 문명과
만나고 길들여질 테지만, 도시 아이들에게 있는 그대로의 자연과 만나 가슴을
울렁거릴 기회는 좀처럼 없을걸. 그런 경험을 놓치고 어른이 되어 버리면 너무 25
불쌍하지 않니? 바로 그런 소중한 경험을 너희들은 도시 아이들한테 베풀 수가
있어. 달걀로 말이다."

한뫼는 더 이상 말대답을 하지 않고 선생님의 얼굴을 **물끄러미** 바라보기만 했습
니다. 선생님의 얼굴은 어둠 속에서도 달덩이처럼 환합니다.

"인석아, 왜 그렇게 쳐다봐? 선생님 얼굴에 뭐 묻었냐?" 30

"아뇨. 우리나라에서 제일가는 선생님의 얼굴을 마음속에 새겨 두려고요."

• **문명**(文 글월 문, 明 밝을 명) 인류가 이룩한 물질적, 기술적, 사회적 발전.

• **으스댈** 어울리지 아니하게 우쭐거리며 뽐낼.

• **달달** 글 따위를 막힘이 없이 시원시원하게 외는 모양.

• **이기**(利 이로울 이, 器 그릇 기) 실제로 쓰기에 편리한 도구나 기구.

• **주눅** 기운을 제대로 펴지 못하고 움츠러드는 태도나 성질.

• **물끄러미** 우두커니 한곳만 바라보는 모양.

중심 내용

1 이 글의 제목을 바꾼다면 가장 적절한 제목은 무엇인가요? (   )

① 문명의 이기

② 도시에서 문명 배우기

③ 시골뜨기들의 도시 여행

④ 빌린 것은 반드시 갚으렴

⑤ 모든 것은 나름의 가치가 있다

세부 내용

2 이 글의 내용과 일치하지 <u>않는</u> 것은 무엇인가요? (   )

① 한뫼는 도시에는 문명이 있어 두메보다 우수하다고 생각했다.

② 선생님은 두메 아이들이 문명에 길들여질 필요가 없다고 말했다.

③ 한뫼는 두메 아이들이 도시 아이들보다 모르는 게 많다고 생각했다.

④ 선생님은 식물의 종류조차 구분하지 못하는 도시 아이들이 많다고 말했다.

⑤ 선생님은 도시 아이들이 어린 시절에 자연을 만날 기회가 적어 불쌍하다고 했다.

표현

3 이 글에서 다음 빈칸에 알맞은 말을 찾아 쓰세요.

'선생님의 얼굴이 어둠 속에서도 (   )처럼 환하다'는 표현
은 선생님에 대한 한뫼의 존경심을 비유적으로 나타낸 것이다.

감상

4 이 글을 읽고 생각이나 느낀 점을 말한 것으로 적절한 것을 찾아 기호를 쓰세요.

㉮ 대화가 진행되면서 한뫼와 문 선생님의 의견 차이가 좁혀져서 정말 다행이야.

㉯ 문 선생님이 자연 보전을 강조하시는 모습을 보고 깨달은 점이 많아. 내가 생
활에서 실천할 수 있는 것부터 찾아볼래.

㉰ 봄뫼처럼 누구나 자기가 살고 있는 환경에 대해서는 잘 알지만 낯선 곳에 대해
서는 잘 모르는 법이지. 낯선 곳을 주로 여행하는 것이 좋겠어.

(   )

지문 분석

1 인물 생각 · 문 선생님의 말을 바탕으로, 문 선생님이 한뫼에게 전하고 싶은 생각을 쓰세요.

> "한뫼야, 우리가 문명의 이기에 대해 모르는 건 (   )한 거고, 도시 아이들이 밤나무와 떡갈나무와 참나무와 나도밤나무와 참피나무와 물푸레나무와 피나무와 가시나무와 은사시나무와 가문비나무와 전나무와 삼나무와 잣나무와 측백나무에 대해 몰라도 (   )하다는 생각일랑 제발 (   )."

⬇

> 도시에는 (   )이 있으나 두메에는 (   )이 있으니 어느 쪽이 더 잘난 것이 아니다.

2 주제 · 도시에 대한 한뫼의 생각의 변화를 바탕으로 (   )에 알맞은 말을 찾아 ○표 하세요.

문 선생님과 대화하기 전	문 선생님과 대화한 후
도시는 (문명, 전통)이 있어 두메에 비해 모든 면이 낫다.	도시는 도시대로, 두메는 두메대로 각각 (가치, 유래)가 있다.

⬇

주제	세상의 모든 존재는 각자 나름의 (소중한, 독특한) 의미를 지님.

배경지식 「달걀은 달걀로 갚으렴」 전체 줄거리

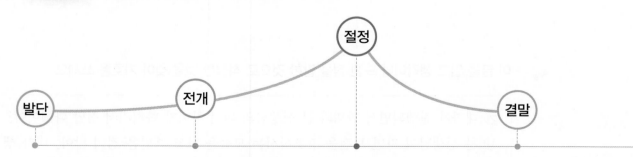

발단	전개	절정	결말
문 선생님은 암탉에서 얻은 달걀을 팔아 수학여행 경비를 마련하게 함. 그런데 한뫼가 봄뫼의 암탉을 죽이려고 함.	한뫼가 도시 여행 후 앙갚음할 마음을 먹은 것을 말하고, 달걀을 달걀로 갚는 방법에 대해 문 선생님과 갈등하며 대화함.	문 선생님은 도시에는 문명이 있으나 두메에는 자연이 있으므로, 어느 쪽이 더 잘난 것이 아님을 한뫼에게 이야기함.	문 선생님이 들려주는 이야기를 모두 들은 한뫼는 자신의 어두운 마음을 거두고, 선생님을 존경하게 됨.

오늘의 어휘

다음 낱말의 알맞은 뜻을 찾아 선으로 이으세요.

문명 •　　　　• 어울리지 않게 우쭐거리며 뽐냄.

주눅 •　　　　• 우두커니 한곳만 바라보는 모양.

달달 •　　　　• 인류가 이룩한 물질적, 기술적, 사회적 발전.

으스댈 •　　　　• 글 따위를 막힘이 없이 시원시원하게 외는 모양.

물끄러미 •　　　　• 기운을 제대로 펴지 못하고 움츠러드는 태도나 성질.

1 다음 빈칸에 들어갈 알맞은 말을 오늘의 어휘 에서 찾아 쓰세요.

- 동생은 시를 [　　　　　] 외웠다.
- 그는 창밖을 [　　　　　] 바라보았다.
- 기계 [　　　　　] 덕분에 생활은 편리해졌다.
- 지수는 자기가 책이 제일 많다고 [　　　　　] 거야.
- 우리 남매는 그 으리으리한 저택을 보고 [　　　　　]이 들었다.

2 다음 글에서 밑줄 친 말과 뜻이 비슷한 말을 찾아 쓰세요.

주말 저녁이면 우리 가족은 빠짐없이 식탁에 둘러앉는다. 그런데 진수성찬이 차려져 있는 저녁상을 앞에 두고도 아버지는 <u>우두커니</u> 밥상 구석만 내려다보고 계셨다. 밥상 구석에 무엇이 놓여 있나 싶어 쳐다봤더니, 할머니가 생전에 좋아하시던 고등어구이가 올라와 있었던 것이다. 아버지는 할머니를 생각하고 계시는 거다. 이제는 뵐 수 없는 할머니를. 나 역시 그런 아버지의 쓸쓸한 모습을 물끄러미 바라보며 아버지 못지않은 그리움에 젖어 들었다.

(　　　　　　　)

홍길동전 ❶ | 허균

[앞부분 이야기] 길동은 노비인 춘섬과 양반인 홍 판서 사이에서 태어난 첩의 자식으로, 주변 사람들로부터 '천한 종의 자식'이라며 갖은 **모욕**과 차별을 받는다.

길동은 **본래** 재주가 뛰어날 뿐 아니라 생각이 깊고 많아서, 밤이 되어도 쉽게 잠을 이루지 못하곤 했다.

그러던 어느 날, 길동이 제 어미 춘섬을 찾아가 울면서 말했다.

"**소자**가 어머니와 전생의 인연이 깊어 지금 세상에 모자지간으로 맺어졌으니, 그 은혜가 그지없습니다. 그러나 소자의 팔자가 사나워 천한 몸으로 태어났으니 5 가슴속에 품은 한이 깊고 깊습니다. 대장부가 세상에 태어나 남의 업신여김이나 받으며 살 수는 없지 않겠습니까? 이제 소자는 더 이상 서러움을 참고만 있을 수 없어 어머니 품을 떠나려 하오니, 어머니께서는 소자를 염려하지 마시고 귀한 몸을 잘 보살피십시오."

그 어미 춘섬은 길동의 말을 듣고 깜짝 놀라 낯빛이 변하였다. 10

"**재상가**에서 천한 몸으로 태어난 자식이 너뿐이 아닌데, 너는 어찌 **옹졸한** 마음을 품어 어미의 애간장을 이리도 태우느냐?"

길동이 대답했다.

"옛날 장충의 아들 길산 또한 천한 몸에서 태어났지만, 열세 살 때 그 어미와 이별하고 운봉산에 들어가 도를 닦아 아름다운 이름을 후세에 전하였습니다. 이제 15 소자도 그를 본받아 세상을 벗어나려 하오니, 어머니께서는 안심하시고 뒷날 다시 만날 때를 기다리시옵소서. 그나저나 요즘 곡산댁의 눈치를 보니 대감의 사랑을 잃을까 봐 우리 모자를 원수같이 여기고 해칠 방법만 찾고 있는 듯합니다. 이대로 있다가는 오히려 더 큰 화를 입을까 염려되오니, 어머니께서는 소자가 집을 떠남을 걱정하지 마십시오." 20

길동의 말을 들은 춘섬은 아들의 **기구한** 운명과 험난한 장래를 생각하며 슬피 울 뿐이었다.

원래 곡산댁은 초란이라는 이름을 가진 곡산 지방의 기생이었는데, 일찍이 홍 판서의 사랑을 받아 **첩**이 되었다. 성격이 아주 **교만할** 뿐 아니라 자기 마음에 조금이라도 들지 않는 게 있으면 홍 판서에게 거짓으로 헐뜯어 말하니, 집안에 크고 작 25 은 **분란**이 그치지 않았다.

초란은 자신에게는 아들이 없는데 춘섬이 길동을 낳고 그 아이가 홍 판서로부터 늘 귀여움을 받는 것을 보자, 질투심으로 타올랐다. 그래서 언제든 기회만 닿으면 길동을 없애 버리리라 마음먹고 있었다.

• **모욕**(侮 업신여길 모, 辱 욕될 욕) 깔보고 욕되게 함.

• **본래**(本 근본 본, 來 올 래) 처음부터 또는 근본부터.

• **소자**(小 작을 소, 子 아들 자) 아들이 부모에게 자기를 낮추어 이르는 말.

• **재상가**(宰 재상 재, 相 서로 상, 家 집 가) 임금을 돕고 모든 관리들을 지휘 감독하던 높은 벼슬아치의 집안.

• **옹졸한** 성품이 너그럽지 못하고 생각이 좁은.

• **기구**(崎 험할 기, 嶇 가파를 구)**한** 세상살이가 순탄하지 못하고 탈이 많은.

• **첩**(妾 첩 첩) 아내가 있는 남자와 부부 관계를 맺고 사는 여자.

• **교만**(驕 교만할 교, 慢 게으를 만)**할** 잘난 체하며 뽐내고 건방짐.

• **분란**(紛 어지러울 분, 亂 어지러울 란) 어수선하고 소란스러움.

1 이 글에 대한 설명으로 알맞은 것을 두 가지 고르세요. (,   )

① 운봉산을 배경으로 사건이 일어나고 있다.
② 이야기 속의 '나'가 자신의 이야기를 전달하고 있다.
③ 길동의 이름을 통해 앞으로 일어날 일을 암시하고 있다.
④ 길동과 춘섬의 대화를 중심으로 이야기가 전개되고 있다.
⑤ 말하는 이가 길동의 마음을 자세히 파악하여 전하고 있다.

2 인물에 대한 이해로 알맞지 <u>않은</u> 것은 무엇인가요? (   )

① 길동은 남에게 업신여김을 받으며 살아왔다.
② 길동은 곡산댁이 자기와 어머니를 해칠까 걱정했다.
③ 길동은 길산의 이야기를 언급하며 자신의 뜻을 밝혔다.
④ 춘섬은 길동이 고집을 꺾지 않자 함께 집을 떠나기로 했다.
⑤ 춘섬은 길동이 옹졸한 생각을 품고 있다고 생각하여 꾸짖었다.

3 이 글에 나타난 당시 사회의 모습으로 알맞은 것은 무엇인가요? (   )

① 본래 부인 외에 첩을 둘 수 없었다.
② 아들보다 딸을 더 선호하고 귀여워하였다.
③ 신분 제도와 그에 따른 차별이 존재하였다.
④ 첩의 자식도 본부인의 자식과 동등한 대우를 받았다.
⑤ 어머니의 신분이 천해도 아버지의 벼슬이 높으면 출세할 수 있었다.

4 춘섬을 가장 적절하게 평가한 것은 무엇인가요? (   )

① 여리고 조용하다.　　　　② 교만하고 영악하다.
③ 순박하고 어리석다.　　　④ 적극적이고 집요하다.
⑤ 비정하고 자기중심적이다.

지문 분석

1 인물 태도   인물이 한 말과 현실을 대하는 태도를 비교하며 알맞은 것끼리 선으로 이으세요.

인물	인물이 한 말	인물의 태도
길동 •	• "재상가에서 천한 몸으로 태어난 자식이 너뿐이 아닌데, 너는 어찌 옹졸한 ……." •	• 현실 저항적
길동 어머니 (춘섬) •	• "더 이상 서러움을 참고만 있을 수 없어 어머니 품을 떠나려 하오니, ……." •	• 현실 순응적

2 인물 역할   이야기의 전개 과정에서 초란의 역할을 생각하여 빈칸에 알맞은 말을 쓰세요.

초란이 한 일	• 성격이 아주 ( )하며 자기 마음에 들지 않으면 홍 판서에게 거짓으로 헐뜯어 말해 집안에 ( )을 일으킴. • 홍 판서가 춘섬이 낳은 길동을 귀여워하자 ( )함.

↓

초란의 역할	초란으로 인해 길동 모자에게 위험이 닥칠 것임을 암시함.

배경지식   홍길동은 실존 인물이었을까?

　「홍길동전」의 중심인물인 홍길동은 조선 시대에 실제로 살았던 인물을 모델로 한 것이라고 전해집니다. 조선 시대의 중요한 사건을 모아 기록한 책 『조선왕조실록』을 비롯한 몇몇 문헌에 홍길동의 행적이 간략하게 적혀 있습니다. 홍길동은 1443년, 전라도 장성에서 홍상직과 옥영향 사이에서 천한 신분으로 태어난 것으로 알려져 있습니다. 특히, 연산군 때 한양 인근에서 도둑의 무리를 이끄는 우두머리로 세상을 떠들썩하게 했고, 탐관오리로부터 핍박받는 백성들을 위해 싸우는 의적 활동을 한 것으로 전해집니다. 물론 「홍길동전」은 홍길동과 관련한 사실을 있는 그대로 기록한 것은 아니며 역사적 사실을 바탕으로 작가의 상상력을 덧붙여 영웅적 인물인 홍길동을 재탄생시킨 것입니다.

전남 장성에 복원한 홍길동 생가 ▶

오늘의 어휘

다음 낱말의 알맞은 뜻을 찾아 선으로 이으세요.

본래 •　　　　　• 어수선하고 소란스러움.

소자 •　　　　　• 처음부터 또는 근본부터.

분란 •　　　　　• 성품이 너그럽지 못하고 생각이 좁은.

기구한 •　　　　　• 세상살이가 순탄하지 못하고 탈이 많은.

옹졸한 •　　　　　• 아들이 부모에게 자기를 낮추어 이르는 말.

1 다음 빈칸에 들어갈 알맞은 말을 오늘의 어휘 에서 찾아 쓰세요.

- 그녀는 [　　　　　] 운명을 지닌 채 태어났다.
- 이곳은 [　　　　　] 아무도 살지 않는 지역이었다.
- 괜한 [　　　　　]을 일으키지 말고 조용히 하거라.
- 동생은 너무 유치하고 [　　　　　] 마음을 지니고 있다.
- [　　　　　]는 이제 아버님 곁을 떠나 새로운 세계로 가려 합니다.

2 다음 글에서 밑줄 친 말과 뜻이 비슷한 말을 찾아 쓰세요.

　　판소리는 북장단에 맞추어 어떤 이야기를 창으로 부르는 예술이다. 본래 판처럼 널찍한 마당에 사람들을 모아 놓고 노래를 부르던 것을 가리켜 말한 것이다. 판소리는 '소리', '아니리', '발림'으로 이루어진다. 판소리를 하는 소리꾼이 노래로 부르는 것이 '소리', 말로 장면을 설명하는 것이 '아니리', 몸짓이나 손짓을 하는 것이 '발림'이다. 판소리는 <u>원래</u> 옛날이야기 보따리와 같아서 사람들을 기쁘게도 하고, 슬프게도 하는 우리의 정서가 담긴 우리만의 음악이다.

(　　　　　)

홍길동전 ❷ | 허균

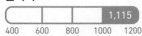
한편 길동은 자신의 억울한 처지를 생각하면 잠시도 더 머무르고 싶지 않았지만, 홍 판서의 명령이 워낙 엄하므로 어쩔 수 없이 밤마다 잠만 설칠 뿐이었다. 그날 밤에도 길동은 잠을 이루지 못해 촛불을 밝혀 놓고 『주역』을 골똘히 읽고 있었다. 그런데 문득 까마귀가 세 번 울고 날아가는 것이었다. 길동은 이상한 예감이 들었다.

"저 짐승은 본래 밤을 싫어하는데, 이 시간에 울고 가니 매우 불길한 징조로구나."

길동이 『주역』의 **팔괘**를 벌여 잠시 점을 쳐 보더니, 크게 놀라며 책상을 밀치고 **둔갑법**으로 몸을 숨겼다. 그리고는 방 안의 **동정**을 살피고 있는데, **사경**쯤 되자, 한 사람이 **비수**를 들고 천천히 방문을 열고 들어오는 것이 보였다. 길동이 재빨리 몸을 감추고 주문을 외우자, 갑자기 음산한 바람 한 줄기가 일어나면서 집은 온데간데없이 사라지고 울창한 **첩첩산중**의 경치가 펼쳐졌다.

갑작스런 광경에 크게 놀란 특재는 길동의 **신통력**이 뛰어난 줄 알고 비수를 감추며 도망치고자 하였다. 하지만 갑자기 길이 끊어지면서 층층절벽이 앞으로 가로막자, 특재는 ㉠나아갈 수도 물러설 수도 없는 처지가 되고 말았다. 갈 곳을 몰라 이리저리 헤매는데, 문득 피리 소리가 들렸다.

특재가 겨우 정신을 차리고 살펴보니, 한 소년이 나귀를 타고 오며 피리를 불고 있었다. 소년이 피리를 불다가 그치고는 특재를 보고 크게 꾸짖었다.

"너는 무엇 때문에 나를 죽이려고 하느냐? 죄 없는 사람을 해치려 하면 어찌 천벌을 피할 수 있으리오?"

소년이 주문을 외우니, 갑자기 검은 구름이 일어나며 큰비가 퍼붓듯 쏟아지고 모래와 자갈이 날렸다. 특재가 정신을 가다듬고 자세히 살펴보니 길동이었다. 그 재주가 대단하다고 여기면서도, 한편으로는 '저 같은 어린아이가 어찌 나를 대적하리오.'라고 생각했다. 특재가 길동에게 달려들면서 소리쳤다.

"너는 죽어도 나를 원망하지 마라. 초란이 무녀와 관상쟁이와 함께 홍 판서께 네 일을 의논한 뒤 너를 죽이기로 결정한 것이니, 어찌 나를 원망하랴."

특재가 칼을 들고 달려들자, 길동이 분함을 참지 못해 요술로 특재의 칼을 **빼앗**고는 호통을 쳤다.

"네가 재물을 탐내어 사람 죽이기를 좋아하니, 너같이 **무도한** 놈은 죽여 **후환**을 없애리라."

길동이 칼을 들어 치니, 특재의 머리가 방 가운데에 툭 떨어졌다.

- **팔괘**(八 여덟 팔, 卦 점괘 괘) 『주역』에서 음과 양을 겹쳐 나타낸 여덟 가지의 괘. 점을 쳐서 앞일을 판단하기 위해 사용되는 물건.
- **둔갑법**(遁 숨을 둔, 甲 갑옷 갑, 法 법도 법) 마음대로 자기 몸을 감추거나 다른 것으로 변하게 하는 술법.
- **동정**(動 움직일 동, 靜 고요할 정) 일이나 현상이 벌어지고 있는 낌새.
- **사경**(四 넉 사, 更 고칠 경) 하룻밤을 오경(五更)으로 나눈 넷째 부분. 새벽 1시에서 3시 사이.
- **비수**(匕 비수 비, 首 머리 수) 날이 예리하고 짧은 칼.
- **첩첩산중**(疊 겹쳐질 첩, 疊 겹쳐질 첩, 山 뫼 산, 中 가운데 중) 여러 산이 겹치고 겹친 산속.
- **신통력**(神 귀신 신, 通 통할 통, 力 힘 력) 무슨 일이든지 해낼 수 있는 기묘하고 불가사의한 힘이나 능력.
- **무도**(無 없을 무, 道 길 도)한 말이나 행동이 인간으로서 지켜야 할 도리에 어긋나서 막된.
- **후환**(後 뒤 후, 患 근심 환) 어떤 일로 말미암아 뒷날 생기는 걱정과 근심.

중심 내용

1 이 글의 중심 사건은 무엇인가요? (   )

① 길동이 밤에 책을 읽다가 꿈을 꾼 것

② 길동이 점을 쳐서 특재를 불러들인 것

③ 길동이 집을 나가지 못해 괴로워하는 것

④ 길동의 방에 침입한 특재를 길동이 물리친 것

⑤ 길동의 능력을 보고 특재가 길동에게 항복한 것

세부 내용

2 이 글의 내용과 일치하지 <u>않는</u> 것은 무엇인가요? (   )

① 특재는 길동을 어리게만 보고 길동을 공격했다.

② 특재는 길동에게 자신이 누구의 지시를 받았는지 말했다.

③ 길동은 까마귀의 울음소리를 듣고 불길한 예감이 들었다.

④ 길동은 특재에게 천벌을 피할 수 있는 방법을 알려 주었다.

⑤ 길동은 홍 판서의 명령이 엄해 집을 나가지 못하고 있었다.

어휘

3 ㉠의 뜻을 담고 있는 고사성어는 무엇인가요? (   )

① 결자해지: 結 맺을 결, 者 놈 자, 解 풀 해, 之 갈 지

② 살신성인: 殺 죽일 살, 身 몸 신, 成 이룰 성, 仁 어질 인

③ 연모지정: 戀 그리워할 련, 慕 그릴 모, 之 갈 지, 情 뜻 정

④ 감탄고토: 甘 달 감, 呑 삼킬 탄, 苦 괴로울 고, 吐 토할 토

⑤ 진퇴양난: 進 나아갈 진, 退 물러갈 퇴, 兩 두 양, 難 어려울 난

감상

4 이 글을 읽고 난 반응으로 적절한 것을 찾아 기호를 쓰세요.

> ㉮ 길동이 온갖 도술을 부리는 것을 보니, 길동은 *비범한 능력을 지닌 인물이다.
>
> ㉯ 길동이 피리를 부는 소년으로 변장한 것을 보니, 길동은 음악을 사랑하는 인물
> 이다.
>
> ㉰ 길동이 특재의 칼을 빼앗아 특재를 물리치는 것을 보니, 길동은 두려움을 즐기
> 는 인물이다.
>
> *비범한: 범상치 않은. 남들보다 뛰어난.

(   )

지문 분석

1 갈등

인물 간의 갈등을 파악하여 (　　　　)에 알맞은 말을 찾아 ○표 하세요.

특재		길동
특재가 (초란, 춘섬)의 지시를 받고 길동을 죽이려고 함.	↔	길동이 (특재, 자신)의 목숨을 지키려고 함.

⬇

인물과 (환경, 인물) 사이의 외적 갈등이 나타남.

2 사건 전개

길동이 한 일을 완성하고, 이를 통해 알 수 있는 글의 특징을 (　　　　)에서 찾아 ○표 하세요.

길동이 한 일	• (　　　　　　)을 쳐서 외부인의 침입을 예측함. • (　　　　　　)으로 몸을 숨김. • (　　　　　　)을 외워 특재를 곤란한 지경에 빠뜨림. • (　　　　　　)을 부려 특재의 칼을 빼앗음.

⬇

글의 특징	이야기의 전개 과정이 (현실적임, 비현실적임).

배경지식　고전 소설의 전기성(傳奇性)

'전기성'이란 현실에서는 일어나기 힘든 기이한 일들을 내용으로 하는 것을 말합니다. 상당수의 고전 소설은 이러한 전기성을 지니고 있습니다. 현실적인 인간 세계를 벗어나 천상이나 용궁을 배경으로 한다거나 초인적인 능력을 발휘하는 인물의 모습을 그려 내는 것이 대표적인 예이지요.

「홍길동전」에서도 고전 소설의 전기성이 곳곳에서 드러나 있습니다. 홍길동이 도술을 부려 자신을 죽이려는 자객을 물리친다거나 동에 번쩍 서에 번쩍 신출귀몰하고, 팔도에서 잡은 여덟 명의 길동이 알고 보니 풀로 만든 허수아비였다는 등의 내용이 바로 전기성을 드러낸 부분이지요. 이러한 소설의 전기성을 통해 비범한 능력을 가진 홍길동을 더욱 더 돋보이게 해 준답니다.

오늘의 어휘

다음 낱말의 알맞은 뜻을 찾아 선으로 이으세요.

징조 •   • 하늘이 내리는 큰 벌.

비수 •   • 어떤 일이 생길 기미.

천벌 •   • 날이 예리하고 짧은 칼.

무도한 •   • 여러 산이 겹치고 겹친 산속.

첩첩산중 •   • 말이나 행동이 인간으로서 지켜야 할 도리에 어긋나서 막된.

1 다음 빈칸에 들어갈 알맞은 말을 오늘의 어휘 에서 찾아 쓰세요.

- 아무도 없는 [   ] 에 파묻혀 살고 싶다.
- 사냥꾼은 멧돼지를 향해 빠르게 [   ] 를 던졌다.
- 못된 짓을 하는 자에게는 하늘에서 [   ] 을 내린다.
- 할머니는 내 꿈이 좋은 일이 있을 [   ] 라고 하셨다.
- 남의 나라를 침략하는 [   ] 놈들에게 무릎을 꿇을 수는 없다.

2 다음 글에서 밑줄 친 말과 뜻이 비슷한 말을 찾아 쓰세요.

오랜만에 조부모님과 함께 동네 산책을 나섰다. 선선한 바람을 느끼고, 맑은 공기를 마시며 한참을 걷고 있는데 하늘에 갑자기 먹구름이 잔뜩 끼더니 금방이라도 소나기가 쏟아질 <u>기미</u>를 보였다. 비가 올까 걱정하는 우리 남매를 보시곤 할머니께서 가방에서 우산을 꺼내 주셨다. 이른 오전부터 하늘에 구름이 끼었다 사라졌다 하는 것을 보시고, 비가 올 징조를 느껴 우산을 챙겨 왔다고 말씀하셨다. 우리는 할머니의 철저한 준비성 덕분에 소나기를 맞을 위기를 모면할 수 있었다.

(   )

홍길동전 ❸ | 허균

[중간 이야기] 길동은 집을 떠나 도적의 무리를 만난다. 길동은 도적 무리의 우두머리가 되고, 합천 해인사의 재물을 빼앗는다.

길동은 자신을 따르는 무리에 '활빈당'이라는 이름을 붙였는데, 이는 '가난한 사람들을 살리는 무리'라는 뜻이다. 길동은 활빈당의 이름으로 조선 **팔도**를 다니며 각 고을의 수령이 옳지 못한 방법으로 모은 재물이 있으면 빼앗아, 가난하고 의지할 데 없는 백성들에게 나누어 주었다. 그리고 백성들의 재물을 조금도 건드리지 않았을 뿐만 아니라, 나라에 속한 재물에 대해서도 절대로 손을 대지 않았다. 이런 5 소문이 널리 퍼지자, 여러 도적 무리가 길동의 큰 뜻에 감동하여 항복해 왔다.

하루는 길동이 여러 부하들을 모아 놓고 의논했다.

"요즘 들으니, 함경 감사가 **탐관오리**로서 ㉠마치 기름을 짜내듯 백성들의 재물을 빼앗아 백성들이 견딜 수 없다고 한다. 우리 활빈당은 이 같은 탐관오리를 그대로 두고 볼 수 없다. 그대들은 내가 지휘하는 대로 실행하라." 10

길동의 부하들은 아무 날 밤에 모이기로 약속하고 한 명씩 두 명씩 흩어져 함경도 **감영**이 있는 함흥으로 숨어 들어갔다. 그리고 약속한 날 밤, 부하 몇 명이 감영 남문 밖에 불을 지르니 온 성이 물 끓듯이 소란스러워졌다. 감사가 크게 놀라 빨리 불을 끄라고 호통치니, 모든 **관속**과 백성들이 한꺼번에 달려 나와 불을 껐다. 이 때를 틈타 길동과 부대원 수백 명이 성안으로 달려 들어가 창고를 열고 돈과 곡식, 15 무기들을 꺼내어 북문으로 달아났다.

감사는 뜻밖의 사고가 나자 너무 당황해서 간밤에 성안에서 무슨 일이 일어났는지 깨닫지 못했다. 그런데 날이 밝은 뒤 창고에 쌓아 둔 돈이며, 곡식이며, 무기가 모두 없어졌다는 보고를 받고는 크게 놀라고 분노해서, 창고를 털어간 도적이 누구인지 알아내려고 미친 듯이 **날뛰었다**. 그런데 누군가 북문에 붙어 있는 **방**을 떼 20 어 왔는데, 그 방에는 '아무 날 돈과 곡식을 훔쳐 간 사람은 활빈당의 우두머리 홍길동이니라.'라고 써 있었다. 감사는 군사를 불러 모아 빨리 그 도적을 잡아 오라고 명령했다.

한편 길동은 여러 부하들과 함께 함경도 감영의 많은 재물을 훔쳐 낸 뒤, 북문에 방을 써 붙여 두었다. 혹시 감사가 백성들을 도둑으로 몰아 그 재물을 빼앗지 못하 25 도록, 지난밤의 일이 자신의 짓임을 밝혀 둔 것이었다. 그리고는 둔갑법과 **축지법**을 써서 **처소**로 돌아오니 어느덧 날이 밝고 있었다.

- **팔도**(八 여덟 팔, 道 길 도) 조선 시대에, 전국을 여덟 개로 나눈 행정 구역. 강원도, 경기도, 경상도, 전라도, 충청도, 평안도, 함경도, 황해도.

- **탐관오리**(貪 탐할 탐, 官 벼슬 관, 汚 더러울 오, 吏 벼슬아치 리) 백성의 재물을 탐내어 빼앗는, 행실이 깨끗하지 못한 관리.

- **감영**(監 볼 감, 營 경영할 영) 조선 시대에, 관찰사가 직무를 보던 관아.

- **관속**(官 벼슬 관, 屬 무리 속) 지방 관아의 아전과 하인을 통틀어 이르던 말.

- **날뛰었다** 함부로 덤비거나 거칠게 행동했다.

- **방**(榜 붙일 방) 어떤 일을 널리 알리기 위하여 사람들이 다니는 길거리나 많이 모이는 곳에 써 붙이는 글.

- **축지법**(縮 줄일 축, 地 땅 지, 法 법 법) 도술을 부려 땅을 좁혀서 먼 거리를 아주 빨리 갈 수 있게 하는 방법.

- **처소**(處 살 처, 所 바 소) 사람이 살거나 임시로 머무는 곳.

지문 독해

중심 내용

1 '활빈당'이라는 이름에 담긴 길동의 생각은 무엇인가요? (   )

① 신분 질서부터 바로 세워야 한다.

② 가난한 사람들도 부자가 될 수 있다.

③ 가난한 사람들은 모두 도둑이 될 수밖에 없다.

④ 탐관오리로부터 가난한 사람들을 도와주어야겠다.

⑤ 형편이 넉넉한 백성이 가난한 사람을 보살피게 하겠다.

세부 내용

2 이 글의 내용과 일치하는 것은 무엇인가요? (   )

① 길동의 무리는 모두 동시에 함흥으로 숨어 들어갔다.

② 길동은 나라의 재물을 빼앗아 백성들에게 나누어 주었다.

③ 감사는 길동의 무리가 재물을 빼앗으러 올 것에 대비했다.

④ 길동의 무리가 불을 지르자 감사는 백성들을 동원하여 불을 껐다.

⑤ 감사는 방을 보기 전에 이미 자신의 재물을 빼앗은 자가 길동임을 알고 있었다.

표현

3 ㉠의 의미를 설명한 내용을 보고, (   )에 알맞은 말을 찾아 ○표 하세요.

> '기름을 짜다'는 남의 것을 강제로 빼앗는 것을 비유적으로 표현한 말이다. 이 글에서는 탐관오리가 백성들을 (착취, 압박)하는 모습을 나타낸다.

적용

4 길동과 같은 뜻을 추구하는 사람은 누구인가요? (   )

① 법과 질서를 중요하게 생각하여 지키는 태호

② 이상적인 세계를 꿈꾸며 현실을 피하는 슬기

③ 다른 세대에 대한 편견과 선입견을 버린 지수

④ 주변 이웃으로부터 희생과 사랑의 정신을 배우는 하민

⑤ 불의를 보면 참지 않고 당당히 자신의 생각을 말하는 현주

지문 분석

1 인물 특징

길동의 행동을 통해 특징을 파악하여 빈칸에 알맞은 말을 쓰세요.

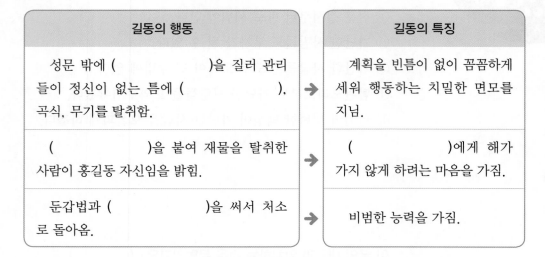

길동의 행동		길동의 특징
성문 밖에 (　　　　　)을 질러 관리들이 정신이 없는 틈에 (　　　　　), 곡식, 무기를 탈취함.	→	계획을 빈틈이 없이 꼼꼼하게 세워 행동하는 치밀한 면모를 지님.
(　　　　　)을 붙여 재물을 탈취한 사람이 홍길동 자신임을 밝힘.	→	(　　　　　)에게 해가 가지 않게 하려는 마음을 가짐.
둔갑법과 (　　　　　)을 써서 처소로 돌아옴.	→	비범한 능력을 가짐.

2 주제

이 글의 중심 생각을 정리할 때, (　　　　)에 알맞은 말을 찾아 ○표 하세요.

활빈당의 활동

조선 팔도를 다니며 각 고을의 수령이 (정당한, 부당한) 방법으로 모은 재물을 빼앗아 가난하고 의지할 데 없는 (백성들, 관료들)에게 나누어 줌.

중심 생각

당시 관료들의 부정부패한 현실에 대한 비판

배경지식 「홍길동전」 전체 줄거리

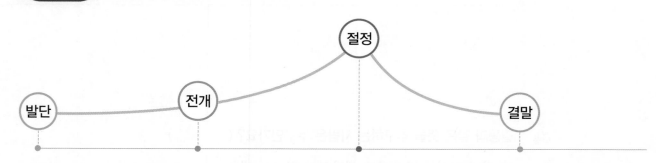

발단

길동은 서자라는 이유로 천대를 받는 것을 서러워하던 중 홍 판서의 첩 초란이 자신을 해치려 하자 집을 떠남.

전개

집을 나온 길동은 활빈당의 우두머리가 되어 탐관오리를 벌하고, 가난한 백성을 구제함. 임금은 길동을 잡을 것을 명령함.

절정

길동을 잡는 데 실패한 임금은 길동의 요구대로 길동을 병조 판서로 임명함. 벼슬을 받은 길동은 조선을 떠남.

결말

부하들과 조선을 떠난 길동은 율도국을 세우고 왕위에 올라 태평성대(임금이 잘 다스려 걱정이나 탈이 없는 시대.)를 누림.

오늘의 어휘

다음 낱말의 알맞은 뜻을 찾아 선으로 이으세요.

처소 • • 사람이 살거나 임시로 머무는 곳.

뜻밖 • • 전혀 생각이나 예상을 하지 못함.

탐관오리 • • 함부로 덤비거나 거칠게 행동했다.

지휘하는 • • 백성의 재물을 탐내어 빼앗는, 행실이 깨끗하지 못한 관리.

날뛰었다 • • 목적을 효과적으로 이루기 위하여 단체의 행동을 이끌어 다스리는.

1 다음 빈칸에 들어갈 알맞은 말을 오늘의 어휘 에서 찾아 쓰세요.

- 이순신은 군사들을 [   ] 장군이다.

- 그는 자기 뜻대로 되지 않자 길길이 [   ].

- 백성들이 [   ]의 등쌀에 시달려 고을을 떠났다.

- 우리 일행은 각자 자기의 [   ]로 가서 쉬기로 했다.

- 부모님은 예상과는 다른 [   ]의 일이 일어나자 당황하셨다.

2 다음 글에서 밑줄 친 말과 뜻이 반대인 말을 찾아 쓰세요.

청백리에 대해 들어 본 적 있나요? 청백리는 「홍길동전」에서 홍길동이 징벌한 탐관오리와 정반대의 모습을 가진 사람이라 생각하면 됩니다. 청백리란 재물에 대해 욕심을 부리지 않는, 마음이 곧고 깨끗한 관리를 말하거든요. 조선 시대의 대표적인 청백리로 맹사성, 황희, 허종 등이 꼽힙니다. 이들은 모두 높은 벼슬에 있으면서도 초라한 집에서 궁핍한 생활을 하면서 일생을 검소하게 살았습니다. 현대 사회에서도 청백리 정신을 계승하는 것이 좋겠지요?

(   )

양반전 ❶ | 박지원

[앞부분 이야기] 가난한 한 양반이 **관아**에서 빌린 곡식을 갚지 못해 관아에 잡혀갈 위기에 처하자, 양반이 아닌 한 부자가 식구들을 모아 의논한다.

"양반이란 사람들은 아무리 가난해도 늘 귀한 대접을 받고 존경을 받지만, 우리 같은 이들은 아무리 돈이 많아도 언제나 무시당하고 업신여김을 당한다. 말을 탈 수가 있나, 양반 앞에서 고개를 들 수가 있나. 양반을 만나면 언제나 **굽실굽실대며** 코를 땅에 대고 무릎으로 기어 다녀야 하지. 늘 이런 **수모**를 겪으니, 이거 원 창피하고 더러워 살겠나! 〈중략〉 그러니 이번 기회에 내가 그 양반 자리를 사서, 나도 한번 떵떵거리며 살아 보려 하는데 어떠하겠느냐?" 5

식구들이 찬성하자, 부자는 양반의 집으로 달려가 말했다.

"나라 곡식을 못 갚아 옥에 갇히게 되셨다니, 제가 그 곡식을 대신 갚고 양반 자리를 사는 것이 어떠한지요?"

곧 옥에 갇히리라 생각해 어깨가 축 늘어져 있던 양반은 빌린 곡식을 갚아 준다는 말에 그 자리에서 **승낙하고** 말았다. 부자는 즉시 양반이 빌린 곡식을 갚아 주고 양반 자리를 샀다. 10

군수는 양반이 빌린 곡식을 모두 갚았다는 말에 깜짝 놀랐다. 양반이 이번 일로 놀란 것을 위로하고 어찌 갚았는지도 물어볼 겸 군수는 양반의 집을 찾아갔다.

"그동안 얼마나 놀라고 걱정하셨습니까? 나라 곡식을 갚았다니 다행스러운 일이나, 어떻게 그 많은 곡식을 단번에 다 갚을 수 있었는지요?" 15

그러나 양반은 대답은 하지 않고, 천한 백성들이 입는 짧은 **베잠방이**를 입고 **벙거지**를 쓴 채 사립문 밖 땅바닥에 **납죽** 엎드렸다. 그러고는 머리를 **조아리며** 군수를 감히 올려다보지도 못하며 말하는 것이었다.

"군수께서 어찌 이 천한 것의 집에 몸소 찾아오셨는지요?" 20

군수는 깜짝 놀라 양반의 소매를 붙잡아 일으켜 세웠다.

"아니, 어찌하여 스스로를 낮춰 천한 아랫것들처럼 행동하는지요?"

그러나 양반은 더욱 머리를 깊게 조아리며 말했다.

"그저 **황송할** 따름입니다. **소인**이 일부러 이렇게 행동하는 것이 아닙니다요. 저는 빌린 곡식을 갚을 길이 없어, 마을의 한 부자에게 저의 양반 자리를 팔았습니다. 그 부자가 소인의 곡식을 대신 갚아 주었지요. 그러니 이제부터 소인은 양반이 아닙니다. 나라 곡식을 대신 갚아 준 그 부자가 양반이 된 것이지요. 소인이 어찌 뻔뻔스럽게 다시 예전처럼 양반 노릇을 할 수가 있겠습니까?" 25

- **관아** 예전에, 벼슬아치들이 모여 나랏일을 처리하던 곳.
- **굽실굽실대며** 고개나 허리를 자꾸 가볍게 구부렸다 펴며.
- **수모**(受 받을 수, 侮 업신여길 모) 업신여김을 받음.
- **승낙**(承 받들 승, 諾 허락할 낙)하고 청하는 바를 들어주고.
- **베잠방이** 베로 지은 짧은 남자용 홀바지.
- **벙거지** 주로 병졸이나 하인이 쓰던 털로 만든 검고 두꺼운 모자.
- **납죽** 몸을 바닥에 바짝 엎드리는 모양.
- **조아리며** 이마가 바닥에 닿을 정도로 머리를 숙이며.
- **황송**(惶 두려울 황, 悚 두려울 송)**할** 분에 넘쳐 고맙고도 마음이 거북스러울.
- **소인**(小 작을 소, 人 사람 인) 신분이 낮은 사람이 신분이 높은 사람을 상대하여 자기를 낮추어 가리키던 말.

갈래

1 이 글에 대한 설명으로 알맞은 것은 무엇인가요? (   )

① 과장된 행동을 제시하여 양반이 처한 위기를 강조한다.

② 인물들이 질문하는 방식을 통해 긍정적 인식을 드러낸다.

③ 양반의 말과 모습을 통해 양반의 상황의 변화를 드러낸다.

④ 비현실적인 요소를 활용하여 양반의 비범한 성격을 강조한다.

⑤ 양반이 특정 행동을 반복하는 것을 통해 심리적 갈등을 나타낸다.

세부 내용

2 부자가 양반의 신분을 사려고 한 까닭은 무엇인가요? (   )

① 양반 신분이 헐값에 나왔기 때문에

② 평소 천한 대접을 받는 것이 서러웠기 때문에

③ 양반과 평민의 생활을 비교해 보려고 했기 때문에

④ 양반이 자신을 무시한 것에 대해 복수하고 싶었기 때문에

⑤ 양반은 관아에서 곡식을 마음껏 빌려 먹을 수 있었기 때문에

어휘

3 이 글에서 양반이 자신을 낮추어 가리킨 말을 찾아 쓰세요. (2글자)

(   )

추론

4 이 글을 통해 미루어 알 수 <u>없는</u> 것은 무엇인가요? (   )

① 부자가 양반에게 무시당했다는 것을 보니, 당시는 신분에 따라 차별을 받던 시대였구나.

② 부자가 양반의 빚을 대신 갚고 양반 신분을 산 것을 보니, 당시는 신분을 사고팔았던 시대였구나.

③ 군수가 양반 신분을 판 양반을 취조하기 위해 찾아간 것을 보니, 당시는 양반들끼리 죄를 심문할 수 있던 시대였구나.

④ 양반이 자신의 신분을 판 다음 베잠방이를 입고 벙거지를 쓴 것을 보니, 당시는 신분에 따라 복장에 차이가 있던 시대였구나.

⑤ 양반이 빌린 곡식을 갚지 못해 관아에 잡혀갈 위기에 처한 것을 보니, 당시는 경제적 형편이 어려운 양반들도 있던 시대였구나.

지문 분석

1 배경   인물을 통해 당시 상황을 파악하여 (   )에 알맞은 말을 찾아 ○표 하세요.

양반	부자(평민)
관아에서 (곡식, 과일)을 빌려 먹고 갚지 못함.	(양반, 하인)의 빚을 대신 갚아 줄 능력이 있음.

↓   ↓

경제적으로 몰락하였음.	사회·경제적으로 성장하였음.

엄격했던 신분 질서가 (안정되기, 흔들리기) 시작함.

2 인물 마음   부자의 말을 완성하고, 부자의 마음을 파악하여 (   )에 알맞은 말을 찾아 ○표 하세요.

부자의 말		부자의 마음
"말을 탈 수가 있나, ( ) 앞에서 고개를 들 수가 있나. 양반을 만나면 언제나 굽실굽실대며 코를 땅에 대고 ( )으로 기어 다녀야 하지."	→	(창피함, 두려움)
"그 ( )를 사서, 나도 한번 떵떵거리며 살아 보려 하는데 어떠하겠느냐?"	→	(기대감, 불안함)

배경지식   양반의 신분을 사고팔았다고?

「양반전」은 조선 후기를 배경으로 한 소설입니다. 조선은 임진왜란과 병자호란을 겪은 후에 기존의 사회 질서가 서서히 흔들리기 시작했습니다. 또한 상업과 농업이 함께 발달하면서 작품 속의 모습처럼 평민 부자들이 등장하기 시작했습니다. 게다가 당시 나라에서는 전쟁 후 부족한 나랏돈을 메우기 위해 돈 많은 평민들에게 돈을 받고, 평민들의 신분을 양반으로 올려 주기도 했습니다. 상황이 이러하다 보니 이 글의 양반과 부자처럼 경제력에 따라 양반과 평민 간의 실질적인 지위가 뒤바뀌는 현상도 나타났답니다. 굳건했던 신분 제도가 흔들리기 시작하는 모습이었지요.

오늘의 어휘

다음 낱말의 알맞은 뜻을 찾아 선으로 이으세요.

수모 •   • 업신여김을 받음.

납죽 •   • 청하는 바를 들어주고.

황송할 •   • 몸을 바닥에 바짝 엎드리는 모양.

조아리며 •   • 분에 넘쳐 고맙고도 마음이 거북스러울.

승낙하고 •   • 이마가 바닥에 닿을 정도로 머리를 숙이며.

1 다음 빈칸에 들어갈 알맞은 말을 오늘의 어휘 에서 찾아 쓰세요.

- 온갖 _____ 에도 나는 참고 또 참았다.

- 이런 누추한 곳을 찾아 주시니 _____ 뿐입니다.

- 오빠도 거듭 머리를 _____ 죄송하다고 사죄했다.

- 나는 식탁 밑에 _____ 엎드려서 그들을 지켜보았다.

- 친구는 나의 어려운 부탁을 _____ 바로 실행에 옮겼다.

2 다음 글에서 밑줄 친 말과 뜻이 비슷한 말을 찾아 쓰세요.

로빈 후드는 대결을 승낙하고, 사나이와 치열한 막대기 칼싸움을 시작했다. 사나이가 둘 중 한 사람이 물에 떨어질 때까지 싸우자고 제안한 것에도 로빈 후드는 "좋지!"라고 말하며 흔쾌히 허락하고 싸움에 집중했다. 두 사람은 팽팽한 접전을 이어 갔다. 로빈 후드는 빠르고 정확한 동작으로 상대를 공격했다. 사나이 또한 한 치도 물러서지 않았다. 서로 상대의 무술이 대단하다고 생각할 무렵 사나이가 로빈 후드의 막대기를 힘껏 내리쳤다. 막대기가 두 동강 나고 로빈 후드는 다리 아래로 떨어졌다.

(   )

양반전 ❷ | 박지원

손으로 돈을 만지지 말고, 쌀값이 얼마인지 묻지 말고, 돈에 관심도 갖지 말아야 한다.

아무리 날씨가 더워도 버선을 벗어서는 안 된다. 밥을 먹을 때에도 **갓**을 벗고 **상투** 바람으로 앉아서는 안 된다. 밥을 먹을 때 국부터 떠먹지 말고, 국물을 먹을 때엔 후루룩거리는 소리를 내서도 안 된다. 젓가락으로 음식을 쿡쿡 찌르거나 소리를 내어 탕탕 내려놓지도 말아야 한다. 생파를 씹어 입에서 냄새를 풍겨서도 안 된다. 술을 마실 때에는 수염이 말려 들어가지 않도록 조심조심 천천히 마셔야 한다. 담배를 피울 때에는 볼이 오목하도록 연기를 깊게 빨아들여서는 안 된다.

그뿐만이 아니다. 아무리 화가 치밀어도 아내를 때리면 안 되며, 일부러 그릇을 깨뜨리거나 맨주먹으로 어린아이들을 쳐서도 안 된다. 또 종이 무슨 잘못을 저지르더라도 때리면 안 된다.

말이나 소를 야단칠 때에도 그 말과 소의 전 주인을 욕하지 말 것이다.

병이 들어도 무당을 불러 굿을 하면 안 되고, 제사를 지낼 때 스님을 청해 **불공**을 드리는 일을 해서도 안 될 것이다.

아무리 추워도 **화롯가**에서 불을 쬐지 말 것이다. 남과 이야기를 나눌 때에는 침을 튀기지 말아야 한다. 소를 죽여도 안 되고, 노름을 해서도 안 된다.

이러한 여러 가지 일들 가운데 한 가지라도 지키지 못하면 진짜 양반이라 할 수 없다. 규칙을 하나라도 어길 때에는, 이 **증서**를 **관가**에 가지고 와서 다시 판정해야 한다. 즉 양반 자리를 되돌려 주어야 한다는 것이다. 이에 이 모든 내용을 이 증서로 확인하고 증명하는 바이다.

정선 군수 아무개.

군수가 **서명**을 하고 다른 이들도 증인으로 서명했다. 곧이어 잔심부름하는 **통인**이 여기저기 도장을 찍었다. 그 도장 찍는 소리는 둥둥 울리는 북소리같이 요란하고, 도장을 찍은 모양새는 북두칠성 별들이 세로로 그려진 듯이 멋들어졌다.

군수의 뒤를 이어 **호장**이 증서를 다시 한 번 읽어 주었다.

부자는 한참을 멍하니 있다가, 겨우 정신을 차려 말했다.

"아니, 양반이란 것이 겨우 이런 것이란 말입니까? 제가 듣기로는 양반이란 신선 같은 사람이라고 들었는데, 양반이 하는 일이 정말로 겨우 이런 겁니까? 그렇다면 저는 쓸데없이 많은 곡식을 빼앗긴 것이나 마찬가지입니다요. 아무쪼록 뭐가 안 된다, 뭘 해야 한다는 말만 늘어놓지 말고 제게도 뭔가 이롭도록 증서를 좀 다시 고쳐 써 주십시오."

- **갓** 예전에, 어른이 된 남자가 머리에 쓰던 것.
- **상투** 예전에, 장가든 남자가 머리털을 끌어 올려 정수리 위에 틀어 감아 맨 것.
- **불공**(佛 부처 불, 供 이바지할 공) 부처 앞에 향, 등, 꽃, 음식 따위를 바치고 기원함.
- **화롯**(火 불 화, 爐 화로 로)**가** 숯불을 담아 놓는 그릇의 주변.
- **증서**(證 증서 증, 書 글 서) 권리나 의무, 사실 따위를 증명하는 문서.
- **관가**(官 벼슬 관, 家 집 가) 벼슬 아치들이 나랏일을 보던 집.
- **서명**(署 마을 서, 名 이름 명) 자기의 이름을 써넣음.
- **통인**(通 통할 통, 引 끌 인) 조선 시대에, 수령의 잔심부름을 하던 하급 관리.
- **호장**(戶 지게 호, 長 길 장) 조선 시대에, 각 관아의 벼슬아치 밑에서 일을 보던 사람 중 우두머리.

중심 소재

1 이 글의 중심 글감은 무엇인가요? ( )

① 통인이 찍어 준 도장
② 호장이 새롭게 작성한 증서
③ 군수와 다른 사람들의 서명
④ 군수가 작성한 양반 매매 증서
⑤ 양반의 빚을 갚아 준 부자의 곡식

세부 내용

2 양반이 지켜야 할 일이 <u>아닌</u> 것은 무엇인가요? ( )

① 밥을 먹을 때 국부터 떠먹으면 안 된다.
② 제사를 지낼 때 불공을 드리면 안 된다.
③ 아무리 더워도 버선을 신고 있어야 한다.
④ 남과 대화를 나눌 때 침을 튀기면 안 된다.
⑤ 주변 사람들을 위해 술이나 담배를 하면 안 된다.

세부 내용

3 부자가 증서를 고쳐 달라고 한 까닭은 무엇인가요? ( )

① 양반 신분으로 돈을 더 많이 벌고 싶었기 때문에
② 자신에게 양반 신분을 판 양반이 불쌍했기 때문에
③ 양반은 신선과 같다는 허무맹랑한 내용이 들어 있기 때문에
④ 증서의 내용으로는 양반으로 사는 데 좋은 것이 없기 때문에
⑤ 증서에 자신이 양반이 되었음을 증명하는 내용이 없기 때문에

적용

4 이 글과 보기 글의 공통점을 생각하여 ( )에 알맞은 말을 찾아 ○표 하세요.

> 보기
>
> 두꺼비 파리를 물고*두엄 위에 치달아 앉아
> 건너편 산 바라보니*백송골이 떠 있거늘 가슴이 끔찍하여 펄쩍 뛰어 내딛다가 두엄 아래에 자빠졌구나.
> *모쳐라 날랜 나이니 망정이지 멍이 들 뻔했구나.   – 「두꺼비 파리를 물고」
> *두엄: 거름.   *백송골: 날쌘 맷과의 새.   *모쳐라: '마침'의 옛말.

• 이 글은 증서를 통해 겉만 꾸미고 실속 없는 예절을 중요하게 여기는 (호장, 양반)의 무능함을, 보기 는 두꺼비에 빗대어 약자에게 강하고 강자에게 약한 (백성, 양반)의 허세를 우스꽝스럽게 그리고 있다.

지문 분석

1 소재 역할 첫 번째 증서의 내용을 완성하고, 당시 양반의 모습을 정리하여 (　　　)에 알맞은 말을 찾아 ○표 하세요.

첫 번째 증서: 양반이 지켜야 할 규범과 행실
• 손에 돈을 쥐어서는 안 되며 (　　　　　)을 물어서도 안 됨. • 아무리 더운 날씨에도 (　　　　　)을 꼭 신어야 하고, 밥을 먹을 때에는 (　　　　　) 바람으로 먹으면 안 됨. • 추울 때 (　　　　　)에서 불을 쬐어도 안 되며, 말할 때 침을 튀겨서도 안 됨.

↓

• 비생산적이며 (체면, 실용성)을 중시하는 모습 • 규범과 형식에 얽매여 인간다운 삶을 살지 못하는 어리석은 모습

2 표현 이 글의 표현 방식을 생각하여 (　　　)에 알맞은 말을 찾아 ○표 하고, 그 효과를 완성하여 쓰세요.

표현 방식		효과
• 양반 (옷차림새, 매매 증서)를 통해 양반이 지켜야 할 것들을 보여 줌. • *허례허식에 빠진 양반들의 모습을 *풍자하여 표현함.	→	글에서 (　　　　　)의 부정적인 모습을 간접적으로 폭로함으로써 양반에 대한 문제의식을 효과적으로 드러냄.

*허례허식: 형편에 맞지 않게 겉만 번드르르하게 꾸밈. 또는 그런 예절이나 법식.
*풍자: 문학 작품에서, 현실의 부정적 현상이나 모순을 빗대어 비웃으면서 씀.

배경지식 학문의 실용성을 강조한 박지원

실학자는 17세기 후반부터 조선 말기까지, 전통적 유학에서 벗어나 실생활에 도움이 되도록 사회 제도의 개선을 이루기 위한 학문을 연구한 사람입니다. 「양반전」을 쓴 박지원 역시 조선 후기의 대표적인 실학자입니다. 박지원은 성리학이 백성들의 삶에 실제적인 이익을 주지 못한다고 여겼습니다. 그래서 박지원은 청나라에 사신으로 가면서 백성들의 생활에 도움이 되는 기술, 문물들을 눈여겨보았고, 조선에 돌아와서 이를 적극적으로 받아들여야 한다고 주장했습니다. 또, 박지원은 양반들의 무능함과 부조리함을 다양한 작품을 통해 풍자했습니다. 그의 대표적인 작품으로 『열하일기』, 「허생전」, 「호질」 등이 있답니다.

다음 낱말의 알맞은 뜻을 찾아 선으로 이으세요.

불공 •   • 숯불을 담아 놓는 그릇의 주변.

신선 •   • 벼슬아치들이 나랏일을 보던 집.

관가 •   • 권리나 의무, 사실 따위를 증명하는 문서.

증서 •   • 부처 앞에 향, 등, 꽃, 음식 따위를 바치고 기원함.

화롯가 •   • 도(道)를 닦아서 현실의 인간 세계를 떠나 자연과 벗하며 산
다는 상상의 사람.

1 다음 빈칸에 들어갈 알맞은 말을 오늘의 어휘 에서 찾아 쓰세요.

- 그는 이름난 절에 찾아다니며 [   ]을 드렸다.

- 손이 꽁꽁 언 아이들이 [   ]에 빙 둘러앉았다.

- 김 서방은 죄도 없이 [   ]에 끌려가 곤장을 맞았다.

- 이곳의 절경이 너무나 아름다워 [   ]이 있을 것만 같다.

- 아버지는 돈을 빌려준 친구에게 반드시 [   ]를 쓰게 하셨다.

2 다음 글에서 밑줄 친 말과 뜻이 비슷한 말을 찾아 쓰세요.

금강산은 강원도 동북부에 있는, 경치가 아름다운 산입니다. 금강산은 계절에 따라
다른 이름을 가지고 있습니다. 봄에는 산이 마치 금강석과 같이 아름답다 하여 '금강산'
이라 하고, 여름에는 계곡과 봉우리에 짙은 녹음이 깔려 신선이 올 것만 같다고 하여
'봉래산'이라고 부릅니다. 또 가을에는 단풍이 언덕마다 든다고 하여 '풍악산'이라 하고,
겨울에는 나뭇잎이 지고 바위들이 뼈처럼 드러난다고 하여 '개골산'이라고 합니다. 금강
산을 한 번이라도 찾아본 사람은 그 매력에 흠뻑 취해 선인이 된 기분이 든다고 합니다.

(   )

양반전 ❸ | 박지원

군수는 부자의 요청을 듣자, 증서를 다시 고쳐 써 주었다.

〈중략〉 양반들은 제 손으로 농사를 짓거나 장사를 하는 등 일을 할 필요가 전혀 없도다.

양반들은 옛 글이나 역사를 대강 알 정도가 되면 **과거**를 치르게 된다. 과거를 잘 치르면 **문관**이 되고, 못 치러도 **진사** 자리는 맡아 놓은 것처럼 쉽게 차지할 수가 있다. 5

문과의 **홍패**는 크기는 작지만, 온갖 물건들이 바로 이 홍패에서 나오게 된다. 홍패는 곧 마르지 않는 돈 자루나 마찬가지이다.

진사에 오른 선비는 나이 서른에 처음 벼슬을 하게 되더라도 그리 늦지 않은 것이다. 문과를 통과하지 못했다 하더라도 양반 조상의 덕으로 벼슬을 할 수가 있다. 10 게다가 높은 벼슬아치에게 잘 보인다면 고을의 **수령**도 될 수가 있다.

고을이 수령이 되어서는 해를 가려 주는 양산 덕분으로 귀가 희어진다. 앉아서 모든 일을 하인에게 시키니 퉁퉁하게 살이 찌게 된다. 그뿐만 아니라, 방 안에서 어여쁜 기생을 데려다 같이 즐겁게 놀 수도 있고, 뜰에는 백성들이 바친 곡식들이 높이 쌓여 있다. 그 곡식으로 학을 먹여 기를 수 있을 정도이다. 15

비록 벼슬을 못 해 가난한 선비의 몸으로 시골에 산다 해도, 온갖 일들을 마음 내키는 대로 다 할 수 있다.

이웃의 소를 몰아다가 내 밭을 먼저 갈아도 되고, 동네 농부들을 불러 모아 내 밭의 잡초를 먼저 뽑게 해도 된다. 어느 놈이 감히 양반에게 대들고 안 된다고 하겠느냐. 20

천한 백성의 코에 **잿물**을 들이붓고, 상투를 쥐어뜯고, 수염을 잡아채어 뽑아 낼 수도 있다. 그렇게 해도 그들은 감히 한마디 원망도 할 수 없느니라!

이런 식으로 새로이 증서가 반쯤 완성되어 가고 있는데, 부자가 이를 들으니 어이가 없고 기가 막혔다. 부자는 혀를 내두르며 말했다.

"아이고. 이제 그만하십시오. 제발 그만하십시오. 정말 말도 안 되는 이야기입니 25 다요. 저더러 그런 말도 안 되는 날도둑놈 같은 양반이 되라는 말씀이십니까? 저는 싫습니다요. 아무것도 맘대로 할 수 없는 양반도 싫지만, 사람 같지 않은 일을 멋대로 하는 그런 양반은 되기도 싫습니다요. 그럼요, 절대로, 절대로 싫습니다요."

부자는 머리를 휘휘 흔들며 뒤도 안 돌아보고 달아나 버렸다. 그 후로 그 부자는 30 한평생 양반이란 말을 입 밖에 내지도 않았다고 한다.

- **과거**(科 과목 과, 擧 들 거) 우리나라에서 관리를 뽑을 때 실시하던 시험. 고려 광종 9년(958)에 처음 실시하여 조선 시대에는 그 중요성이 더욱 커짐. 문과, 무과, 잡과 따위가 있었음.

- **문관**(文 글월 문, 官 벼슬 관) 문과 출신의 벼슬아치.

- **진사**(進 나아갈 진, 士 선비 사) 과거의 예비 시험인 소과에 합격한 사람에게 준 칭호.

- **홍패**(紅 붉을 홍, 牌 패 패) 과거 시험에서 두 번째 문과 시험에 합격한 사람의 성적, 등급, 성명을 붉은색 종이에 먹으로 적어 주던 증서.

- **수령**(守 지킬 수, 令 하여금 령) 조선 시대에, 각 고을을 맡아 다스리던 지방관들을 통틀어 이르는 말.

- **잿물** 짚이나 나무를 태운 재를 우려낸 물.

중심 소재

1 이 글에서 양반이 누리는 특권을 대표하는 소재는 무엇인가요? (   )

① 학   ② 소   ③ 상투

④ 잿물   ⑤ 홍패

세부 내용

2 두 번째 증서의 내용과 일치하면 ○표, 일치하지 <u>않으면</u> ✕표를 하세요.

(1) 양반은 자기 마음대로 백성들을 부릴 수 있다.   (   )

(2) 양반은 진사의*부조리함에 대해 말할 수 있다.   (   )

(3) 양반은 노력하지 않아도 큰 이익을 얻을 수 있다.   (   )

(4) 양반은 문과의 홍패를 비싼 값을 주고 살 수 있다.   (   )

(5) 양반은 농사를 짓지 않고 장사를 하지 않아도 된다.   (   )

*부조리함: 이치에 맞지 아니하거나 도리에 어긋남.

세부 내용

3 부자가 증서의 내용을 듣고 달아난 까닭은 무엇인가요? (   )

① 양반이 되면 과거를 보고 벼슬을 해야 해서

② 양반보다 평민으로 사는 게 돈 버는 데 유리해서

③ 자신은 양반의 자격을 갖추지 않았다고 판단해서

④ 도둑놈과 다를 바 없는 양반은 될 수 없다고 생각해서

⑤ 군수가 부자에게 양반이 되기 위한 조건을 계속 추가해서

적용

4 두 번째 증서에 나타난 양반과 비슷한 사람은 누구인가요? (   )

① 집 안팎에서 품위 있는 모습만 보이려 노력한 아주머니

② 자신이 먼저 뱉은 말과 뒤의 행동이 일치하지 않는 사업가

③ 불 난 건물에 위험을 무릅쓰고 들어가 아이를 구조한 소방관

④ 가족에게 소홀히 대하면서 돈을 아끼는 것에만 집착한 아저씨

⑤ 아버지가 사장인 회사에 들어가서 하는 일 없이 월급만 받는 아들

지문 분석

1 소재 역할 두 번째 증서의 내용을 완성하고, 당시 양반의 모습을 정리하여 (   )에 알맞은 말을 찾아 ○표 하세요.

두 번째 증서: 양반이 누릴 수 있는 권리
• 문과에 통과하지 못해도 벼슬을 할 수 있으며 고을의 (   )이 되어 마음 껏 즐길 수 있음.
• 이웃집 (   )를 몰아다가 내 밭을 먼저 갈아도 되고, 남을 시켜 내 밭의 잡초를 뽑게 할 수 있음.
• 백성의 코에 (   )을 들이붓고, 상투를 쥐어뜯고, 수염을 잡아채어 뽑아 낼 수도 있음.

• 백성을 마음대로 부리는 *비인간적인 모습
• (정당한, 부당한) 특권을 누리며 자신의 이익을 취하는 모습

*비인간적인: 사람으로서 차마 할 수 없는.

2 주제 다음 부자의 말에 담긴 작가의 의도를 파악하여 쓰세요.

부자의 말	"저더러 그런 말도 안 되는 ( ) 같은 양반이 되라는 말씀이십니까?"

작가의 의도	( )의 특권 의식과 부도덕한 모습을 비판함.

배경지식 「양반전」 전체 줄거리

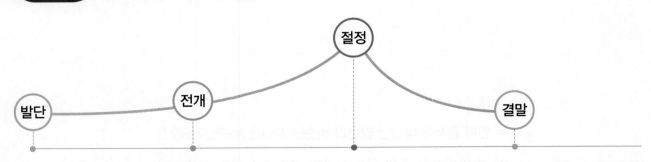

발단	전개	절정	결말
강원도 정선군에 사는 한 가난한 양반이 관아에서 빌린 곡식을 갚지 못해 관아에 잡혀갈 위기에 처함.	부자는 양반의 빚을 대신 갚고 양반 신분을 사기로 하고, 군수는 신분을 사고파는 것을 확인하는 증서를 만들어 주기로 함.	군수가 첫 번째 양반 매매 증서를 작성하였으나 부자가 다시 만들어 달라고 요청하자, 두 번째 매매 증서를 작성함.	양반 매매 증서를 통해 양반의 허례허식과 횡포를 알게 된 부자가 양반이 되는 것을 포기하고 달아남.

다음 낱말의 알맞은 뜻을 찾아 선으로 이으세요.

잿물 •

문관 •

수령 •

한평생 •

퉁퉁하게 •

• 문과 출신의 벼슬아치.

• 한 사람이 살아 있는 동안.

• 짚이나 나무를 태운 재를 우려낸 물.

• 살이 쪄서 몸이 옆으로 퍼진 듯하게.

• 조선 시대에, 각 고을을 맡아 다스리던 지방관들을 통틀어 이르는 말.

1 다음 빈칸에 들어갈 알맞은 말을 오늘의 어휘 에서 찾아 쓰세요.

• 세제가 없던 옛날에는 [   ]로 빨래를 했었다.

• 할아버지는 [   ] 양복을 입어 본 일이 없으셨다.

• 요즘 밥을 많이 먹었더니 팔뚝이 [   ] 살이 쪘다.

• 예전에는 양반의 자제들만 [   ] 시험에 응시했다.

• 고을 [   ]은 굶주린 백성들에게 곡식을 내어 주었다.

2 다음 글에서 밑줄 친 말과 뜻이 반대인 말을 찾아 쓰세요.

　　퇴근하고 돌아오신 아버지 손에는 퉁퉁하게 불어 버린 꽈배기 봉지가 들려 있었다. 지하철역에서 집으로 오시는 중에 갑작스레 쏟아진 소나기에 옷이 흠뻑 젖었고, 우리를 위해 사 들고 오신 꽈배기도 비를 맞아 불었던 것이다. 그러나 그때 먹었던 꽈배기는 아직까지 내겐 가장 맛있는 꽈배기로 남아 있다. 홀쭉하게 들어간 아버지의 배와 그런 아버지의 손에 들려 있던 불어 버린 꽈배기. 당신의 배고픔보다 자식의 배고픔에 더 가슴 아파하셨던 우리네 아버지.

(　　　　　　)

홍계월전 ❶ | 작자 미상

[앞부분 이야기] 어릴 때 난리 통에 부모와 헤어진 계월은 남장하여 지내다가 여공의 도움으로 위기를 벗어난 후, 여공의 아들 보국과 함께 병법을 배워 과거에 급제하고 전쟁에 나가 큰 공을 세운다.

글의 구조

발단 — 전개 — 절정 — 결말

글자 수

			1,070	
400	600	800	1000	1200

계월은 전쟁터에 다녀온 후로 계속 몸이 좋지 않았다. 자주 피곤하고 시름시름 아프더니 병세가 점점 심해져서 결국 ㉠주위 사람들이 밤낮으로 약을 달여 간호하는 지경에 이르렀다. 천자는 이 소식을 듣고 크게 놀라 걱정을 하며 **어의**를 보냈다.

"어서 가서 좌승상의 병세를 보고 오라. 만일 **위중하면** 짐이 친히 가 보리라."

어의가 **황명**을 받고 계월의 **침소**에 와 **진맥**을 해 보니 다행히 심각한 병은 아니었다. 그러나 ㉡약을 조제해 주고 돌아와 천자에게 보고하는 어의의 얼굴이 어두웠다. 천자가 그 이유를 묻자 그는 한참을 망설이다가 어렵게 입을 열었다. 5

"좌승상의 병세는 그리 위중하지 않으나 괴이한 일이 있사옵니다."

"괴이한 일이라니 무슨 일을 말하는 것이냐?"

"그, 그게 좌승상의 맥이 남자의 맥이 아니오니 참으로 이상하옵니다." 10

"뭐라? 남자의 맥이 아니라면 좌승상이 여자라는 말이냐? 만일 좌승상이 여자라면 어찌 여자의 몸으로 전쟁터에 나가 10만 대군을 무찌르고 올 수 있었단 말이냐? 좌승상의 얼굴이 복숭아꽃같이 곱고, 몸매가 가녀린 것이 조금 이상하긴 하나 **진상**이 밝혀질 때까지 이런 말이 새어 나가지 않도록 조심하라."

한편 계월은 어의가 다녀간 후로 병은 많이 회복되었지만 큰 근심거리가 생겼다. 15

'어의가 나의 맥을 보았으니 필시 내가 여자임을 알았을 것이야. 모든 게 다 탄로 나게 되었구나. ㉢이제 어쩔 수 없이 여인의 옷으로 갈아입고 **규중**에서 조용히 지내야 하겠구나.'

남자의 옷이 한 겹 한 겹 벗겨질 때마다 계월의 볼 위로 눈물이 방울방울 흘러내렸다. 10여 년 만에 처음으로 여자의 옷을 차려 입은 계월의 모습은 눈부시게 아름다웠다. 그러나 계월은 이제부터 규중의 여인으로 살아가야 할 자신의 신세가 서글프기만 해서 눈물을 그칠 수가 없었다. 계월은 마침내 굳게 결심을 하고 천자에게 **상소**를 올렸다. 〈중략〉 20

천자는 이 글을 보고 **용상**을 치며 좌우의 신하들을 향해 **탄식했다.** 25

"평국의 행동을 누가 여자로 보았으리오? 이는 **고금**에 없는 일이로다. 평국은 ㉣문무를 두루 갖추었고 충성으로 나라를 보호했으니 그의 충효와 재주는 천하의 남자라도 감히 따르지 못할 만하도다. 비록 여자라고 하나 어찌 그의 벼슬을 거둘 수 있으리오."

- **어의**(御 거느릴 어, 醫 의원 의) 임금이나 왕족의 병을 치료하던 의원.
- **위중**(危 위태할 위, 重 중할 중)**하면** 병세가 위험할 정도이면.
- **황명**(皇 임금 황, 命 명령 명) 황제의 명령.
- **침소**(寢 잠잘 침, 所 장소 소) 사람이 잠을 자는 곳.
- **진맥**(診 진찰할 진, 脈 맥박 맥) 병을 진찰하기 위하여 손목의 맥을 짚어 보는 일.
- **진상**(眞 참 진, 相 바탕 상) 사물이나 현상의 거짓 없는 모습.
- **규중**(閨 안방 규, 中 안 중) 부녀자가 머무는 곳.
- **상소**(上 위 상, 疏 소통할 소) 임금에게 올리던 글.
- **용상**(龍 임금 용, 床 평상 상) 임금이 앉던 평상.
- **탄식**(歎 읊을 탄, 息 숨 쉴 식)**했다** 한탄하여 한숨을 쉬었다.
- **고금**(古 옛 고, 今 지금 금) 예전과 지금을 아울러 이르는 말.

지문 독해

1

갈래

¬~ㄹ 중 보기 설명과 관련 깊은 부분은 무엇인지 찾아 기호를 쓰세요.

> 보기
>
> 고전 소설 중에는 지혜와 재능이 뛰어나고 용맹하여 보통 사람이 하기 어려운 일을 해내는 영웅을 주인공으로 하는 영웅 소설이 많다. 그중에서 여성이 주인공인 소설을 여성 영웅 소설이라고 한다.

(   )

세부 내용

2 이 글의 내용과 일치하지 <u>않는</u> 것은 무엇인가요? (   )

① 계월은 전쟁터에 다녀온 후 앓다가 병세가 점점 악화되었다.
② 천자는 계월의 병세를 걱정하며 직접 방문할 생각도 하였다.
③ 천자는 어의가 말하기 전에 이미 계월이 여자임을 알고 있었다.
④ 계월은 어의가 자신이 여자임을 알게 되었을 것이라고 짐작했다.
⑤ 어의는 진맥을 근거로 계월에 대한 자신의 판단을 천자에게 보고했다.

세부 내용

3 계월이 여자 옷을 입고 눈물을 흘린 까닭은 무엇인가요? (   )

① 여자 옷을 입고 있는 자신의 모습이 어색했기 때문에
② 천자를 속이고 남자 행세를 한 것이 부끄러웠기 때문에
③ 자신이 여자라는 사실을 스스로 인정하기 싫었기 때문에
④ 앞으로는 나랏일을 볼 수 없게 될 것이라 생각했기 때문에
⑤ 드디어 자신의 정체를 드러내게 된 것이 감격스러웠기 때문에

추론

4 계월이 올린 상소의 내용을 추측한 것으로 가장 적절한 것을 찾아 기호를 쓰세요.

> ㉮ 자신이 여자임을 밝히면서 벼슬에서 물러나겠다는 내용일 것이다.
> ㉯ 그동안 여자의 몸으로 벼슬을 한 것의 어려움을 밝히는 내용일 것이다.
> ㉰ 여자라고 벼슬을 하지 못하게 하는 천자에 대한 원망을 드러낸 내용일 것이다

(   )

지문 분석

1 주제

글의 내용을 완성하고, 글에 드러난 여성에 대한 인식을 찾아 ○표 하세요.

글의 내용
• ( )이 남장한 여성으로 성공하여 세상에 이름을 떨침.
• 천자가 계월의 능력을 인정하고 그의 ( )을 그대로 둠.

↓

글에 드러난 여성에 대한 인식		
•*주체적인 한 인간으로서 여성의 능력을 인정함.	(	)
• 희생적이고 다른 이의 말에 무조건 따르는 여성을 긍정적으로 여김.	(	)

*주체적인: 어떤 사물·조직·행위 등의 중심이 되는.

2 인물 특징

천자가 한 일을 완성하고, 이를 통해 천자의 특징을 파악하여 ( )에 알맞은 말을 찾아 ○표 하세요.

천자가 한 일		천자의 특징
앓고 있는 계월에게 ( )를 보내어 진료하게 함.	→	(거만하다, 배려심이 많다).
어의에게 진상이 밝혀질 때까지 계월의 정체에 대해 ( )이 새어 나가지 않게 하라고 지시함.	→	(조급하다, 신중하다).

배경지식 홍계월이 남장을 한 이유는 무엇일까?

「홍계월전」 속의 주인공 계월은 남장을 하고 사회에 나아가 적군을 물리치고 나라를 구하는 등 뛰어난 능력을 발휘한 인물입니다. 그럼에도 불구하고, 계월은 자신이 여성인 것이 탄로 날까 봐 계속 불안해하고 있습니다. 이는 당시 사회가 여성이 사회 활동을 하는 데 제약이 많았음을 보여 주는 것입니다. 이처럼 고전 소설 중에는 여성 주인공들이 남장을 하고 능력을 펼치는 여성 영웅 소설이 많습니다. 이러한 소설 속 남장에는 여성이 남성보다 뛰어난 능력이 있다 하더라도 여성의 신분으로는 사회생활을 하기 힘들다는 차별적인 사회 분위기가 담겨 있는 것으로 해석할 수 있습니다. 그리고 한 가지 더 주목할 점은 이들이 남장을 벗는 순간, 다시 여성의 지위로 돌아오게 되고, 기존 사회 질서와 갈등하게 되는 점입니다. 이것은 남장이 여성의 지위를 완전히 변화시키지 못한 것을 의미합니다.

**오늘의
어휘**

다음 낱말의 알맞은 뜻을 찾아 선으로 이으세요.

달여 •   • 별나고 이상한.

진상 •   • 사람이 잠을 자는 곳.

침소 •   • 병세가 위험할 정도로 중하면.

괴이한 •   • 약재에 물을 부어 우러나도록 끓여.

위중하면 •   • 사물이나 현상의 거짓 없는 모습이나 내용.

1 다음 빈칸에 들어갈 알맞은 말을 오늘의 어휘 에서 찾아 쓰세요.

- 드디어 사건의 [   ]이 낱낱이 밝혀졌다.

- 어머니께서 조금 전에 [   ]에 들어가셨다.

- 병이 [   ] 신속히 병원으로 오셔야 합니다.

- 그런 [   ] 짓을 할 사람은 한 사람밖에 없다.

- 몸이 약한 아이에게 보약을 여러 첩 [   ] 먹였다.

2 다음 글에서 밑줄 친 말과 뜻이 비슷한 말을 찾아 쓰세요.

'새옹지마(塞翁之馬)'는 본래 '변방 노인의 말'이라는 뜻이다. 옛날 중국 변방의 한 노인이 기르던 말이 <u>이상한</u> 오랑캐 땅으로 도망치자 이웃들이 위로하였는데, 얼마 후 그 말이 다른 말과 돌아와 이웃의 축하를 받게 됐다. 그러나 노인의 아들이 그 말을 타다가 떨어져 다리가 부러지자 이웃들은 또 위로했다. 하지만 다리가 부러진 아들은 전쟁에 나가지 않았고, 전장에 나간 이는 죽었다. 이 괴이한 이야기는 불행한 일이 뜻밖에 행운을 가져오기도 한다는 교훈을 준다.

(   )

홍계월전 ❷ | 작자 미상

[중간 이야기] 계월은 천자의 주선으로 보국과 혼인한 후 보국과 갈등을 겪으며 규중에서 조용히 살아간다.

글의 구조

발단 - 전개 - 절정 - 결말

글자 수

968
400 600 800 1000 1200

한동안 평화롭던 나라 안에 다시 **변고**가 생겼다. ㉠오왕과 초왕이 합심하여 반란을 일으킨 것이었다. 오왕은 구덕지로 **선봉장**을 삼고, 초왕은 장맹길로 선봉장을 삼아 군사를 이끌고 쳐들어왔다. 그들의 세력은 성난 황소 같아서 순식간에 북쪽 10여 성을 정복하고 명나라의 수도를 향하여 쳐들어오고 있는 중이었다.

천자는 황급히 조정의 관리들을 모아 회의를 열었다. 우승상이 아뢰었다.

"좌승상 홍계월을 보내어 적군을 막도록 명을 내리시옵소서."

그러나 천자는 한참을 생각하다가 고개를 저었다.

"나라 안에 계월만 한 장수가 없기는 하나 지금은 혼인하여 규중에 머무는 아녀자가 아니냐? 어찌 **전장**에 보낼 수 있겠는가?"

이에 관리들이 입을 모아 **재삼** 권했다.

"계월이 비록 규중의 아녀자이오나 이름이 대신에 올라 있고, 그가 받은 직책이 그대로 있으니 무슨 거리낄 것이 있겠습니까? 어서 명을 내려 주시옵소서."

신하들의 의견이 한결같으니 천자도 마지못하여 홍계월을 불러오라고 명했다.

이때 계월은 규중에서 외로이 지내는 가운데 가끔 시녀와 함께 장기와 바둑을 두며 세월을 보내고 있었다. 계월은 타고난 영웅의 **기상**을 펼치지 못하고 억누른 채 지내자니 늘 마음이 울적했다.

그러던 차에 조정에서 천자의 명이 이르렀다. 계월은 기쁜 마음에 **관복**을 갈아입고 천자에게 나아갔다. 계월에게 다시 **대원수**의 직책이 주어졌다. 천자는 어서 전장에 나가 공을 세우고 돌아오기를 간절히 부탁했다. 계월은 자신이 바라던 바인지라 흔쾌히 수락하고 서둘러 **출정** 준비를 하기 시작했다.

계월은 보국에게 부원수로 자신을 따르라는 **전령**을 보냈다. 보국은 못마땅해하며 부모에게 투덜거렸다.

"계월이 또 소자를 부원수로 삼았습니다. 자기 밑에 두고 부리려는 속셈이니 이런 일이 세상 어디에 있단 말입니까?"

"그러기에 내가 전에 뭐라고 하더냐? ㉡계월을 **괄시**하다 이런 일을 당하니 누구 탓을 하리오. 지금은 무엇보다도 나라의 **안위**가 중요하니 마음을 다잡고 충실히 네 임무를 수행하도록 하여라."

* **변고**(變 변할 변, 故 연고 고) 갑작스러운 재앙이나 사고.
* **선봉장**(先 먼저 선, 鋒 칼날 봉, 將 장수 장) 제일 앞에 진을 친 부대를 지휘하는 장수.
* **전장**(戰 싸울 전, 場 마당 장) 싸움을 치르는 장소.
* **재삼**(再 거듭 재, 三 석 삼) 두세 번. 또는 몇 번씩.
* **기상**(氣 기운 기, 像 모양 상) 사람이 타고난 기개나 마음씨. 또는 그것이 겉으로 드러난 모양.
* **관복**(官 벼슬 관, 服 옷 복) 벼슬아치가 입던 옷.
* **대원수**(大 클 대, 元 으뜸 원, 帥 장수 수) 국가의 전체 군대를 통솔하는 최고 계급인 원수를 더 높여 이르는 말.
* **출정**(出 나갈 출, 征 칠 정) 싸움터에 나감.
* **전령**(傳 전할 전, 令 하여금 령) 명령 따위를 전하여 보냄.
* **괄시**(恝 소홀히 할 괄, 視 볼 시) 업신여겨 하찮게 대함.
* **안위**(安 편안할 안, 危 위태할 위) 편안함과 위태함을 아울러 이르는 말.

지문
독해

중심 소재

1 이 글에서 ⓐ의 역할은 무엇인가요? (   )

① 사건의 비현실적 성격을 강조한다.

② 사건이 해결될 실마리를 제공한다.

③ 사건의 새로운 갈등 상황을 일으킨다.

④ 사건이 일어나는 공간적 배경을 전환시킨다.

⑤ 사건을 대하는 인물의 어리석음을 부각한다.

세부 내용

2 이 글을 이해한 내용으로 알맞은 것은 무엇인가요? (   )

① 계월은 규중에 있으면서도 관직을 그대로 유지하고 있었다.

② 계월은 천자의 명을 받아 내키지 않지만 출정을 하기로 했다.

③ 외적의 침입 때문에 명나라는 수도를 급히 다른 곳으로 옮겼다.

④ 보국의 부모는 계월이 보국을 함부로 대하는 것에 비판적이었다.

⑤ 조정의 관리들은 계월의 현재 신분을 고려하여 부원수로 출정하게 했다.

어휘

3 ⓑ의 상황과 관련 있는 속담으로 알맞은 것은 무엇인가요? (   )

① 닭 쫓던 개 지붕 쳐다본다.

② 제 도끼에 제 발등 찍힌다.

③ 돌다리도 두들겨 보고 건넌다.

④ 하늘은 스스로 돕는 자를 돕는다.

⑤ 똥 묻은 개가 겨 묻은 개 나무란다.

감상

4 이 글을 감상한 내용으로 알맞은 것을 찾아 기호를 쓰세요.

> ㉮ 신하들의 거듭된 권유에 마지못해 계월을 부르는 것을 보니, 천자는 계월에 대한 믿음이 약해진 것 같아.
>
> ㉯ 규중에서 시녀와 함께 장기와 바둑을 두며 세월을 보내는 것을 보니, 계월은 규중의 생활에 대해 만족해하고 있어.
>
> ㉰ 아내인 계월의 부하로 나가야 한다고 투덜대는 것을 보니, 보국은 '남성이 여성보다 뛰어나다'라는 사고를 지닌 인물로 볼 수 있어.

(   )

지문 분석

1 갈등   이 글에 나타난 계월과 보국의 갈등을 파악하여 빈칸에 알맞은 말을 쓰세요.

계월		보국
•( )보다 능력이 뛰어남. •사회적 지위를 이용하여 보국을 자신의 부하로 삼음.	↔	•( )보다 능력이 부족함. •( )의 사회적 힘을 이용하여 열등감을 극복하고자 함.

2 인물 태도   계월을 대하는 인물들의 태도를 생각하여 (   )에 알맞은 말을 찾아 ○표 하고, 빈칸에 알맞은 말을 쓰세요.

천자와 관리들	보국의 부모
계월이 여자임을 알고 나서도 계월의 벼슬을 유지해 주고, 국난을 당했을 때 (높은 벼슬, 많은 돈)을 주며 계월을 부름.	보국이 부원수가 되는 것을 불평하지 못하게 말리고, 보국에게 (부모, 계월)의 지시를 따르도록 당부함.

계월을 둘러싼 주변인들이 계월의 (   ) 능력을 인정함.

배경지식 ## 영웅의 일생을 다룬 영웅 소설

「홍계월전」과 같이 영웅의 일대기를 다룬 영웅 소설들은 다음과 같은 서사 구조를 지니고 있습니다.

'고귀한 혈통을 지니거나 출생의 과정이 비정상적이다. → 어려서부터 남다른 능력을 보인다. → 어렸을 때 부모와 헤어지거나 죽을 고비에 처한다. → 위기에서 구출되거나, 양육자를 만나 도움을 받아 성장한다. → 자라서 다시 위기를 겪는다. → 위기를 극복하고 행복한 결말을 맞는다.'

따라서 영웅 소설을 읽을 때에는 주인공의 고난과 영웅적 행적을 차례대로 찾아보며 읽으면 더욱 큰 재미를 느낄 수 있습니다.

오늘의 어휘

다음 낱말의 알맞은 뜻을 찾아 선으로 이으세요.

변고 •   • 기쁘고 유쾌하게.

안위 •   • 업신여겨 하찮게 대함.

괄시 •   • 갑작스러운 재앙이나 사고.

흔쾌히 •   • 몹시 급하며 마음의 여유가 없이.

황급히 •   • 편안함과 위태함을 아울러 이르는 말.

1 다음 빈칸에 들어갈 알맞은 말을 오늘의 어휘 에서 찾아 쓰세요.

• 뜻하지 않은 [   ]를 당하여 그녀는 당황했다.

• 그는 급한 연락을 받고 [   ] 자리에서 일어섰다.

• 어느 누구도 감히 우리를 [   ]하지 못할 것이다.

• 이모는 늘 국가의 [   ]를 먼저 생각하는 사람이었다.

• 엄마는 내 부탁을 들어주겠다고 [   ] 약속해 주셨다.

2 다음 글에서 밑줄 친 말과 뜻이 반대인 말을 찾아 쓰세요.

'슬로푸드'는 천천히 시간을 들여서 만들고 먹는 음식으로, '패스트푸드'의 상대적인 말이다. 시간 절약을 이유로 마지못해 패스트푸드를 먹지 말고, 식탁에서 누릴 수 있는 즐거움과 더불어 전통 음식을 보존하자는 취지로 '슬로푸드 운동'도 생겼다. 우리나라에서는 지금도 농약과 화학 비료를 사용한 농업을 주로 하고 있으니 슬로푸드 운동이 더욱 필요하다. 또한 몸에 나쁜 음식과 강한 향에 길들여지면 좀처럼 바꾸기 어렵고, 건강을 해치게 되니 슬로푸드 운동에 흔쾌히 동참해 보자.

(   )

홍계월전 ❸ | 작자 미상

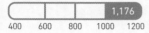

글의 구조

발단 — 전개 — **절정** — 결말

글자 수

1,176
400 600 800 1000 1200

"내가 지금 **천기**를 살펴보니 천자가 매우 위태로운 **형국**에 빠져 있소. 내 급히 황성으로 가 보려 하니 그대는 장수와 군사들을 단속하여 진문을 굳게 닫고 내가 돌아오기를 기다리시오."

계월은 밤새 말을 달려 다음 날 황성에 **당도했다.** 백성들이 모두 도망하여 성안은 텅 비어 있고, 대궐은 불에 타 버린 채 빈터만 남아 있었다. 계월은 그 **처참한** 광경에 할 말을 잃었다. 천자를 찾아 헤매었지만 자취를 찾을 수 없었다. 누구라도 붙들고 물어보고 싶었지만 성안에 남아 있는 사람이 없었다. 계월이 **대성통곡**하며 사방을 헤매고 있을 때 하수도 구멍에서 한 노인이 기어 나오다가 사람이 있는 것을 보고 깜짝 놀라 얼른 다시 들어가 버렸다. 계월은 급히 따라가 하수도 구멍에 대고 애원했다.

"나는 적이 아니라 명나라 대원수 홍계월이오. 그대는 겁먹지 말고 나와 천자가 가신 곳을 알려 주시오."

노인은 그제야 다시 기어 나와 대성통곡을 하는데, 그가 바로 여공이었다. 계월은 깜짝 놀라 여공의 손을 부여잡고 울음을 터뜨렸다.

"아버님, 이게 웬일이세요? 어찌하여 이 더러운 하수도 구멍에 몸을 감추고 계십니까? 시어머님은 어디 계시고, 저희 부모님은 또 어디 계신가요?"

"갑자기 적들이 쳐들어와 대궐에 불을 지르고 **노략질**을 하니 성안의 온 백성들이 도망치느라 정신이 없었다. 그 난리 속에 나는 길을 잃고 이 구멍에 들어와 피했으나 네 시어머니와 부모님은 어디로 피했는지 알 수가 없구나."

여공은 충격이 컸던 탓에 울음을 멈추지 못했다. 계월은 여공을 안심시키며 천자가 간 곳을 물었다. 여공은 천자를 업은 신하들이 북문으로 도망을 치고 적들이 그 뒤를 따라가는 것을 보았다고 했다.

계월은 더 이상 시간을 **지체**할 수가 없었다. 천자가 지나간 길을 따라 서둘러 북문을 지나 천태령을 넘어 강가에 도착했다. 강변에는 적의 군사들로 가득했다. 그 가운데에서 맹길이 천자에게 **항서**를 올리라고 호령하는 소리가 쩌렁쩌렁 울리고 있었다. ㉠천자는 그 **독촉**에 못 이겨 손가락을 막 깨물려는 참이었다.

계월은 분노가 머리끝까지 치밀어 올라 우레 같은 소리로 외쳤다.

"우리 황상을 해치지 마라. 명나라 대원수 홍계월이 여기에 왔노라."

계월은 곧바로 말을 달려 적진으로 뛰어들었다. 먼저 맹길을 사로잡고 무수한 군사를 베니 도적의 무리가 **혼비백산**하여 도망치기 시작했다. 미처 도망가지 못하고 뒤에 남은 자들은 목숨을 구걸하며 항복했다.

- **천기**(天 하늘 천, 氣 기운 기) 하늘에 나타난 조짐.

- **형국**(形 모양 형, 局 판 국) 어떤 일이 벌어진 형편.

- **당도**(當 마땅 당, 到 이를 도)**했다** 어떤 곳에 다다랐다.

- **처참**(悽 슬퍼할 처, 慘 참혹할 참)**한** 몸서리칠 정도로 슬프고 끔찍한.

- **대성통곡**(大 큰 대, 聲 소리 성, 痛 아플 통, 哭 울 곡) 큰 소리로 몹시 슬프게 곡을 함.

- **노략**(擄 사로잡을 노, 掠 빼앗을 략)**질** 떼를 지어 돌아다니며 사람을 해치거나 재물을 강제로 빼앗는 짓.

- **지체**(遲 더딜 지, 滯 막힐 체)**할** 때를 늦추거나 질질 끎.

- **항서**(降 항복할 항, 書 글 서) 항복을 인정하는 문서.

- **독촉**(督 살펴볼 독, 促 재촉할 촉) 일이나 행동을 빨리하도록 재촉함.

- **혼비백산**(魂 넋 혼, 飛 날 비, 魄 넋 백, 散 흩을 산) 몹시 놀라 넋을 잃음.

갈래

1 이 글의 특징으로 알맞은 것은 무엇인가요? (   )

① 시간의 흐름에 따라 계월의 성격이 변하고 있다.

② 주인공의 행적을 통해 영웅적인 면모를 부각한다.

③ 말하는 이가 주인공으로 등장하여 사건이 전개된다.

④ 여러 인물이 자연과 갈등하는 모습을 제시하고 있다.

⑤ 구체적인 공간 묘사를 통해 활기찬 분위기를 드러내고 있다.

세부 내용

2 이 글의 내용으로 알맞지 <u>않은</u> 것은 무엇인가요? (   )

① 맹길은 천자에게 항서를 올리라고 호령하였다.

② 천자는 신하들에게 업혀 북문으로 도망을 쳤다.

③ 계월은 하수도 구멍에 숨어 있던 시아버지를 보며 안쓰러워했다.

④ 여공은 하수도 구멍에 숨어 있었기 때문에 목숨을 지킬 수 있었다.

⑤ 여공은 가족들을 지키지 못한 것이 부끄러워 하수도 구멍에 숨어 있었다.

어휘

3 ㉠에서 천자가 처해 있던 상황을 나타낸 고사성어는 무엇인가요? (   )

① 명약관화: 明 밝을 명, 若 같을 약, 觀 볼 관, 火 불 화

② 풍전등화: 風 바람 풍, 前 앞 전, 燈 등잔 등, 火 불 화

③ 역지사지: 易 바꿀 역, 地 땅 지, 思 생각 사, 之 갈 지

④ 일거양득: 一 하나 일, 擧 들 거, 兩 두 양, 得 얻을 득

⑤ 삼고초려: 三 석 삼, 顧 돌아볼 고, 草 풀 초, 廬 농막 려

감상

4 이 글을 읽고 알맞은 반응을 보인 학생을 찾아 이름을 쓰세요.

> 민희: 천자에게 항서를 쓸 시간을 충분히 주는 것에서 맹길의 여유로움이 느껴져.
>
> 재혁: 자신의 잘못을 뉘우치지 않고 변명만 늘어놓는 것에서 여공의 비겁함이 드러나.
>
> 지현: 홀로 적진에 뛰어들어 적을 모조리 제압하는 모습에서 계월의 비범함이 돋보였어.

(   )

지문 분석

1 글의 특징

이 글의 주요 사건을 완성하고, 고전 소설의 특징을 생각하여 (   )에 알맞은 말을 찾아 ○표 하세요.

주요 사건	고전 소설의 특징
• 계월이 ( )를 살펴 천자의 위기 상황을 파악함. • 계월이 ( ) 만에 황성에 도착함.	→ (현실성, 비현실성)
• 계월이 ( )를 구하러 가서 사방을 헤맬 때 갑자기 시아버지인 여공을 만남.	→ (우연성, 필연성)

2 주제

이 글의 유형을 찾아 ○표 하고, 이를 통해 주제를 파악하여 빈칸에 알맞은 말을 쓰세요.

• 여성 주인공이 주로 활약하면서 남성 주인공을 압도하는 유형	( )
• 남성 주인공이 주로 활약하면서 여성 주인공은 보조 역할을 하는 유형	( )
• 남성 주인공이 주로 활약하는 반면, 여성 주인공의 역할은 거의 없는 유형	( )

⬇

주제	( )의 영웅적인 능력과 활발한 활동

배경지식 「홍계월전」 전체 줄거리

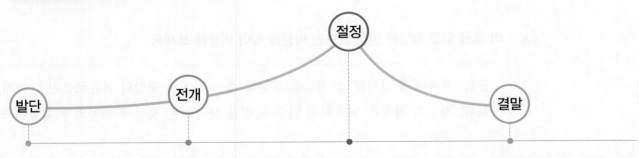

발단	전개	절정	결말
다섯 살 계월이 난리 통에 부모와 헤어져 도적에게 붙잡히고, 강물에 던져짐.	여공의 도움으로 살아난 계월은 관직에 진출하고, 부모와 재회함. 또 보국과 결혼하지만 갈등을 겪음.	계월이 전쟁에 나가 위기에 빠진 천자를 구하고, 맹길을 잡아 어릴 적 원수를 갚음.	계월은 전쟁이 모두 끝난 후 대장군의 작위를 받게 되고, 복을 받으며 살아감.

다음 낱말의 알맞은 뜻을 찾아 선으로 이으세요.

독촉 •　　　　　• 어떤 곳에 다다랐다.

지체할 •　　　　　• 몹시 놀라 넋을 잃음.

대성통곡 •　　　　　• 때를 늦추거나 질질 끎.

당도했다 •　　　　　• 큰 소리로 몹시 슬프게 곡을 함.

혼비백산 •　　　　　• 일이나 행동을 빨리하도록 재촉함.

1 다음 빈칸에 들어갈 알맞은 말을 오늘의 어휘 에서 찾아 쓰세요.

- 우리는 오후가 되어서야 목적지에 ☐☐☐☐☐.
- 아내는 남편에게 빨리 집에 가자고 ☐☐☐☐☐했다.
- 사고 소식을 들은 김 선생님은 ☐☐☐☐☐을 하셨다.
- 병사들은 좌우에서 기습을 받고 놀라 ☐☐☐☐☐했다.
- 그때는 한시도 ☐☐☐☐☐ 수 없는 위급한 상황이었다.

2 다음 글에서 밑줄 친 말과 뜻이 비슷한 말을 찾아 쓰세요.

우리는 지리산 정상에서 일출을 보기 위해 새벽에 산장을 나섰다. 새벽의 찬 공기가 가슴 속으로 들어오며 정신이 번쩍 드는 듯했다. 산장의 비좁은 공간에서 새우잠을 잤던 터라 몸이 많이 찌뿌둥하여 몸을 좀 풀어 주고 싶었으나 예상보다 조금 늦게 길을 나선 상황이 더 이상 시간을 지체할 수 없었다. 우리는 빠른 걸음으로 정상을 향해 오르기 시작했다. 하지만 사방의 봉우리를 감싸고 있는 구름과 안개가 우리의 눈길을 사로잡아 자꾸만 발걸음을 <u>늦출</u> 수밖에 없었다.

(　　　　　　　　)

이해의 선물 ❶ | 폴 빌라드

글의 구조

발단 — 전개 — 절정 — 결말

글자 수

1,137

400 600 800 1000 1200

내가 위그든 씨의 사탕 가게에 처음으로 발을 들여놓은 것은 아마 네 살쯤 되었을 때의 일이었던 것 같다. 하지만 그 ㉠많은 싸구려 사탕들이 풍기던 향기로운 냄새는 **반세기**가 지난 지금까지도 아직 내 머릿속에 생생히 되살아난다.

가게 문에 달린 조그만 방울이 울릴 때마다 위그든 씨는 언제나 조용히 나타나서, 진열대 뒤에 와 섰다. 그는 꽤 나이가 많았기 때문에 ㉡머리는 구름처럼 희고 고운 **백발**로 덮여 있었다.

나는 그처럼 마음을 사로잡는 맛있는 물건들이 한꺼번에 펼쳐진 것을 본 적이 없었다. 그중에서 한 가지를 고른다는 것은 꽤나 어려운 일이었다. 먼저 어느 한 가지를 머릿속으로 충분히 맛보지 않고는 다른 것을 고를 수가 없었다. 그러고 나서 마침내 내가 고른 사탕이 하얀 종이 봉지에 담길 때는 언제나 잠시 괴로운 아쉬움이 뒤따랐다. 다른 것이 더 맛있지 않을까? 더 오래 먹을 수 있지 않을까?

㉮위그든 씨는 골라 놓은 사탕을 봉지에 넣은 다음, 잠시 기다리는 버릇이 있었다. 한마디도 말은 없었다. 그러나 ㉢하얀 눈썹을 추켜올리고 서 있는 그 자세에서 다른 사탕과 바꿔 살 수 있는 마지막 기회가 있다는 것을 누구나 알 수 있었다. 계산대 위에 사탕값을 올려놓은 다음에야 비로소 ㉣사탕 봉지는 비틀려 돌이킬 수 없이 **봉해지고**, 잠깐 동안 **주저하던** 시간은 끝이 나는 것이었다.

우리 집은 전찻길에서 두 구간에나 떨어져 있었는데, 차를 타러 나갈 때나 차에서 내려 집으로 돌아올 때는 언제나 그 가게 앞으로 지나게 되어 있었다. 어느 날 어머니는 무슨 볼일이 있어 시내까지 나를 데리고 나가셨다가, **전차**에서 내려 집으로 돌아오는 길에 위그든 씨의 가게에 들르신 일이 있었다.

"뭐 좀 맛있는 게 있나 보자."

어머니는 기다란 유리 진열장 앞으로 나를 데리고 가셨다. 그때 커튼 뒤에서 노인이 나타났다. 어머니가 노인과 잠깐 이야기를 나누고 계시는 동안, 나는 눈앞에 진열된 사탕들만 정신없이 바라보고 있었다. 마침내 어머니는 내게 줄 사탕을 몇 가지 고른 다음 값을 치르셨다.

어머니는 매주 한두 번씩은 시내를 나가셨는데, 그 시절에는 아이 보는 사람이 없었기 때문에 나는 늘 어머니를 따라다녔다. 어머니는 나를 위하여 그 사탕 가게에 들르시는 것이 규칙처럼 되어 버렸고, 처음 들르셨던 날 이후부터는 먹고 싶은 것을 언제나 내가 고르게 하셨다.

- **반세기**(半 반 반, 世 시대 세, 紀 벼리 기) 한 세기의 절반인 50년을 이름.

- **백발**(白 흰 백, 髮 머리털 발) 하얗게 센 머리털.

- **봉해지고** 봉투 따위가 싸져서 막아지고.

- **주저하던** 머뭇거리며 망설이던.

- **전차**(電 전기 전, 車 차 차) 전기를 공급받아 지상에 설치된 길 위를 다니는 차.

지문 독해

갈래

1 이 글에 대한 설명으로 알맞은 것은 무엇인가요? ( )

① 위그든 씨의 행동을 묘사하여 그의 성격을 보여 주고 있다.

② 공간의 이동에 따라 변화되는 '나'의 성격을 보여 주고 있다.

③ 역사적 사실을 제시하여 시대 상황을 구체적으로 드러내고 있다.

④ '나'와 위그든 씨의 대화를 통해 두 사람이 갈등하는 원인을 나타내고 있다.

⑤ 위그든 씨의 사탕 가게를 반복적으로 제시하여 위그든 씨의 가치관을 강조하고 있다.

표현

2 ㉠~㉣ 중 위그든 씨의 모습을 *직유법을 사용해 표현한 부분을 찾아 기호를 쓰세요.

( )

*직유법: 비슷한 성질이나 모양을 가진 두 사물을 '같이', '처럼', '듯이'와 같은 말로 연결하여 직접 비유하는 방법.

세부 내용

3 이 글의 내용과 일치하지 <u>않는</u> 것은 무엇인가요? ( )

① 어머니는 시내에 일을 보러 갈 때 '나'를 데리고 가셨다.

② 어머니는 매주 한두 번씩 위그든 씨의 사탕 가게에 들르셨다.

③ 위그든 씨의 사탕 가게는 우리 집과 전차 타는 곳의 사이에 있었다.

④ '나'는 위그든 씨의 사탕 가게에서 사탕을 고르는 일을 어렵게 느꼈다.

⑤ 어머니가 '나'의 부탁을 들어주어 '내'가 먹고 싶은 사탕을 직접 고르게 되었다.

추론

4 ㉮에 담긴 위그든 씨의 마음을 추측한 것으로 알맞은 것은 무엇인가요? ( )

① 사탕을 더 살 수 있도록 시간을 줘야겠군.

② 사탕을 바꿀 수 있는 기회를 한 번 더 줘야겠어.

③ 사탕을 너무 많이 산 것을 스스로 깨닫게 해야겠어.

④ 이 많은 사탕을 다 살 수 있는 돈이 있을지 걱정이군.

⑤ 사탕을 제대로 샀는지 아이가 어머니에게 검사받게 해야겠어.

지문 분석

정답과 해설 28쪽

1 인물 성격
위그든 씨의 행동을 완성하고, 이를 통해 성격을 파악하여 (   )에 알맞은 말을 찾아 ○표 하세요.

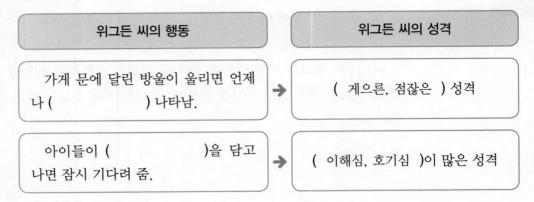

위그든 씨의 행동		위그든 씨의 성격
가게 문에 달린 방울이 울리면 언제나 ( ) 나타남.	→	(게으른, 점잖은) 성격
아이들이 ( )을 담고 나면 잠시 기다려 줌.	→	(이해심, 호기심)이 많은 성격

2 사건 전개
'나'를 중심으로 한 사건의 전개 방식을 파악하여 빈칸에 알맞은 말을 쓰세요.

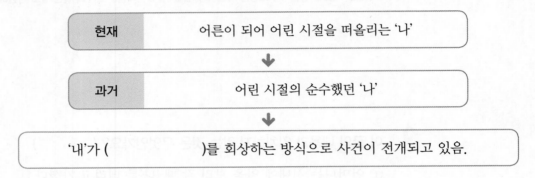

현재	어른이 되어 어린 시절을 떠올리는 '나'

↓

과거	어린 시절의 순수했던 '나'

↓

'내'가 (   )를 회상하는 방식으로 사건이 전개되고 있음.

배경지식 **아이의 순수한 눈으로 세상을 바라본 폴 빌라드**

폴 빌라드 작가는 미국의 아동 문학가로, 어린이의 심리를 솔직하게 표현하는 작가로 유명합니다. 그는 아이들의 순수한 눈으로 바라본 세상을 잔잔하고 감동적으로 그려 냈어요. 폴 빌라드 작가의 작품을 읽으면 사랑과 배려, 이해하는 마음의 중요성을 떠올릴 수 있답니다. 이 「이해의 선물」에서도 사탕 가게에 얽힌 추억과 어른이 된 '나'의 경험을 이야기하며 어린이의 순수함을 지켜 주기 위해 어른이 가져야 할 이해심을 생각하게 합니다. 또 그의 다른 인기 작품인 「안내를 부탁합니다」도 읽어 보면 꼬마와 전화 교환원의 이야기를 통해 우리가 타인과 함께 살아갈 때 지켜야 하는 태도를 생각할 수 있답니다.

오늘의 어휘

다음 낱말의 알맞은 뜻을 찾아 선으로 이으세요.

전차 •   • 하얗게 센 머리털.

백발 •   • 머뭇거리며 망설이던.

반세기 •   • 봉투 따위가 싸져서 막아지고.

주저하던 •   • 한 세기의 절반인 50년을 이름.

봉해지고 •   • 전기를 공급받아 지상에 설치된 길 위를 다니는 차.

1 다음 빈칸에 들어갈 알맞은 말을 **오늘의 어휘** 에서 찾아 쓰세요.

- [   ]가 땡땡 종을 울리며 지나간다.
- 그 일은 모두가 [   ] 위험한 일이었다.
- 저 노인은 [   ]이 성성해도 기운은 장사이다.
- 중요 서류가 담긴 봉투가 [   ] 금고에 들어갔다.
- 한반도는 [   ]가 넘도록 분단 상태가 이어지고 있다.

2 다음 글에서 밑줄 친 말과 뜻이 반대인 말을 찾아 쓰세요.

제2차 세계대전을 일으킨 독일 군대의 대장 히틀러는 독재자였다. 그는 전쟁을 주저하던 독일인들에게 독일인이 세상에서 가장 우수하므로 세계를 정복해야 한다며 부추기고, 전쟁을 일으켰다. 히틀러가 저지른 가장 큰 악행은, 유대인을 잡아 가두는 일에 뛰어들었던 것이다. 유대인은 나라가 없는 민족이었지만 머리가 좋고 성실해서 독일의 중요한 자리를 차지하거나 부자인 사람이 많았다. 히틀러는 "유대인은 독일의 적이다. 모두 없애야 한다."라고 말하며 수많은 유대인을 희생시켰다.

(   )

이해의 선물 ❷ | 폴 빌라드

글의 구조
발단 ─ 전개 ─ 절정 ─ 결말

글자 수
400 600 800 1000 1200
1,068

그 무렵 나는 돈이라는 것에 대해서 전혀 아는 것이 없었다. 그저 어머니가 다른 사람에게 무엇인가를 건네주면, 그 사람은 또 ˙으레 무슨 꾸러미나 봉지를 내주는 것을 보고는 '아하, 물건을 팔고 사는 건 저렇게 하는 것이구나.' 하는 생각이 마음 속에 자리 잡았다.

㉠그러던 어느 날, 나는 한 가지 **결단**을 내리기에 이르렀다. 위그든 씨 가게까지 두 구간이나 되는 먼 거리를 나 혼자 한번 가 보기로 한 것이다. 상당히 애를 쓴 끝에 간신히 그 가게를 찾아 커다란 문을 열었을 때 귀에 들려오던 그 방울 소리를 지금도 나는 뚜렷이 기억한다. 나는 두근거리는 가슴을 안고 천천히 진열대 앞으로 걸어갔다. 5

이쪽엔 박하 향기가 나는 납작한 박하사탕이 있었다. 그리고 쟁반에는 조그만 초콜릿 알사탕, 그 뒤에 있는 상자에는 입에 넣으면 흐뭇하게 뺨이 불룩해지는 굵직굵직한 눈깔사탕이 있었다. 단단하고 반들반들하게 짙은 암갈색 설탕 옷을 입힌 땅콩을 위그든 씨는 조그마한 주걱으로 떠서 팔았는데, 두 주걱에 1센트였다. 물론 감초 과자도 있었다. 그것을 베어 문 채로 입 안에서 녹여 먹으면, 꽤 오래 **˙우물거리며** 먹을 수 있었다. 10
15

이만하면 맛있게 먹을 수 있겠다 싶을 만큼 내가 이것저것 골라 내놓자, 위그든 씨는 나에게 몸을 구부리며 물었다.

"너 이만큼 살 돈은 가지고 왔니?" / "네."

나는 대답했다. 그러고는 주먹을 내밀어 위그든 씨의 손바닥에 반짝이는 은박지로 정성스럽게 싼 여섯 개의 ˙**버찌씨**를 조심스럽게 떨어뜨렸다. 20

위그든 씨는 잠시 자신의 손바닥을 들여다보더니, 다시 한동안 내 얼굴을 구석구석 바라보는 것이었다.

"모자라나요?"

나는 걱정스럽게 물었다.

그는 조용히 한숨을 내쉬고 나서 대답했다. 25

㉡"돈이 좀 남는 것 같아. 거슬러 주어야겠는데……."

그는 **˙구식 금고** 쪽으로 걸어가더니 '철컹' 소리가 나는 서랍을 열었다. 그러고는 계산대로 돌아와서 몸을 굽혀, 앞으로 내민 내 손바닥에 2센트를 떨어뜨려 주었다.

내가 혼자 거기까지 가서 사탕을 샀다는 사실을 아신 어머니는 나를 꾸중하셨다. 그러나 돈의 ˙**출처**는 물어보지 않으셨던 것으로 기억된다. 나는 다만, 어머니의 허락 없이 다시는 거기에 가지 말라는 주의를 받았을 뿐이었다. 30

- **으레** 두말할 것 없이 당연히.
- **결단**(決 결단할 결, 斷 결단할 단) 결정적인 판단을 하거나 단정을 내림.
- **우물거리며** 음식물을 입 안에 넣고 자꾸 씹으며.
- **버찌씨** 벚나무 열매의 씨.
- **구식**(舊 예 구, 式 법 식) 예전의 방식이나 형식.
- **금고**(金 쇠 금, 庫 곳간 고) 돈, 귀중한 서류, 귀중품 따위를 간수하여 보관하는 데 쓰는 궤.
- **출처**(出 날 출, 處 곳 처) 사물이나 말 따위가 생기거나 나온 근거.

중심 내용

1 이 글의 중심 사건은 무엇인가요? (   )

① 어머니가 사탕 가게에 혼자 간 '나'를 꾸중한 것

② 위그든 씨가 걱정스러운 표정으로 '나'를 지켜본 것

③ '내'가 위그든 씨의 사탕 가게에서 사탕을 구경한 것

④ '내'가 혼자 위그든 씨의 사탕 가게에 가서 사탕을 산 것

⑤ 위그든 씨가 버찌씨를 내민 '나'를 바라보며 한숨을 쉰 것

세부 내용

2 ㉠'그러던 어느 날'의 '나'의 마음 상태로 알맞은 것을 두 가지 고르세요. (,   )

① 그립다.   ② 아쉽다.

③ 걱정된다.   ④ 부끄럽다.

⑤ 두근거린다.

세부 내용

3 이 글의 '나'에 대한 설명으로 알맞지 <u>않은</u> 것은 무엇인가요? (   )

① 물건을 살 때 돈을 주어야 한다는 사실을 몰랐다.

② 위그든 씨의 사탕 가게에서 먹을 만큼의 사탕을 골랐다.

③ 돈을 내지 않고 사탕을 사서 어머니에게 꾸중을 들었다.

④ 어머니에게 허락을 받지 않고 사탕을 사러 간 적이 있다.

⑤ 여섯 개의 버찌씨를 내면 사탕을 살 수 있다고 생각했다.

추론

4 위그든 씨가 ㉡과 같이 말한 까닭은 무엇일까요? (   )

① '내'가 실망하지 않게 하려고

② 나중에 엄마에게 돌려받으려고

③ '나'에게 돈의 개념을 가르쳐 주려고

④ '내'가 장난삼아 한 행동으로 보아서

⑤ '내'가 거짓말을 하고 있는지 확인해 보려고

지문 분석

1 구절 역할　사건 전개 과정에서 다음 구절의 역할을 생각하여 빈칸에 알맞은 말을 쓰세요.

구절	이후의 사건	구절의 역할
'나는 돈이라는 것에 대해서 전혀 아는 것이 없었다.'	'내'가 위그든 씨의 사탕 가게에 혼자 가서 사탕을 고르고, (　　　　　)를 사탕값으로 지불함.	어떤 사건이 일어나게 된 까닭을 이해할 수 있게 함.

2 소재 의미　다음 소재에 담긴 의미를 찾아 선으로 이으세요.

버찌씨 ·

2센트 ·

· '내'가 위그든 씨에게 사탕값으로 내민 것. ·

· 위그든 씨가 '나'에게 거스름돈으로 준 것. ·

· 위그든 씨의 이해심을 의미함.

· 어린 '나'의 순수함을 의미함.

배경지식 ## 소설 속 인물의 성격 제시 방법

　소설에서 인물의 성격을 드러내는 방법에는 직접 제시와 간접 제시의 방법이 있어요. 직접 제시는 소설에서 말하는 이가 인물의 성격을 직접적으로 요약하거나 설명하는 방법을 말해요. 또, 간접 제시는 인물의 모습을 묘사하거나 인물의 말과 행동을 서술하여 인물의 성격을 간접적으로 드러내는 방법을 말합니다.

　그렇다면 「이해의 선물」에서 위그든 씨의 성격은 어떤 방법으로 제시되었나요? 사탕값으로 버찌씨를 낸 '나'에게 오히려 거스름돈을 주는 위그든 씨의 행동을 묘사하여 너그럽고 이해심 많은 성격을 간접적으로 보여 주고 있어요.

다음 낱말의 알맞은 뜻을 찾아 선으로 이으세요.

으레 • • 두말할 것 없이 당연히.

결단 • • 음식물을 입 안에 넣고 자꾸 씹으며.

출처 • • 결정적인 판단을 하거나 단정을 내림.

금고 • • 사물이나 말 따위가 생기거나 나온 근거.

우물거리며 • • 돈, 귀중한 서류, 귀중품 따위를 간수하여 보관하는 데 쓰는 궤.

1 다음 빈칸에 들어갈 알맞은 말을 오늘의 어휘 에서 찾아 쓰세요.

- 준하는 과자를 입에 넣고 ⬚⬚⬚ 말했다.
- 그 단체는 운영 자금의 ⬚⬚⬚가 불분명하다.
- 귀중품은 ⬚⬚⬚에 안전히 보관하고 있습니다.
- 어머니는 봄이면 ⬚⬚⬚ 풋나물을 캐러 산에 가신다.
- 형은 한번 ⬚⬚⬚을 내린 일은 절대로 바꾸지 않는다.

2 다음 글에서 밑줄 친 말과 뜻이 비슷한 말을 찾아 쓰세요.

지난 세월 우리는 명절이 되면 으레 고향을 찾아 온 가족과 만나 즐거운 시간을 보내
곤 했습니다. 그런데 시대가 변하면서 명절의 의미도 퇴색하기 시작했습니다. 이제는
고향으로 발길을 향하는 귀성객들 못지않게 해외로 향하는 여행객들도 심심찮게 볼 수
있습니다. 이런 명절날 풍경이 앞으로는 더욱 많아지겠지요. 저는 아무리 시대가 변했
다고 해도 명절에 고향의 부모님을 찾아뵙고 인사를 드리는 것은 자식으로서 당연히 지
켜야 할 도리라고 생각합니다.

( )

이해의 선물 ❸ | 폴 빌라드

지문 분석

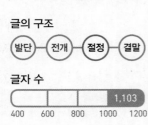
[중간 이야기] 어른이 되어 값비싼 열대어 장사를 하던 '나'의 가게에 어린 두 아이가 들어온다.

"야아! 우리도 저거 살 수 있죠?" / "그럼." / 나는 대답했다. / "돈만 있다면야."

"네, 돈은 많아요." / 하고 남자아이가 자신 있게 말했다.

그 말하는 품이 어딘가 친근하게 느껴졌다. 아이들은 얼마 동안 물고기들을 살펴보더니, 손가락으로 몇 가지 종류를 가리키며 한 쌍씩 달라고 했다. 나는 그 아이들이 고른 것을 그물로 건져 휴대 용기에 담은 후, 들고 가기 좋도록 비닐봉지에 넣어 남자아이에게 건네주며 말했다. 5

"조심해서 들고 가야 한다." / "네."

남자아이는 고개를 끄덕이며 제 누이동생을 돌아보고 말했다. / "네가 돈을 내."

나는 손을 내밀었다. 다음 순간, 꼭 쥐어진 여자아이의 주먹이 내게 다가왔을 때, 나는 ㉠앞으로 일어나게 될 사태를 금세 알아챘다. 그리고 그 어린 소녀의 입 10 에서 나올 말까지도. 소녀는 쥐었던 주먹을 펴고, 내 손바닥에 5센트짜리 백동화 두 개와 10센트짜리 은화 한 개를 쏟아 놓았다.

그 순간, 나는 먼 옛날에 위그든 씨가 내게 물려준 유산이 내 마음속에서 솟아오르는 것을 느꼈다. 그제야 비로소, 지난날 내가 그 노인에게 안겨 준 어려움이 어떤 것이었나를 알 수 있었고, 그가 얼마나 멋지게 그것을 해결했던가를 깨닫게 되었다. 15

손에 들어온 그 동전들을 바라보고 있노라니, 나는 그 조그만 사탕 가게에 다시 들어가 있는 기분이었다. 나는 그 옛날 위그든 씨가 그랬던 것처럼 두 어린이의 순진함과 그 순진함을 보전할 수도 있고 파괴할 수도 있는 힘이 무엇인지 알게 되었다. 그날의 추억이 너무나도 가슴에 벅차, 나는 목이 메었다. 소녀는 기대에 찬 얼굴로 내 앞에 서 있었다. 20

"모자라나요?" / 소녀는 작은 목소리로 물었다.

"돈이 좀 남는걸." / 나는 목이 메는 것을 참으며 간신히 말했다. 〈중략〉

아내가 나를 보고 말했다. / "물고기를 몇 마리나 주었는지 아시기나 해요?"

"한 삼십 달러어치는 주었지." / 나는 아직도 목이 멘 채로 대답했다. 25

"하지만 그럴 수밖에 없었어."

내가 위그든 씨에 대한 이야기를 끝마쳤을 때, 아내의 두 눈은 젖어 있었다. 아내는 걸상에서 내려와 나의 뺨에 조용히 입을 맞추었다.

㉡"아직도 그 박하사탕의 향기가 잊혀지지 않아."

나는 숨을 길게 내쉬었다. 그리고 마지막 어항을 닦으면서 어깨 너머에서 들려오는 위그든 씨의 나지막한 웃음소리를 들었다. 30

- **금세** 지금 바로.

- **백동화**(白 흰 백, 銅 구리 동, 貨 재물 화) 백통(구리와 니켈을 합한 금속)으로 만든 돈.

- **유산**(遺 남길 유, 産 낳을 산) 앞 세대가 물려준 사물 또는 문화.

- **보전**(保 지킬 보, 全 온전할 전)할 온전하게 보호하여 유지할.

- **메었다** 어떤 감정이 북받쳐 목소리가 잘 나지 않았다.

- **걸상** 걸터앉는 기구.

- **나지막한** 소리가 꽤 낮은.

지문
독해

중심 내용

1 이 소설의 제목이 의미하는 것은 무엇인가요? (   )

① 성인이 된 한 남성의 자기반성과 이해

② 어린아이처럼 해맑았던 어른에 대한 그리움

③ 어린 시절 순수했던 남편에 대한 아내의 감동

④ 어린아이의 순수함을 지켜 주려는 어른의 이해심

⑤ 세상을 살아가는 방법을 깨우쳐 준 어머니의 사랑

세부 내용

2 ㉠의 구체적 내용은 무엇인가요? (   )

① 아이들이 열대어값으로 적은 돈을 내는 것

② 아이들이 열대어를 사지 못할까 봐 걱정하는 것

③ 아이들이 열대어를 싸게 팔아 달라고 간청하는 것

④ 아이들에게 열대어의 가격을 정확하게 알려 주는 것

⑤ 아이들에게 열대어를 헐값에 판 것에 대해 아내가 불평하는 것

어휘

3 다음 [   ]에 들어갈 고사성어로 알맞은 것을 찾아 ○표 하세요.

> 위그든 씨에 대한 '나'의 이야기를 들은 아내의 두 눈이 젖어 있었던 이유는 '나'의 마음이 아내에게 [   ]으로 전달되었기 때문이다.

(1) 결초보은: 結 맺을 결, 草 풀 초, 報 갚을 보, 恩 은혜 은   (   )

(2) 이심전심: 以 써 이, 心 마음 심, 傳 전할 전, 心 마음 심   (   )

(3) 격세지감: 隔 사이가 뜰 격, 世 시대 세, 之 갈 지, 感 느낄 감   (   )

추론

4 ㉡에 담겨 있는 '나'의 심리는 무엇일까요? (   )

① 철없던 어린 시절의 자신의 모습에 대한 부끄러움

② 아이들에게서 어린 시절의 박하사탕 향기를 맡은 기쁨

③ 어린 시절의 추억을 어린이들과 함께 나누고 싶은 마음

④ 어린 시절의 사탕의 맛을 느낄 수 없는 현실에 대한 아쉬움

⑤ 자신의 순수함을 지켜 주려고 했던 위그든 씨에 대한 그리움

지문 분석

1 인물 마음
글 속 두 장면을 정리하고, 이 두 장면에 나타난 인물들의 마음을 파악하여 빈칸에 알맞은 말을 쓰세요.

> '나'는 터무니없이 적은 돈을 내민 어린 남매에게 값비싼 (   )를 줌.

> '나'의 과거 이야기를 들은 아내가 '나'의 (   )에 조용히 입을 맞춤.

→

인물들의 마음
• '나'는 어린 남매의 순수함을 이해함.
• 아내는 (   )의 마음을 이해함.

2 주제
다음 글의 내용이 의미하는 것을 생각하여 (   )에 알맞은 말을 찾아 ○표 하고, 주제를 완성하세요.

글의 내용	의미
위그든 씨가 '내'게 물려준 유산	어린아이의 순수함을 지켜 주려고 한 (이해심, 동정심)
위그든 씨의 나지막한 웃음소리	'나'의 (용감한, 순수한) 마음을 지켜 주려 했던 위그든 씨에 대한 (그리움, 걱정스러움)

↓

주제	어린아이의 ( )을 지켜 주려는 어른의 ( )

배경지식 「이해의 선물」 전체 줄거리

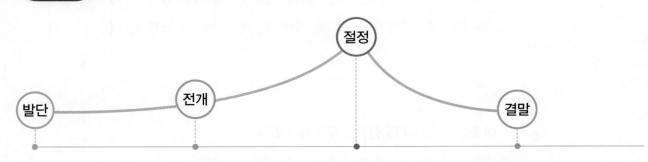

발단	전개	절정	결말
'내'가 네 살 무렵의 어린 시절을 떠올리며 위그든 씨의 사탕 가게에 가게 된 일에 대해 이야기를 시작함.	'내'가 위그든 씨의 사탕 가게에 혼자 가서 버찌씨로 사탕값을 내자, 위그든 씨가 2센트를 거슬러 줌.	어른이 된 '내'가 운영하던 열대어 가게에 온 어린 남매가 턱없이 부족한 돈을 내자, '나'는 2센트를 거슬러 줌.	'나'의 과거 이야기를 모두 들은 아내가 '나'의 뺨에 조용히 입을 맞추고, '나'는 위그든 씨에게 감사하며 그를 그리워함.

오늘의 어휘

다음 낱말의 알맞은 뜻을 찾아 선으로 이으세요.

금세 •　　　　　• 지금 바로.

유산 •　　　　　• 소리가 꽤 낮은.

보전할 •　　　　　• 온전하게 보호하여 유지할.

메었다 •　　　　　• 앞 세대가 물려준 사물 또는 문화.

나지막한 •　　　　　• 어떤 감정이 북받쳐 목소리가 잘 나지 않았다.

1 다음 빈칸에 들어갈 알맞은 말을 오늘의 어휘 에서 찾아 쓰세요.

- 약을 먹은 효과가 [　　　　] 나타났다.

- 나는 문득 돌아가신 할머니 생각에 목이 [　　　　].

- 한밤중에 라디오에서 [　　　　] 목소리가 흘러나왔다.

- 그는 친구의 도움으로 겨우 목숨을 [　　　　] 수 있었다.

- 그는 후손에게 나눔의 정신을 [　　　　]으로 물려주고 싶었다.

2 다음 글에서 밑줄 친 말과 뜻이 비슷한 말을 찾아 쓰세요.

　　창녕 우포늪은 우리 땅의 살아 있는 역사이자 자연사 박물관이라 할 수 있습니다. 1998년에는 습지와 습지 자원을 보전할 목적으로 국제환경협약 '람사르'에 등록되었습니다. 창녕은 2018년 람사르 협약 당사국 총회에서 세계 최초로 인증받은 람사르 습지 도시입니다. 약 70만 평에 이르는 습지에서 수많은 종의 생명체가 어우러져 살고 있는 우포늪은 새들의 천국이자 다양한 동식물의 소중한 보금자리랍니다. 우리는 이처럼 소중한 우리의 자연을 지킬 의무가 있습니다.

(　　　　　　)

시

햇비 | 윤동주

1 **아씨**처럼 나린다
보슬보슬 햇비
맞아 주자 다 같이
옥수숫대처럼 크게
닷 **자** 엿 자 자라게
해님이 웃는다
나 보고 웃는다.

2 하늘 다리 놓였다
알롱알롱 무지개
노래하자 즐겁게
동무들아 이리 오나
다 같이 춤을 추자
해님이 웃는다
즐거워 웃는다.

글의 짜임

[2연]─[14행]

글자 수

121 | | | |
0   200   400   600   800

- **아씨** 젊은 여자를 높여 부르는 말.
- **보슬보슬** 눈이나 비가 가늘고 성기게 조용히 내리는 모양.
- **햇비** 볕이 나 있는 날 잠깐 오다가 그치는, '여우비'의 방언.
- **옥수숫대** 옥수수의 줄기.
- **자** 길이의 단위로, 약 30.3cm에 해당함.
- **알롱알롱** 여러 가지 빛깔의 작고 또렷한 점이나 줄 따위가 고르고 촘촘하게 무늬를 이룬 모양.
- **동무** 친하게 어울리는 사람.

지문 독해

갈래

1 이 글의 특징으로 알맞은 것은 무엇인가요? (   )

① 시간과 장소를 구체적으로 드러낸다.

② 비유하는 표현을 사용하여 상황을 구체적으로 표현한다.

③ 명령하는 말투를 사용하여 말하는 이의 생각을 강요한다.

④ 대화하는 방식을 활용하여 말하는 이의 속마음을 드러낸다.

⑤ '나'와 동무들이 사건을 일으키고 갈등을 겪는 중심인물들이다.

세부 내용

2 이 글의 내용을 바르게 파악한 것은 무엇인가요? (   )

① 햇비가 잠깐 내린 후 하늘에 무지개가 떠 있다.

② 아이들이 옥수숫대 아래에서 비를 피하고 있다.

③ 아씨들이 여우비를 맞기 위해 밖으로 나와 있다.

④ 동무들이 말하는 이에게 함께 놀자고 말하고 있다.

⑤ 말하는 이가 하늘에 다리를 놓는 상상을 하고 있다.

표현

3 이 글에서 해를 사람처럼 표현한 부분을 찾아 쓰세요.

(   )

추론

4 보기를 참고하여 이 글을 쓴 시인의 마음을 알맞게 짐작한 것을 모두 찾아 ○표 하세요.

보기

「햇비」는 윤동주 시인이 일제 강점기인 1936년에 쓴 시이다. 일제 강점기는 일본에게 우리나라의 국권을 강제로 빼앗긴 때로, 우리 민족은 일제 지배 속에서 고통받는 삶을 살았다. 윤동주 시인은 이러한 현실에 맞서고자 하는 마음과 조국 광복에 대한 희망을 시에 담아냈다.

(1) 해와 무지개를 보며 밝은 내일을 소망했을 것이다.   (   )

(2) 현실은 절망적이지만 명랑한 아이들의 모습을 통해 희망을 노래하고 싶었을 것이다.

(   )

(3) 아이들이 비를 맞는 암울한 상황을 어른들이 해결해 줄 수 없는 현실에서 느끼는 참담함을 이야기하고 싶었을 것이다.   (   )

지문 분석

정답과 해설 31쪽

1 표현

이 글에 사용된 비유적 표현을 생각하여 빈칸에 알맞은 말을 쓰세요.

표현하려는 대상	빗대어 표현한 대상		공통점
햇비	( )	→	조용하고, 잠시 나타났다가 사라짐.
아이들	( )	→	무럭무럭 잘 자람.
무지개	( )	→	높은 곳에 있으며 연결되어 있음.

2 주제

이 글의 짜임을 바탕으로 주제를 정리할 때, ( )에 알맞은 말을 찾아 ○표 하세요.

1연	햇비를 맞는 (아씨, 아이들)

2연	(폭포, 무지개) 아래에서 노래하고 춤추는 아이들

↓

주제	햇비를 맞으며 밝게 자라는 (해님, 아이들)의 모습

배경지식 윤동주 시인의 소망을 노래한 또 다른 시, 「서시」

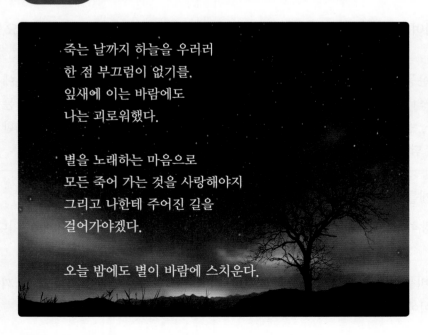

죽는 날까지 하늘을 우러러
한 점 부끄럼이 없기를,
잎새에 이는 바람에도
나는 괴로워했다.

별을 노래하는 마음으로
모든 죽어 가는 것을 사랑해야지
그리고 나한테 주어진 길을
걸어가야겠다.

오늘 밤에도 별이 바람에 스치운다.

일제 강점기에 일제는 우리 말과 글을 사용하지 못하게 했고, 민족 신문과 문예지를 폐간시켰습니다. 이러한 어려운 상황에서 윤동주 시인은 지식인의 성찰과 고뇌를 시로 노래하였습니다.

이 「서시」 속 '나'는 누구일까요? 바로 어둡고 괴로운 현실에서도 부끄러움 없는 삶을 살고 싶어 한 윤동주 시인 자신입니다.

자신에게 주어진 길을 걸어가야겠다고 한 부분에서 독립을 향한 시인의 강한 의지가 느껴지지요? 시인의 마음을 생각하며 소리 내어 시를 읽어 보세요.

다음 낱말의 알맞은 뜻을 찾아 선으로 이으세요.

자 •	• 친하게 어울리는 사람.
햇비 •	• 길이의 단위로, 약 30.3cm에 해당함.
동무 •	• 눈이나 비가 가늘고 성기게 조용히 내리는 모양.
보슬보슬 •	• 볕이 나 있는 날 잠깐 오다가 그치는 비를 가리킴.
알롱알롱 •	• 여러 가지 빛깔의 작고 또렷한 점이나 줄 따위가 고르고 촘촘하게 무늬를 이룬 모양.

1 다음 빈칸에 들어갈 알맞은 말을 오늘의 어휘 에서 찾아 쓰세요.

- 아기의 색동옷이 [   ] 곱다.

- 어린아이의 키가 다섯 [   ]나 된다.

- 같이 놀던 [   ]들을 만나니 반갑기 그지없다.

- [   ] 내리는 봄비에 메말랐던 땅이 촉촉해졌다.

- 수박 밭을 지나는데 [   ]가 내려 얼른 원두막으로 피했다.

2 다음 글에서 밑줄 친 말과 뜻이 비슷한 말을 찾아 쓰세요.

고유어 중에 비를 나타내는 말은 매우 다양하고 재미있다. '안개비', '는개', '먼지잼', '여우비', '억수' 등이 그 예이다. '안개비'는 부슬부슬 뿌리며 안개가 낀 것처럼 내리는 비이고, '는개'는 안개비보다는 조금 굵고 이슬비보다는 가는 비이다. 또 '먼지잼'은 겨우 먼지가 날리지 않을 정도로 조금 오는 비를 말하고, '여우비'는 볕이 나 있는 날 잠깐 내리다가 그치는 비로, 햇비라고도 부른다. 끝으로 '억수'는 물을 퍼붓듯이 세차게 많이 내리는 비로, '억수같이 쏟아지는 비'와 같은 표현으로 자주 사용된다.

(   )

성장 | 이시영

　바다가 가까워지자 어린 강물은 엄마 손을 더욱 꼭 **그러쥔** 채 놓지 않았습니다. 그러다가 그만 **거대한** 파도의 배 속으로 뛰어드는 꿈을 꾸다 엄마 손을 **아득히** 놓치고 말았습니다. ㉠『그래 잘 가거라 내 아들아. 이제부터는 크고 다른 삶을 살아야 된단다. 엄마 강물은 새벽 강에 **시린** 몸을 한번 **뒤채고는** 오리처럼 곧 순한 머리를 돌려 반짝이는 은어들의 길을 따라 산골로 조용히 돌아왔습니다.』

글의 짜임

[1연]—[1행]

글자 수

213

0　200　400　600　800

- **그러쥔** 손안으로 거두어 모아 당겨 잡은.

- **거대한** 엄청나게 큰.

- **아득히** 보이는 것이나 들리는 것이 희미하고 매우 멀게.

- **시린** 찬 기운으로 인해 추위를 느낄 정도로 찬.

- **뒤채고는** 엎어진 것을 젖혀 놓거나 자빠진 것을 엎어 놓고는.

**지문
독해**

갈래

1 이 글에 대한 설명으로 알맞은 것은 무엇인가요? (   )

① 비슷한 형태의 말로 문장을 끝맺어 리듬감을 주고 있다.

② 말하는 이가 자신이 겪은 구체적 경험에 대해서 말하고 있다.

③ 강물이 과거를 떠올리면서 그리워하는 마음을 드러내고 있다.

④ 움직임을 흉내 내는 말을 통해 강물의 움직임을 표현하고 있다.

⑤ 어린 강물과 엄마 강물이 대화를 주고받는 방식으로 전개하고 있다.

세부 내용

2 이 글의 내용과 일치하지 않는 것은 무엇인가요? (   )

① 어린 강물은 꿈을 꾸다 엄마의 손을 놓치고 말았다.

② 엄마 강물은 어린 강물이 크고 다른 삶을 살기를 바란다.

③ 엄마 강물이 반짝이는 은어들을 데리고 산골로 돌아왔다.

④ 어린 강물은 엄마와 헤어지지 않기 위해 엄마 손을 꽉 잡았다.

⑤ 엄마 강물은 아쉬운 마음을 뒤로하고 어린 강물을 보내 주었다.

표현

3 ㉠에 사용된 표현 방법을 생각하여 (   )에 알맞은 말을 찾아 ○표 하세요.

> ㉠은 '(어린, 엄마) 강물'의 이야기이다. 글 속 '(새벽 강, 시린 몸)'이란 말
> 에서 어린 강물과 헤어진 엄마 강물의 슬픔이 느껴진다. 또, '(곧, 조용히)'(이)
> 란 말에서 '어린 강물'과 헤어진 슬픔을 참는 '엄마 강물'의 태도가 드러난다.

적용

4 이 글의 어린 강물과 엄마 강물의 상황과 비슷한 것을 찾아 기호를 쓰세요.

> ㉮ 도시에 나가 성공을 거둔 아들과 고향에서 아들이 돌아오기를 기다리는 엄마
>
> ㉯ 자신의 꿈을 이루기 위해 외국으로 유학을 떠나는 아들과 아들의 꿈을 응원하
>   며 떠나보내는 엄마
>
> ㉰ 엄마의 계획에 따라 원하지 않는 학과에 진학하는 아들과 그런 아들을 대견해
>   하면서 바라보는 엄마

(   )

지문 분석

1 배경   이 글에서 바다와 산골의 의미로 알맞은 것을 찾아 선으로 이으세요.

| 바다 | • | • | 원래 살던 공간, 익숙하고 편안한 공간 |
| 산골 | • | • | 새롭게 주어진 시련, 고통, 도전의 공간 |

2 주제   이 글의 제목과 엄마 강물이 한 말의 의미를 생각하여 주제를 찾아 ○표 하세요.

제목	엄마 강물이 어린 강물에게 한 말
성장	"그래 잘 가거라 ( ). 이제부터는 크고 ( )을 살아야 된단다."

↓

의미	누군가에게 의존하지 않는 삶, 거대한 파도에도 좌절하지 않는 삶을 살기를 바람.

↓

주제	• 성장에 대한 기대와 소망 ( ) • 어려운 이웃에게 위로가 되어 주는 삶 ( )

배경지식   엄마 강물은 왜 은어들의 길을 따라왔을까요?

「성장」에 등장하는 은어는 몸이 가늘고 길며 등은 어두운 녹색이고 배는 엷은 회색인 물고기입니다. 은어는 대부분 맑은 하천에서 생활하는데 아주 어릴 적에는 바다로 내려가서 생활하기도 합니다. 은어에게 한 가지 특이한 점은, 연안에서 겨울을 지내고, 이른 봄에 강으로 다시 거슬러 올라와 일생을 보낸다는 점입니다.

「성장」은 "엄마 강물은 새벽 강에 시린 몸을 한번 뒤채고는 오리처럼 곧 순한 머리를 돌려 반짝이는 은어들의 길을 따라 산골로 조용히 돌아왔습니다."로 끝맺고 있습니다. 엄마 강물이 은어들의 길을 따라 산골로 돌아온 것은 원래 있던 곳으로 돌아오는 은어들의 습성에 빗대어 표현한 것이겠죠?

다음 낱말의 알맞은 뜻을 찾아 선으로 이으세요.

시린 •   • 엄청나게 큰.

거대한 •   • 손안으로 거두어 모아 당겨 잡은.

아득히 •   • 찬 기운으로 인해 추위를 느낄 정도로 찬.

그러쥔 •   • 보이는 것이나 들리는 것이 희미하고 매우 멀게.

뒤채고 •   • 엎어진 것을 젖혀 놓거나 자빠진 것을 엎어 놓고.

---

1 다음 빈칸에 들어갈 알맞은 말을 오늘의 어휘 에서 찾아 쓰세요.

- 멀리 산이 [   ] 보인다.

- 동우는 손잡이를 [   ] 채 간신히 매달렸다.

- 발이 [   ] 겨울에는 털양말을 신는 게 좋다.

- 공룡으로 짐작되는 [   ] 동물의 뼈가 발견되었다.

- 웅성거리는 소리에 잠이 깨 몸을 [   ] 다시 잠이 들었다.

---

2 다음 (   )에 들어갈 말로 알맞지 <u>않은</u> 것을 찾아 쓰세요.

제 기억에 남는 가장 인상적인 경험은 지난 여름방학 때 가족과 함께 북유럽 여행을 다녀온 일입니다. 그동안 책으로만 보던 북유럽을 직접 저의 눈으로 보게 되어 무척 기쁘고 신이 났습니다. 여행지 곳곳의 모습을 보고 감탄을 하였는데, 그중에서도 너무나 (1)(작은, 우람한, 거대한) 빙하의 크기를 보고 놀라 입이 딱 벌어졌습니다. 추운 날씨에 손발이 (2)(시린, 차가운, 따가운) 느낌이 들었지만 아직도 잊을 수 없는 순간이었습니다.

(1) (   )   (2) (   )

글의 짜임

| 1연 | 14행 |

글자 수

173

0 200 400 600 800

봄 길 | 정호승

길이 끝나는 곳에서도
길이 있다
㉠길이 끝나는 곳에서도
길이 되는 사람이 있다
㉡스스로 봄 길이 되어
끝없이 걸어가는 사람이 있다
㉢강물은 흐르다가 멈추고
㉣새들은 날아가 돌아오지 않고
㉤하늘과 땅 사이의 **모든** 꽃잎은 **흩어져도**
보라
사랑이 끝난 곳에서도
사랑으로 남아 있는 사람이 있다
스스로 사랑이 되어
한없이 봄 길을 걸어가는 사람이 있다

- **모든** 빠짐이나 남김이 없이 전부의.

- **흩어져도** 한데 모였던 것이 따로따로 떨어지거나 사방으로 퍼져도.

- **한**(限 한할 한)**없이** 끝이 없이.

지문 독해

1 갈래

이 글에 대한 설명으로 적절하지 <u>않은</u> 것은 무엇인가요? (   )

① 비슷한 구조의 문장을 사용하고 있다.

② '사람이 있다'를 반복하여 리듬을 형성하고 있다.

③ 말하는 이가 확신에 찬 말로 주제를 전하고 있다.

④ '사랑이 끝난 곳'을 '길이 끝나는 곳'과 연결짓고 있다.

⑤ 선명한 색깔을 대비하여 길의 모습을 아름답게 드러내고 있다.

2 표현

㉠~㉤ 중 '절망적인 상황에서도 희망을 잃지 않는 것.'을 나타낸 표현을 찾아 기호를 쓰세요.

(   )

3 어휘

이 글에서 강조한 삶의 태도와 관련 있는 속담은 무엇인가요? (   )

① 핑계 없는 무덤이 없다

② 어느 집 개가 짖느냐 한다

③ 귀 장사 하지 말고 눈 장사 하라

④ 하늘이 무너져도 솟아날 구멍이 있다

⑤ 가는 토끼 잡으려다 잡은 토끼 놓친다

4 적용

이 시에서 말한 '길이 되는 사람'에 해당하는 친구를 모두 찾아 기호를 쓰세요.

㉮ 자신보다 인기가 많고 뛰어난 실력을 가진 친구에게 회장 자리를 양보한 연수

㉯ 교통사고로 한쪽 다리를 다쳤으나 끊임없이 연습하여 마라톤 대회에 참가한 민우

㉰ 태어날 때부터 귀가 들리지 않았으나 포기하지 않고 노력하여 유명한 피아노 연주자가 된 현주

(   )

지문 분석

1 내용 전개 글의 내용을 정리할 때, 보기 에서 알맞은 말을 찾아 빈칸에 쓰세요.

보기		
절망	희망	사랑

1~6행	절망적인 상황에서도 ( )을 잃지 않는 사람이 있음.
7~9행	사랑이 끝난 ( )적인 상황이 찾아옴.
10~14행	사랑이 끝난 곳에서도 ( )을 베푸는 사람이 있음.

2 주제 글에 쓰인 표현을 완성하고, 이를 바탕으로 말하는 이가 추구하는 가치를 파악하여 ( )에 알맞은 말을 찾아 ○표 하세요.

표현
• 길이 끝나는 곳에서도 / ( )이 있다
• 길이 끝나는 곳에서도 / ( )이 있다
• 사랑이 끝난 곳에서도 / ( )이 있다

↓

말하는 이가 추구하는 가치
어떤 상황 속에서도 (희망과 사랑, 후회와 반성)을 갖고 꿋꿋하게 살아가는 삶의 태도를 중요하게 생각한다.

배경지식 ## 길이 끝나는 곳에서도 길이 있다

길이 끝나는 곳인데 어떻게 길이 또 있다는 말일까요? 이 말은 시인이 역설법을 사용해 시가 단조롭지 않도록 변화를 준 것입니다.

역설법이란, 겉으로는 이치에 맞지 않는 것 같지만 그 속에 진리를 담아 표현하는 방법입니다. 예를 들어, "아아, 임은 갔지마는 나는 임을 보내지 아니하였습니다."라는 표현에서 '임이 갔다'라는 말과 '임을 보내지 않았다'라는 말은 앞뒤가 안 맞는 것 같지요? 하지만 그 말 속에는 비록 임이 떠났더라도 임을 기억하며 그리워하겠다는 말하는 이의 의지가 담겨 있습니다.

다음 낱말의 알맞은 뜻을 찾아 선으로 이으세요.

모든 •   • 끝이 없이.

스스로 •   • 빠짐이나 남김이 없이 전부의.

멈추고 •   • 사물의 움직임이나 동작이 그치고.

한없이 •   • 남이 시키지 아니하였는데도 자기의 결심에 따라서.

흩어져도 •   • 한데 모였던 것이 따로따로 떨어지거나 사방으로 퍼져도.

1 다음 빈칸에 들어갈 알맞은 말을 오늘의 어휘 에서 찾아 쓰세요.

• [   ] 국민은 법 앞에 평등하다.

• 교통사고 때문에 차가 [   ] 움직이지 않았다.

• 눈물이 [   ] 흘러 얼굴이 눈물범벅이 되었다.

• 친구들과 지금은 뿔뿔이 [   ] 언젠가는 다시 만날 것이다.

• 우리 반에는 회장을 하겠다고 [   ] 나서는 사람이 없었다.

2 다음 글에서 밑줄 친 말과 뜻이 비슷한 말을 찾아 쓰세요.

지난 일요일에 아버지와 함께 산에 올랐던 기억이 아직 생생하다. 처음부터 시작된 가파른 오르막길에 나는 가쁜 숨을 내쉬며 아버지 뒤를 쫓아가기 바빴다. 한없이 이어지는 오르막길에 한숨만 쉬는 내게 아버지께서는 한걸음씩 차분히 발을 옮기다 보면 힘이 덜 들 것이라며 격려해 주셨다. 아버지의 말씀을 새기며 오르다 보니 끝없이 펼쳐질 것만 같던 오르막길이 어느 순간 사라지고 사방이 한눈에 내려다보이는 정상에 선 나를 발견할 수 있었다.

(   )

민지의 꽃 | 정희성

강원도 평창군 미탄면 청옥산 **기슭**
덜렁 집 한 채 짓고 살러 들어간 제자를 찾아갔다
거기서 만들고 거기서 키웠다는
다섯 살**배기** 딸 민지
민지가 아침 일찍 눈 비비고 일어나
저보다 큰 물뿌리개를 나한테 **들리고**
질경이 나싱개 토끼풀 **억새**……
이런 풀들에게 물을 주며
잘 잤니, 인사를 하는 것이었다
그게 뭔데 거기다 물을 주니?
꽃이야, 하고 민지가 대답했다
그건 잡초야, 라고 말하려던 내 입이 다물어졌다
내 말은 때가 묻어
천지와 귀신을 감동시키지 못하는데
㉠꽃이야, 하는 그 애의 말 한마디가
풀잎의 **풋풋한** 잠을 흔들어 깨우는 것이었다

글의 짜임

1연 ─ 16행

글자 수

284
0   200   400   600   800

- **기슭** 산에서 비탈진 곳의 아랫부분.
- **덜렁** 딸린 것이 아주 적거나 단 하나만 있는 모양.
- **배기** '(앞의) 나이를 먹은 아이'의 뜻을 더하는 말.
- **들리고** 손에 쥐게 하고.
- **질경이** 질경잇과의 여러해살이풀.
- **나싱개** '냉이'의 방언.
- **억새** 볏과의 여러해살이풀.
- **천지**(天 하늘 천, 地 땅 지) 하늘과 땅을 아울러 이르는 말.
- **풋풋한** 풀 냄새와 같이 싱그러운.

1 이 글에 대한 설명으로 알맞지 <u>않은</u> 것은 무엇인가요? (   )

① 말하는 이의 깨달음이 자세히 드러나 있다.

② 시의 공간적 배경이 구체적으로 나타나 있다.

③ 말하는 이와 민지의 대화를 그대로 제시하고 있다.

④ 민지의 말을 들은 말하는 이의 반성적 태도가 드러나 있다.

⑤ 어른이 된 말하는 이가 어린 시절의 경험을 회상하고 있다.

세부 내용

2 이 글에 나오는 장면의 차례에 맞게 기호를 쓰세요.

> ㉮ 민지가 아침에 일어나 풀에 물을 주며 인사하는 장면
>
> ㉯ 말하는 이가 제자를 만나러 강원도 산골에 가는 장면
>
> ㉰ 말하는 이가 민지에게 풀들이 잡초라고 말하려다 입을 다무는 장면
>
> ㉱ 민지가 말하는 이의 물음에 질경이, 토끼풀 등을 가리켜 꽃이라고 대답하는 장면

(   ) → (   ) → (   ) → (   )

세부 내용

3 ㉠의 의미로 알맞은 것은 무엇인가요? (   )

① 한껏 부풀려 과장한 말

② 속내를 감추려 꾸며 낸 말

③ 세상의 때가 묻지 않은 순수한 말

④ 상대를 배려해 겸손의 뜻으로 한 말

⑤ 사랑받고 싶어서 어리광을 부리는 말

추론

4 말하는 이가 깨달은 점으로 가장 적절한 것은 무엇일까요? (   )

① '매일 풀에게 물을 주기 시작해야지.'

② '이름 모르는 식물에도 관심을 주고 공부해야겠어.'

③ '나쁜 말을 하는 습관은 고치고, 고운 말만 사용해야지.'

④ '자연에서 집 한 채 짓고 사는 것의 의미를 찾아야겠어.'

⑤ '고정 관념을 가지고 자연을 바라보던 태도를 고치도록 노력해야겠어.'

지문 분석

1 말하는 이

풀을 대하는 민지와 말하는 이의 태도를 비교하여 빈칸에 알맞은 말을 쓰세요.

질경이, 나싱개, 토끼풀, 억새

민지	말하는 이
( )이라고 여기며 가치 있는 것으로 생각함.	( )라고 여기며 가치 없는 것으로 생각함.

2 주제

이 글의 내용을 바탕으로 주제를 파악할 때, 빈칸에 알맞은 말을 쓰세요.

말하는 이가 하지 못한 말	"그건 ( )이 아니라 ( )야."
말하는 이가 말하지 못한 까닭	• ( )의 맑은 마음을 지켜 주고 싶어서 • 순수하지 못한 자신의 생각이 부끄러워서

⬇

주제	순수한 민지를 보며 자신의 삶을 돌아봄.

배경지식 「민지의 꽃」에 나온 재미있는 풀 이야기

질경이 는 질경잇과의 여러해살이풀이에요. 질경이는 마차 바퀴가 지나가도 끄떡없을 만큼 생명력이 질기다고 해서 붙여진 이름이에요.

나싱개 는 냉이의 방언으로, 십자화과의 두해살이풀입니다. 나싱개의 어린잎과 뿌리는 먹을 수 있는데 봄을 알리는 대표적인 나물 중 하나랍니다.

토끼풀은 콩과의 여러해살이풀로, 이름은 순우리말이지만 사실은 유럽에서 들어온 외래풀이에요. 이름에서 알 수 있듯이, 토끼들이 잘 먹는 풀이랍니다.

억새 는 볏과의 여러해살이풀로, 잎을 베어 지붕을 이는 데나 말과 소의 먹이로 씁니다. 물가에 무리를 이뤄 사는 갈대와 헷갈리면 안 돼요.

오늘의 어휘

다음 낱말의 알맞은 뜻을 찾아 선으로 이으세요.

기슭 •   • 손에 쥐게 하고.

덜렁 •   • 풀 냄새와 같이 싱그러운.

잡초 •   • 산에서 비탈진 곳의 아랫부분.

들리고 •   • 딸린 것이 아주 적거나 단 하나만 있는 모양.

풋풋한 •   • 가꾸지 않아도 저절로 나서 자라는 여러 가지 풀.

1 다음 빈칸에 들어갈 알맞은 말을 `오늘의 어휘` 에서 찾아 쓰세요.

- 봄나물에서 [　　　　] 향기가 났다.
- 산의 동쪽 [　　　　]에 작은 마을이 하나 있다.
- 장마철이면 운동장에 [　　　　]가 무성하게 자랐다.
- 허허벌판에 건물 하나만 [　　　　] 서 있을 뿐이었다.
- 형은 짐을 나에게 [　　　　] 자기만 먼저 집으로 들어갔다.

2 다음 글에서 밑줄 친 말과 뜻이 비슷한 말을 찾아 쓰세요.

당신은 봄, 여름, 가을, 겨울의 사계 중에서 어떤 계절을 좋아하는가? 나는 새싹이 돋는 따스한 봄도, 붉은 빛으로 물들어 가는 가을도, 온 세상이 하얗게 눈으로 뒤덮이는 겨울도 좋아하지만 갖가지 <u>싱그러운</u> 과일이 나는 여름을 특히 좋아한다. 뜨거운 여름 날, 집 안 식탁 위의 바구니에 담긴 갖가지 과일을 보고 있으면, 과일에서 전해지는 풋풋한 향기가 내 가슴까지 아름답게 물들이는 듯하다. 다른 이들 중에도 나와 같이 느끼는 사람들이 더러 있겠지만 여름은 나에게 특별하면서도 달콤하고 시원한 계절이다.

(　　　　　　)

지문 분석

훈민가 | 정철

어버이 살아 계실 제 **섬길** 일을 다 하여라
지나간 후면 **애닲다** 어찌하리
평생에 **고쳐** 못할 일이 이뿐인가 하노라   〈제4수〉

오늘도 다 **새었다** 호미 메고 **가자스라**
㉠내 논 다 매거든 네 논 좀 매어 주마
올 길에 뽕 따다가 누에 먹여 **보자스라**   〈제13수〉

이고 진 저 늙은이 짐 풀어 나를 주오
나는 젊었거니 돌이라 무거울까
늙기도 설워라커든 짐을 조차 지실까   〈제16수〉

전체 글의 짜임

| 16수 | 3장 6구 |

글자 수

| 176 | | | |

0   200   400   600   800

- **섬길** 윗사람을 잘 모시어 받들.
- **애닲다** 마음이 안타깝거나 쓰라리다.
- **고쳐** 다시.
- **새었다** 날이 밝아 왔다.
- **가자스라** 가자꾸나.
- **올** 오는.
- **보자스라** 보자꾸나.
- **이고** 물건을 머리 위에 얹고.
- **진** 물건을 짊어서 등에 얹은.

지문
독해

중심 내용

1 **글쓴이가 이 글을 쓴 목적은 무엇인가요? (   )**

① 백성들의 잘못을 꾸짖기 위해 쓴 글이다.

② 양반의 삶을 본받게 하기 위해 쓴 글이다.

③ 사람들에게 가르침을 주기 위해 쓴 글이다.

④ 노인들이 많아지는 현실을 걱정해 쓴 글이다.

⑤ 농민들의 수고에 고마움을 표현하기 위해 쓴 글이다.

어휘

2 **㉠과 관련 있는 고사성어는 무엇인가요? (   )**

① 오매불망: 寤 깰 오, 寐 잠잘 매, 不 아닐 불, 忘 잊을 망

② 형설지공: 螢 개똥벌레 형, 雪 눈 설, 之 갈 지, 功 공 공

③ 상부상조: 相 서로 상, 扶 도울 부, 相 서로 상, 助 도울 조

④ 유유상종: 類 무리 유, 類 무리 유, 相 서로 상, 從 좇을 종

⑤ 약육강식: 弱 약할 약, 肉 고기 육, 強 강할 강, 食 먹을 식

세부 내용

3 **이 글의 내용과 일치하는 것을 두 가지 고르세요. (,   )**

① 부모님의 은혜를 기다린다.

② 성실하게 일하는 것이 중요하다.

③ 늙은 것보다 짐을 지는 것이 더 서러운 일이다.

④ 부모님이 돌아가신 후에 후회해 봤자 소용없다.

⑤ 속세를 떠나 편안하고 조용한 삶을 사는 것이 좋다.

적용

4 **이 글의 말하는 이가 칭찬할 만한 친구를 찾아 이름을 쓰세요.**

> 자영: 친구들의 도움을 받지 않고 혼자 맡은 일을 끝낸다.
>
> 영준: 인생의 목표를 명확하게 정하고 이루기 위해 매일 노력한다.
>
> 지수: 부모님의 말씀을 잘 듣지 않으면서 나중에 크면 효도하겠다고 말한다.
>
> 예솔: 하굣길에 폐지 줍는 할머니를 도와 할머니의 손수레를 대신 끌어 드린다.

(   )

1 표현

〈제13수〉는 말하는 이를 농민으로 설정하고 있습니다. 말하는 이를 양반으로 할 경우를 상상해 보고, (   )에 알맞은 말을 찾아 ○표 하세요.

말하는 이를 농민으로 할 때	말하는 이를 양반으로 할 경우
• 말하는 이가 일하면서 듣는 이에게 농사일을 열심히 하자고 권유하는 느낌을 줌. • 듣는 이가 친근하고 거부감 없이 받아들이도록 함.	• 말하는 이는 일을 하지 않으면서 듣는 이에게만 (심부름, 농사일)을 열심히 하라는 느낌을 줄 수 있음. • 듣는 이에게 (명령, 경청)하는 느낌만 줄 수 있음.

2 주제

각 수의 중심 내용을 바탕으로 말하는 이가 중요하게 여기는 가치를 선으로 이으세요.

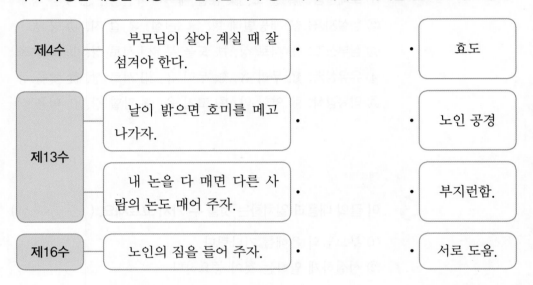

제4수	부모님이 살아 계실 때 잘 섬겨야 한다.	·	·	효도
제13수	날이 밝으면 호미를 메고 나가자.	·	·	노인 공경
	내 논을 다 매면 다른 사람의 논도 매어 주자.	·	·	부지런함.
제16수	노인의 짐을 들어 주자.	·	·	서로 도움.

배경지식 ## 유교에서 말하는 다섯 가지 도덕, '오륜(五倫)'

부자유친(父子有親) 부모는 자식에게 인자하고 자녀는 부모를 존경하라.

군신유의(君臣有義) 임금과 신하의 관계는 의리에 따라야 한다.

부부유별(夫婦有別) 남편과 아내의 본분이 따로 있다.

장유유서(長幼有序) 어른과 아이 사이에는 순서와 질서가 있다.

붕우유신(朋友有信) 벗과 사귀는 데는 믿음이 있어야 한다.

오늘의 어휘

다음 낱말의 알맞은 뜻을 찾아 선으로 이으세요.

진 •   • 날이 밝아 왔다.

섬길 •   • 물건을 머리 위에 얹고.

이고 •   • 물건을 짊어서 등에 얹은.

새었다 •   • 윗사람을 잘 모시어 받들.

애닯다 •   • 마음이 안타깝거나 쓰라리다.

1 다음 빈칸에 들어갈 알맞은 말을 **오늘의 어휘** 에서 찾아 쓰세요.

• 그 배우의 죽음이 너무 ⬜⬜⬜⬜⬜.

• 그녀는 물동이를 ⬜⬜⬜⬜⬜ 빠른 걸음으로 지나갔다.

• 비바람이 몰아친 밤이 지나고 드디어 날이 ⬜⬜⬜⬜⬜.

• 그는 무거운 나뭇짐을 ⬜⬜⬜⬜⬜ 채 앞으로 꼬꾸라졌다.

• 사람들이 스승으로 ⬜⬜⬜⬜⬜ 정도로 그는 학식이 높았다.

2 다음 글에서 밑줄 친 말과 뜻이 반대인 말을 찾아 쓰세요.

사방이 칠흑같이 <u>어두워졌다</u>. 잠시 눈을 붙였지만 밤새 뒤척였다. 겨우 일어났더니 집 밖은 눈보라까지 몰아치고 있어 옴짝달싹하기 어려운 상황이었다. 그는 방 안에 머무르기로 마음을 먹고, 불을 밝혔다. 그러고는 책상 앞에 앉아 두꺼운 책의 책장을 한 장씩 넘기기 시작했다. 그러나 그의 눈은 이내 창밖을 향하였다. 상념에 빠진 지 얼마나 지났을까. 새까맣던 바깥이 잿빛으로 바뀌더니 어느새 날이 새었다. 그는 책을 다시 덮어 두고는 뒷짐을 진 채 천천히 문간을 나섰다.

(   )

가 하여가 | 이방원

이런들 어떠하며 저런들 어떠하리
만수산 드렁칡이 **얽혀진들** 어떠하리
우리도 이같이 얽혀져 백 년까지 **누리리**

나 단심가 | 정몽주

이 몸이 죽고 죽어 일백 번 고쳐 죽어
백골이 **진토** 되어 넋이라도 있고 없고
임 향한 **일편단심**이야 **가실** 줄이 있으랴

가 글의 짜임

3장 — 6구

글자 수

56
0 200 400 600 800

나 글의 짜임

3장 — 6구

글자 수

62
0 200 400 600 800

- **만수산** 북한의 개성 북쪽에 있는 산.
- **드렁칡** 논이나 밭 가장자리의 불룩한 곳에 있는 칡덩굴.
- **얽혀진들** 노끈이나 줄 따위가 이리저리 걸려진들.
- **누리리** 마음껏 즐기리.
- **백골**(白 흰 백, 骨 뼈 골) 죽은 사람의 몸이 썩고 남은 뼈.
- **진토**(塵 티끌 진, 土 흙 토) 티끌과 흙을 통틀어 이르는 말.
- **일편단심**(一 한 일, 片 조각 편, 丹 붉을 단, 心 마음 심) 진심에서 우러나오는 변치 아니하는 마음.
- **가실** 어떤 상태가 없어지거나 달라질.

지문
독해

중심 내용

1 나에서 말하는 이의 생각을 직접적으로 나타내는 단어를 찾아 쓰세요. (4글자)

(   )

표현

2 가와 나의 표현상 특징으로 알맞은 것은 무엇인가요? (   )

① 가는 명령의 방식으로 자신의 뜻에 따르게 하고 있다.

② 가는 드렁칡에 빗댄 표현을 통해 상대를 설득하고 있다.

③ 나는 같은 말을 반복하여 상대의 생각에 찬성하고 있다.

④ 나는 물음의 방식을 활용하여 자신의 처지를 한탄하고 있다.

⑤ 가와 나는 모두 과장된 표현을 통해 상대방을 비판하고 있다.

세부 내용

3 가의 표현에 담긴 말하는 이의 생각은 무엇인가요? (   )

① 만수산 드렁칡이 얽힌 것을 풀어내야 한다.

② 이렇게 살아도 좋고 저렇게 살아가도 좋다.

③ 우리는 만수산 드렁칡처럼 살지 말아야 한다.

④ 이렇게 살아가는 것보다 저렇게 살아가는 게 낫다.

⑤ 백 년을 살기 위해서는 시대의 흐름에 따르기만 해서는 안 된다.

감상

4 가와 나를 감상한 내용으로 알맞은 것을 찾아 기호를 쓰세요.

> ㉮ 가의 말하는 이는 함께 백 년까지 누리자고 하는 것으로 보아, 자신보다 남을 먼저 생각하는 사람인 것 같아.
> ㉯ 나의 말하는 이는 일백 번을 죽어도 마음이 변하지 않을 것이라고 하였으므로 의지가 강한 사람일 거야.
> ㉰ 나는 가에 대한 대답으로, 나의 말하는 이는 가의 말하는 이가 넋이 없는 사람이라고 생각하는 것 같아.

(   )

지문 분석

1 소재 역할   다음 역할을 하는 소재를 보기 에서 모두 찾아 쓰세요.

보기

백골	진토	만수산 드렁칡

시대의 흐름에 맞게 살자고 권유함.	임을 향한 마음이 변함없음을 강조함.	**소재 역할**
( )	( )	말하는 이의 생각을 효과적으로 전달함.

2 말하는 이   말하는 이의 태도를 파악하여 관련 있는 내용을 찾아 선으로 이으세요.

가의 말하는 이

마음을 돌려 자신과 함께할 것을 회유함. •

• 현실보다는 *명분 중시

나의 말하는 이

임에 대한 충정을 다짐하며 제안을 거절함. •

• 명분보다는 현실 중시

*명분: 일을 꾀할 때 내세우는 구실이나 이유 따위.

배경지식   ## 고려를 끝까지 지키려고 했던 정몽주

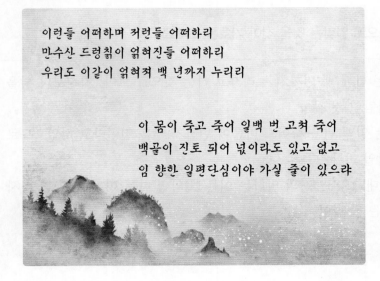

이런들 어떠하며 저런들 어떠하리
만수산 드렁칡이 얽혀진들 어떠하리
우리도 이같이 얽혀져 백 년까지 누리리

이 몸이 죽고 죽어 일백 번 고쳐 죽어
백골이 진토 되어 넋이라도 있고 없고
임 향한 일편단심이야 가실 줄이 있으랴

고려 말, 이성계는 고려 왕조를 무너뜨리고 새로운 왕조를 세우려고 했습니다. 그래서 이성계 일파는 정몽주를 자신의 편으로 끌어들이려고 노력했답니다. 하지만 정몽주는 고려 왕조를 그대로 유지하면서 나라를 개혁해야 한다고 생각했어요. 이런 정몽주를 설득하려고 이성계의 아들 이방원이 「하여가」를 써서 보냈고, 정몽주는 그 제안을 거절하는 의미로 「단심가」를 썼어요. 결국 정몽주는 이방원의 지시를 받은 이들의 공격을 받고 죽음을 맞이합니다. 죽음도 두려워하지 않고 자신의 뜻을 지키고자 했던 정몽주의 뜻이 대단하지 않나요?

오늘의 어휘

다음 낱말의 알맞은 뜻을 찾아 선으로 이으세요.

얽혀 •	• 마음껏 즐기리.
백골 •	• 죽은 사람의 몸이 썩고 남은 뼈.
가실 •	• 어떤 상태가 없어지거나 달라질.
누리리 •	• 노끈이나 줄 따위가 이리저리 걸려.
일편단심 •	• 진심에서 우러나오는 변치 아니하는 마음.

1 다음 빈칸에 들어갈 알맞은 말을 오늘의 어휘 에서 찾아 쓰세요.

- 옆집 담에 담쟁이 줄기가 [   ] 있다.
- 이제부터 합격의 기쁨을 마음껏 [   ].
- 나에 대한 섭섭함이 쉽게 [   ] 것 같지는 않았다.
- 독립운동가들의 조국을 향한 [   ]은 헛되지 않았습니다.
- 제게 베푸신 은혜는 죽어서 [   ]이 되어도 잊지 않겠습니다.

2 다음 글에서 밑줄 친 말과 뜻이 비슷한 말을 찾아 쓰세요.

국제기구의 사전적 정의는 '국제적인 목적이나 활동을 위해서 두 나라 이상의 회원국으로 구성된 조직체.'입니다. 쉽게 말해 여러 나라가 서로 이롭게 하기 위해서 만든 조직으로, 이해관계가 얽혀 있는 단체입니다. 국제기구는 국가 간의 다툼을 조정하거나 국가 간에 생긴 갈등이 쉽게 가실 상황이 아닐 때, 이를 해결하는 역할을 주로 합니다. 해결하기 어려운 민감한 문제가 발생한 국가들은 국제기구에 대한 신뢰를 바탕으로, 국제기구의 결정을 수용하며 국가 간의 문제가 없어질 수 있도록 노력해야 할 것입니다.

(   )

수필·극

막내의 야구 방망이 | 정진권

[앞부분 이야기] 아빠인 '나'는 야구 연습에 매진하느라 매일 늦게 귀가하는 막내를 걱정하고, 막내가 시합이 끝난 후에도 계속 늦게 귀가하자 막내를 꾸짖는다. 그리고 막내로부터 늦게까지 야구 연습을 하는 이유를 듣게 된다.

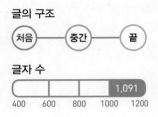

글의 구조
처음 — 중간 — 끝

글자 수
400 600 800 1000 1200
1,091

막내의 담임 선생님은 마흔 **남짓한** 남자분이신데, 무슨 깊은 병환으로 입원을 하셔서 한 두어 달 쉬시게 되었다. 그렇게 되자 학교에서는 막내의 반 아이들을 이 반 저 반으로 나누어 붙였다. 그러니까 막내의 반은 하루아침에 **해체되고** 아이들은 뿔뿔이 헤어지게 된 것이다.

그런데 배치해 주는 대로 가 보니 그 반 아이들의 **괄시**가 말이 아니었다. 그런 5
괄시를 받을 때마다 옛날의 자기 반이 그리웠다. 선생님을 졸졸 따라 소풍 가던 일, 운동회에서 다른 반 아이들과 당당하게 겨루던 일, 이런저런 자기 반의 아름다운 역사가 안타깝게 **명멸하는** 것이다. 때로는 편찮으신 선생님이 무척 보고 싶어서 길도 잘 모르는 병원에도 찾아갔다.

그러는 동안에 아이들은 선생님이 다 나으셔서 오실 때까지 우리 기죽지 말자 하 10
며 서로서로 격려하게 되었고, 이러한 기운이 **팽배해지자** 이른바 간부였던 아이들은 자기네의 **사명**을 깨닫게 되었다. 그래서 몇 아이들이 우리 집에 모였던 것이고, 그 기죽지 않을 방법으로 채택된 것이 야구 대회를 주최하여 우승을 차지하는 것이었다.

연습은 참으로 피나는 것이었다. 배속에서 꼬르륵거리는 소리가 나도 누구 하나 15
배고프다는 말을 하지 않았다. 연습이 끝나면 또 작전 계획을 세우고 검토했다. 그러노라면 어느새 하늘에 푸른 별이 떴다.

그리하여 마침내 결승전에 진출했다. 이 반 저 반으로 헤어진 반 아이들은 예선부터 한 사람 빠짐없이 응원에 나섰다. 그 응원의 외침은 차라리 **처절한** 것이었다. 그러나 열광의 **도가니**처럼 들끓던 결승에서 그만 패하고 만 것이다. 20

"아빠, 우린 해야 돼. 다음번엔 우승해야 돼. 선생님이 다 나으실 때까지 우린 누구 하나도 기죽을 수 없어."

막내는 이야기를 마치면서 이렇게 말했다. 나는 아무 말도 하지 못했다. 무슨 **망국민**의 독립운동사라도 읽은 것처럼 감동 비슷한 것이 가슴에 꽉 차 오는 것 같았다. 학교라는 데는 단순히 국어, 수학이나 가르치는 데가 아니구나 하는 생각도 들 25
었다.

이튿날 밤 나는 늦게 돌아오는 막내의 방망이를 **미더운** 마음으로 소중하게 받아주었다. 그때도 막내와 그 애의 친구 애들의 초롱초롱한 눈 같은 맑고 푸른 별이 두어 개 하늘에 떠 있었다. 나는 그때처럼 맑고 푸른 별을 일찍이 본 적이 없다.

- **남짓한** 크기, 수효, 부피 따위가 어느 한도에 차고 조금 남는 정도인.
- **해체(解 풀 해, 體 몸 체)되고** 단체 따위가 흩어지고.
- **괄시(恝 걱정 없을 괄, 視 볼 시)** 업신여겨 하찮게 대함.
- **명멸(明 밝을 명, 滅 멸망할 멸)하는** 나타났다 사라졌다 하는.
- **팽배(澎 물소리 팽, 湃 물소리 배)해지자** 어떤 기세나 사상의 흐름 따위가 매우 거세게 일어나자.
- **사명(使 부릴 사, 命 목숨 명)** 맡겨진 임무.
- **처절(悽 슬퍼할 처, 絶 끊을 절)한** 몹시 슬프고 끔찍한.
- **도가니** 쇠붙이를 녹이는 그릇.
- **망국민(亡 망할 망, 國 나라 국, 民 백성 민)** 망하여 없어진 나라의 백성.
- **미더운** 믿음이 가는 데가 있는.

지문 독해

중심 소재

1 이 글에서 다음 역할을 하는 소재를 찾아 쓰세요.

> • 막내에 대한 글쓴이의 걱정을 불러일으킨 것이다.
> • 막내와 막내의 반 아이들을 단합하게 하는*매개체이다.
> • 글쓴이가 막내로부터 이것을 받아 주면서 부자간의 갈등이 해소되었음을 보여 준다.
> *매개체: 둘 사이에서 어떤 일을 맺어 주는 것.

(   )

세부 내용

2 이 글의 내용으로 알맞지 <u>않은</u> 것은 무엇인가요? (   )

① 막내의 반에 다른 선생님이 새로 오셨다.
② 막내의 담임 선생님은 병환으로 병원에 입원하셨다.
③ 막내의 반은 야구 결승전에서 아쉽게도 패하고 말았다.
④ 막내의 반 아이들은 다른 반 아이들에게 괄시를 받았다.
⑤ 막내의 반 아이들은 야구 대회를 주최하여 우승하자고 했다.

표현

3 막내와 반 아이들의 순수한 마음을 상징하는 표현은 무엇인가요? (   )

① 소풍　　　　　　② 하늘　　　　　　③ 독립운동사
④ 맑고 푸른 별　　　⑤ 열광의 도가니

감상

4 이 글을 읽은 반응으로 적절한 것을 모두 찾아 기호를 쓰세요.

> ㉠ 훌륭한 야구 선수가 되길 꿈꾸는 막내의 마음에 공감이 돼.
> ㉡ 야구 대회를 통해 성장하는 막내와 그 친구들의 모습이 감동적이야.
> ㉢ 승부에 집착하는 자식을 염려하는 아버지의 마음을 이해할 수 있게 됐어.
> ㉣ 글의 마지막 부분에서 막내와 아이들을 바라보는 글쓴이의 따뜻한 시선을 느낄 수 있어.

(   )

지문 분석

1 표현

이 글에 사용된 비유적 표현을 완성하고, 그 효과를 알아보세요.

비유적 표현	효과
• 열광의 (　　　　　　)처럼 들끓던 결승 • 무슨 망국민의 (　　　　　　)라도 읽은 것처럼 감동 비슷한 것 • 막내와 그 애의 친구 애들의 초롱초롱한 눈 같은 맑고 푸른 (　　　　　　)	• 장면이나 감정을 더욱 생생하게 드러냄. • 글쓴이가 글을 통해 말하고자 하는 상황을 더욱 구체적으로 표현함.

2 주제

사건 전개에 따른 막내의 마음을 알아보고, 주제를 파악하여 (　　　　)에 알맞은 말을 찾아 ○표 하세요.

사건		막내의 마음
반 친구들과 헤어지게 되고, 새 반 아이들에게 (　　　　　)를 받음.	→	서러운 마음
야구 대회를 주최하기로 하고 매일 연습함.	→	우승하고 싶은 간절한 마음
결승전에서 졌지만 다음에 (　　　　　) 할 것이라 다짐함.	→	포기하지 않는 마음

주제	야구 대회를 통해 (단결심, 독립심)을 배우는 막내와 막내의 반 아이들의 (순수한, 능청스러운) 마음

배경지식 수필 문학에 대하여

　수필은 전문 작가가 아니더라도 누구나 쓸 수 있는 글입니다. 일상 속에서 누구나 경험할 수 있는 일을 소재로 하여 글쓴이만의 독특한 깨달음이나 그 경험을 대하는 관점을 나타낸 글이거든요. 그래서 수필에는 글쓴이의 개성과 생각, 가치관이 잘 드러나 있습니다.

　「막내의 야구 방망이」에서도 글쓴이는 초등학교 5학년 아들과 그 친구들이 야구 대회를 통해 성장하는 모습을 감동적으로 그리고 있답니다. 막내와 그 친구들의 열정적인 모습에 대한 글쓴이의 생각을 나타낸 표현을 다시 한번 살펴보세요.

오늘의 어휘

다음 낱말의 알맞은 뜻을 찾아 선으로 이으세요.

괄시 •　　　　　• 맡겨진 임무.

사명 •　　　　　• 몹시 슬프고 끔찍한.

미더운 •　　　　　• 업신여겨 하찮게 대함.

처절한 •　　　　　• 믿음이 가는 데가 있는.

팽배해지자 •　　　　　• 어떤 기세나 사상의 흐름 따위가 매우 거세게 일어나자.

1 다음 빈칸에 들어갈 알맞은 말을 오늘의 어휘 에서 찾아 쓰세요.

- 나는 맡은 바 [   ]을 다하겠다고 다짐했다.

- 나이 먹은 것만도 서러운데 이런 [   ]를 받다니.

- 그는 자랑스럽고 [   ] 마음으로 아들을 바라보았다.

- 이기주의가 [   ] 사람들 사이의 정이 점점 사라졌다.

- 사고 현장에서 부상자들의 [   ] 절규가 터져 나왔다.

2 다음 (   )에 들어갈 말로 알맞지 <u>않은</u> 것을 찾아 쓰세요.

　　오랫동안 우리는 단일 민족이라는 자긍심을 바탕으로 살아왔습니다. 그러나 지금은 국제결혼과 이민, 취업 등으로 우리나라에 살고 있는 외국인이 많아졌습니다. 이른바 다문화 사회로 들어서고 있는 것입니다. 그런데 아직까지도 우리에게는 다른 나라 사람들을 (괄시, 대우, 홀대)하는 습관이 남아 있습니다. 우리 문화를 지키는 것 못지않게 다른 문화와 사람들을 존중하는 것 역시 중요합니다. 다른 문화에 관용을 베푸는 것, 바로 우리 사회가 나아가야 할 모습입니다.

(　　　　　　　)

수필/극 02

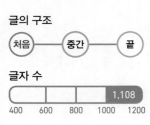

지문 분석

글의 구조

처음 — 중간 — 끝

글자 수

1,108

400 600 800 1000 1200

- **안장**(鞍 안장 안, 裝 꾸밀 장) 자전거 따위에 사람이 앉게 된 자리.
- **연단**(演 펼 연, 壇 단 단) 연설이나 강연을 하는 사람이 올라서는 단.
- **시행착오**(試 시험할 시, 行 갈 행, 錯 섞일 착, 誤 그릇될 오) 어떤 일을 하다가 착각하여 잘못함.
- **정강이** 무릎 아래에서 앞 뼈가 있는 부분.
- **도랑** 매우 좁고 작은 개울.
- **분뇨**(糞 똥 분, 尿 오줌 뇨) 똥과 오줌.
- **가속**(加 더할 가, 速 빠를 속) 점점 속도를 더함. 또는 그 속도.
- **난생처음** 세상에 태어나서 첫 번째.
- **삽시간**(霎 가랑비 삽, 時 때 시, 間 사이 간) 매우 짧은 시간.

어느 날 자전거가 내 삶 속으로 들어왔다 | 성석제

내가 자전거를 배우기 위해 큰집에서 빌린 자전거는 읍내로 출퇴근하는 아버지의 자전거보다 더 무겁고 짐받이가 큰 '농업용' 자전거였다. 〈중략〉

나는 오전에 자전거를 끌고 사람이 없는 운동장으로 갔다. 시멘트 계단 옆에 자전거를 세운 뒤 **안장**에 올라가서 발로 **연단**을 차는 힘으로 자전거의 주차 장치가 풀리면서 앞으로 나가도록 했다. 바퀴가 두 번도 구르기 전에 자전거는 멈췄고 나는 넘어졌다. 같은 식의 **시행착오**가 수백 번 거듭되었다. **정강이**와 허벅지에 멍 자국이 생겨났고 팔과 손의 피부가 벗겨졌다. 나중에는 자전거를 일으키는 일조차 힘이 들었다. 마지막으로 쓰러졌을 때 어둠이 다가오고 있는 걸 알고는 막막한 마음에 자전거 옆에 한참 누워 있다가 일어났다.

동네로 돌아오는 길에는 오십 미터쯤 되는 오르막이 있었다. 오르막에 올라서서 숨을 고르다가 문득 내리막을 달려 내려가면 자전거를 쉽게 탈 수 있지 않을까 하는 생각이 들었다. 내리막 아래쪽은 길이 휘어 있었고 정면에는 내가 어릴 적 물장구를 치고 놀던 **도랑**이 기다리고 있었다. 그리고 그 옆에는 다음 해 봄에 거름으로 쓸 **분뇨**를 모아 두는 '똥통'이 있었다. 내가 자전거를 통제하지 못하게 된다면 결말은 단순했다. 운 좋으면 도랑, 나쁘면 똥통.

그럼에도 불구하고 나는 돌을 딛고 자전거에 올라섰다. 어차피 가지 않으면 안 될 길, 나는 몸을 앞뒤로 흔들어 자전거를 출발시켰다. 자전거는 앞으로 나아가기 시작했다. 페달을 밟지 않고도 **가속**이 붙었다. 나는 **난생처음** 봄을 맞는 장끼처럼 나도 모를 이상한 소리를 내지르며 자전거와 한 몸이 되어 달려 내려갔다. 가슴이 터질 듯 부풀었고 어질어질한 속도감에 사로잡혔다. 어느새 내 발은 페달을 차고 있었고 자전거는 도랑과 똥통 옆을 지나고 있었다. 나는 **삽시간**에 어른이 된 기분으로 읍내로 가는 길을 내달렸다.

그날 나는 내 근육과 뇌에 새겨진 평범한, 그러면서도 세상을 움직여 온 비밀을 하나 얻게 되었다. 일단 안장 위에 올라선 이상 계속 가지 않으면 쓰러진다. 노력하고 경험을 쌓고도 잘 모르겠으면 자연의 판단 ― 본능에 맡겨라.

그 뒤에 시와 춤, 노래와 암벽 타기, 그리고 사랑이 모두 같은 원리에 따라 움직인다는 것을 나는 깨달았다. 비록 다 배웠다, 안다고 할 수 있는 건 없지만.

5

10

15

20

25

지문 독해

갈래

1 이 글에 대한 설명으로 알맞은 것을 두 가지 고르세요. (　　,　　)

① 유명인의 말을 이용해 자신의 생각을 강조하고 있다.

② 글쓴이의 심리 변화와 생각이 상황에 따라 잘 나타나 있다.

③ 시간의 흐름에 따라 글쓴이의 체험이 자세히 전개되고 있다.

④ 실용적인 것을 추구해야 한다는 글쓴이의 생각이 잘 드러나 있다.

⑤ 어른이 된 글쓴이가 고향에 가서 어린 시절의 경험을 회상하고 있다.

세부 내용

2 이 글의 내용과 일치하지 <u>않는</u> 것은 무엇인가요? (　　　)

① 글쓴이가 집으로 돌아오는 길에는 오르막이 있었다.

② 글쓴이는 어두워질 때까지 자전거 타는 연습을 했다.

③ 글쓴이는 운동장에서 자전거를 타다 수없이 넘어졌다.

④ 글쓴이는 내리막길로 자전거를 타고 내려오다 도랑에 빠졌다.

⑤ 글쓴이는 자전거를 배우기 위해 큰집에서 자전거를 한 대 빌렸다.

표현

3 글쓴이가 자전거 타기에 성공하여 흥분한 모습을 빗댄 표현을 찾아 쓰세요.

(　　　　　　　　　　　　　　　　　)

적용

4 이 글의 주제에 맞는 경험을 말한 것은 무엇인가요? (　　　)

① 시 쓰기, 노래 부르기, 암벽 타기 등 다양한 취미 생활을 하였다.

② 주말에 자전거로 한적한 곳을 여행하고 자연의 아름다움을 느꼈다.

③ 동물을 아끼고 사랑하는 마음으로 동물에 대해 공부하여 수의사가 되었다.

④ 어머니에게 물려받은 재능으로 피아노 대회에 나가서 일 등을 놓친 적이 없다.

⑤ 처음 영어를 배울 때는 말을 잘 못했지만 꾸준히 연습해서 외국인과 능숙하게 대화
하게 되었다.

지문 분석

1 글쓴이 마음 │ 다음 상황에서 글쓴이의 마음으로 알맞은 것을 찾아 선으로 이으세요.

자전거 타기에 계속 실패하며 쓰러짐. ·		· 설렘, 뿌듯함
자전거와 한 몸이 되어 가속이 붙은 내리막을 달려 내려감. ·		· 실망감, 막막함
오르막에 올라서 자전거를 타기로 결심하고 아래를 내려다봄. ·		· 긴장감, 망설임

2 주제 │ 글쓴이가 자전거를 배운 경험을 완성하고, 이 글의 주제를 알아보세요.

글쓴이는 수백 번의 시행착오 끝에 ( )에 성공함.

세상을 움직여 온 ( )을 알게 됨.
– 일단 시작한 일은 중간에 그만둘 수 없음.
– 노력해도 잘되지 않을 때에는 본능(자연의 판단)에 맡겨야 함.

주제	자전거 타기에 처음 성공한 경험을 통해 깨달은 삶의 진리

배경지식 │ 인간의 다양한 모습을 그려 내는 성석제 작가

이 글 속 '나'는 누구일까요? 바로 글을 쓴 성석제 작가입니다. 이 글을 통해 우리는 작가의 유년 시절 성격을 짐작해 볼 수 있어요. 작가가 자전거를 처음 타는 서툰 모습을 다른 사람에게 보여 주기 싫어서 사람이 없는 운동장으로 간 것에서 자존심 강한 성격을 알 수 있고, 수백 번 넘어져 몸에 멍이 생겼지만 자전거 타기에 계속 도전한 모습에서 끈기 있고, 강한 의지를 알 수 있지요.

성석제 작가는 수필집 『소풍』과 소설집 『황만근은 이렇게 말했다』, 『호랑이를 봤다』 등 다수의 작품을 썼습니다. 특히 수필을 꾸준히 썼는데, 「맛있는 책, 일생의 보약」, 「젊은 아버지의 추억」, 「소년 시절의 맛」 등은 청소년이 꼭 읽어야 할 수필로도 꼽힙니다.

오늘의 어휘

다음 낱말의 알맞은 뜻을 찾아 선으로 이으세요.

안장 •　　　　　• 매우 짧은 시간.

막막한 •　　　　　• 아득하고 막연한.

삽시간 •　　　　　• 어떤 일을 하다가 착각하여 잘못함.

시행착오 •　　　　　• 자전거 따위에 사람이 앉게 된 자리.

사로잡혔다 •　　　　　• 생각이나 마음이 온통 한곳으로 쏠리게 되었다.

1 다음 빈칸에 들어갈 알맞은 말을 **오늘의 어휘** 에서 찾아 쓰세요.

• 교실이 ☐☐☐☐☐ 에 웃음바다로 변했다.

• 태풍으로 집을 잃은 그는 정말 ☐☐☐☐☐ 심정이었다.

• 시간이 어느 정도 지나자 그는 다시 불안감에 ☐☐☐☐☐ .

• 아버지가 ☐☐☐☐☐ 의 먼지를 털고 오토바이에 올라탔다.

• 여러 차례의 ☐☐☐☐☐ 끝에 드디어 신제품을 개발하였다.

2 다음 글에서 밑줄 친 말과 뜻이 비슷한 말을 찾아 쓰세요.

이어서 어젯밤에 발생한 화재 소식을 전해 드리겠습니다.

○○시 △△동 주택의 주방에서 폭발음과 함께 불길이 치솟았습니다. 불길은 삽시간에 거실과 안방으로 번졌고, 불과 30여 분 사이에 건물 전체가 불에 타 버렸습니다.

다행히 불길이 번지기 전에 주택에 거주하던 가족들은 모두 무사히 건물 밖으로 대피했습니다. 하지만 가족들과 이웃들은 순식간에 일어난 화재에 다들 망연자실한 표정을 지었습니다.

(　　　　　　　)

이옥설 | 이규보

가 행랑채가 **퇴락하여 지탱할** 수 없게끔 된 것이 세 칸이었다. 나는 **마지못해** 이를 모두 수리하였다. 그런데 그중의 두 칸은 비가 샌 지 오래되었으나, 나는 그것을 알면서도 이럴까 저럴까 망설이다가 손을 대지 않았던 것이고, 나머지 한 칸은 처음 비가 샐 때 서둘러 기와를 갈았던 것이다. 이번에 수리하려고 보니 비가 샌 지 5 오래된 것은 그 **서까래, 추녀,** 기둥, **들보**가 모두 썩어서 못 쓰게 된 까닭으로 수리 비가 엄청나게 들었고, 한 번밖에 비가 새지 않았던 한 칸의 **재목**들은 온전하여 다시 쓸 수 있었기 때문에 그 비용이 많이 들지 않았다.

나 ㉠나는 이에 느낀 것이 있었다. 사람의 경우도 마찬가지라는 사실을. 잘못을 알고서도 바로 고치지 않으면 곧 그 자신이 나쁘게 되는 것이 마치 나무가 썩어서 못 쓰게 되는 것과 같다. 잘못을 알고 고치기를 꺼리지 않으면 해(害)를 받지 않고 다 10 시 착한 사람이 될 수 있으니, 저 집의 재목처럼 말끔하게 다시 쓸 수 있는 것이다.

그뿐만 아니라 나라의 정치도 이와 같다. 백성을 **좀먹는** 무리들을 내버려 두었다가는 백성들이 **도탄**에 빠지고 나라가 위태롭게 된다. 그런 뒤에 급히 바로잡으려 해도 이미 썩어 버린 재목처럼 때는 늦은 것이다. 어찌 **삼가지** 않겠는가?

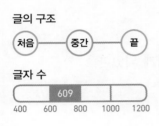

글의 구조

처음 — 중간 — 끝

글자 수

400 600 [609] 800 1000 1200

- **행랑채** 기와집이나 초가집이 있던 시절에 대문 곁에 둔 집채.
- **퇴락(頹** 무너질 퇴, **落** 떨어질 락)**하여** 낡아서 무너지고 떨어져.
- **지탱(支** 버틸 지, **撐** 버틸 탱)**할** 오래 버티거나 배겨 냄.
- **마지못해** 마음이 내키지는 않지만 그렇게 하지 아니할 수 없어.
- **서까래** 마룻대에서 도리나 들보에 걸쳐 지른 나무.
- **추녀** 네모지고 끝이 번쩍 들린, 처마의 네 귀에 있는 큰 서까래.
- **들보** 건물의 칸과 칸 사이의 두 기둥 위를 건너지른 나무.
- **재목(材** 재목 재, **木** 나무 목) 목조 건축물을 만드는 데 쓰는 나무. 또는 어떤 일을 할 수 있는 능력을 가진 인물.
- **좀먹는** 어떤 사물에 드러나지 않게 조금씩 조금씩 자꾸 해를 입히는.
- **도탄(塗** 진흙 도, **炭** 숯 탄) 몹시 곤궁하여 고통스러운 지경을 이르는 말.
- **삼가지** 몸가짐이나 언행을 조심하지.

지문
독해

갈래

1 글 **가**와 **나**의 구조에 대한 설명으로 알맞은 것을 각각 찾아 기호를 쓰세요.

㉮ '사실' 부분이다.
㉯ '의견' 부분이다.
㉰ 일상적 경험을 이야기한 것이다.
㉱ 경험을 통해 얻은 깨달음을 이야기한 것이다.

(1) 글 **가**: (   )   (2) 글 **나**: (   )

어휘

2 글 **가**에서 글쓴이가 처한 상황에 어울리는 속담은 무엇인가요? (   )

① 우물에 가 숭늉 찾는다.
② 믿는 도끼에 발등 찍힌다.
③ 호미로 막을 것을 가래로 막는다.
④ 열 번 찍어 안 넘어가는 나무 없다.
⑤ 하늘이 무너져도 솟아날 구멍이 있다.

세부 내용

3 ㉠의 구체적인 내용은 무엇인가요? (   )

① 사람은 잘못되면 손을 대기 쉽지 않다.
② 사람은 잘못을 알고 나면 바로 고쳐야 한다.
③ 사람을 수시로 고치는 것은 오히려 해가 된다.
④ 사람과 나라의 정치에서 일맥상통하는 부분을 찾기 어렵다.
⑤ 사람이 잘못을 했을 때와 나무가 썩어서 못 쓰게 된 상황은 다르다.

추론

4 이 글의 창작 의도를 바르게 짐작한 것을 두 가지 고르세요. (,   )

① 열악한 행랑채 생활을 널리 알려 이를 개선하기 위해
② 삶의 이치와 정치 개혁에 대한 의견을 제시하기 위해
③ 나라의 독립에 헌신하려는 굳은 의지를 표현하기 위해
④ 부패한 탐관오리들을 제거하여 나라를 바로 세울 것을 요구하기 위해
⑤ 사람이 가진 모든 것은 빌린 것으로 자기 소유는 없음을 설득하기 위해

지문 분석

1 전개 방식 이 글의 전개 방식을 파악하여 (   )에 알맞은 말을 찾아 ○표 하세요.

1문단	(안채, 행랑채)가 퇴락하여 수리한 경험을 이야기함.
2문단	깨달음을 (식물, 사람)에 적용함.
3문단	깨달음을 (가정, 정치)에 적용함.

↓

자신의 경험을 통해 얻은 깨달음을 (축소, 확장)하여 다른 상황에 적용함.

2 주제 글쓴이의 깨달음을 바탕으로 이 글의 주제를 정리하여 빈칸에 알맞은 말을 쓰세요.

사람의 경우	정치의 경우
• 자신의 잘못을 알고도 고치지 않으면 점점 더 나빠짐. • ( )을 알고 바로 고치면 다시 착한 사람이 될 수 있음.	• ( )을 좀먹는 무리를 내버려 두면 나라가 위태로워짐. • 늦기 전에 잘못을 바로잡아야 정치가 올바르게 됨.

↓

주제	잘못을 알고 그것을 ( ) 자세의 중요성

배경지식 유추의 방법을 사용한 「이옥설」

행랑채

「이옥설」은 글쓴이의 개인적 경험에서 얻은 깨달음을 유추의 방법을 통해 제시한 수필이에요. 유추란, 두 개의 사물이 여러 면에서 비슷하다는 것을 근거로 다른 속성도 유사할 것이라고 추측하여 논리를 전개하는 것을 말한답니다. 쉽게 말해, 서로 비슷한 점을 비교하여 하나의 사물이나 상황에서 다른 사물이나 상황으로 추리하는 것이에요.

「이옥설」에서 글쓴이는 행랑채(한옥의 대문 양쪽에 붙어 있는 주거 공간)가 퇴락한 상황을 사람이 잘못한 상황, 그리고 정치가 바르게 서지 않은 상황과 유사하다고 보았어요. 그래서 글쓴이는 행랑채 수리 경험을 통해 '잘못을 알았다면 바로 고쳐야 한다.'라고 주장한 것이랍니다.

오늘의 어휘

다음 낱말의 알맞은 뜻을 찾아 선으로 이으세요.

도탄 •

• 오래 버티거나 배겨 낼.

재목 •

• 몸가짐이나 언행을 조심하지.

삼가지 •

• 몹시 곤궁하여 고통스러운 지경을 이르는 말.

지탱할 •

• 마음이 내키지는 않지만 그렇게 하지 아니할 수 없어.

마지못해 •

• 목조 건축물을 만드는 데 쓰는 나무. 또는 어떤 일을 할 수 있는 능력을 가진 인물.

1 다음 빈칸에 들어갈 알맞은 말을 **오늘의 어휘** 에서 찾아 쓰세요.

• 도서관에서는 잡담을 [   ] 않으면 안 됩니다.

• 관리는 부패하고 국민은 [   ]에서 허덕이고 있소.

• 무너져 가는 담을 [   ] 버팀목이 썩어 가고 있었다.

• 이 아이들이 장차 이 나라의 훌륭한 [   ]이 될 것이다.

• 동생은 내키지 않아 하는 표정으로 [   ] 형을 따라갔다.

2 다음 글에서 밑줄 친 말과 뜻이 반대인 말을 찾아 쓰세요.

세금은 국가 운영에 필요한 돈을 구성원인 국민이 부담해야 한다는 원칙에서 시작된 것입니다. 세금은 우리 사회를 지탱할 필수 요소입니다. 그런데 국민의 당연한 의무인 세금 납부를 피하려는 사람들이 종종 있습니다. 이와 같은 사람들이 많아져 세금이 제대로 걷히지 않는다면 우리 사회는 무너질 수도 있습니다. 따라서 세금 납부는 우리 스스로를 위한 일이라는 점을 항상 명심하고, 국민 모두가 세금 납부를 성실히 해야 할 것입니다.

(   )

토끼와 자라 │ 엄인희

토끼: (뒤따라오는 자라한테 화를 낸다.) 아니, 용궁으로 데리고 온다더니 수산물 파는 횟집에 온 거 아냐?

자라: 토끼님 눈에는 이 용궁이 수족관으로 보인단 말이오?

용왕: 허, **발칙하도다**. 짐의 궁전을 **모독**하다니?

토끼: (용왕을 본다.) 어어…… 저 생선은 처음 보는데……. 근데 싱싱하지가 않아 5
서 회로는 못 먹고 매운탕으로 먹겠다.

용왕: (부르르 떨며 화를 낸다.) 어서 저 고얀 놈 배를 갈라라. 냉큼 간을 가져오지
못할까!

신하들이 토끼를 향해 달려든다. / 토끼, 피한다.

토끼: 잠깐! 잠깐! 내가 잘못 들었나? (정중하게) 방금 간이라고 하셨습니까? 10

자라: 토끼님, 미안하오. 용왕께 **명약**으로 바치려고 당신을 데려온 것이오.

토끼: (침착함을 잃지 않고, 과장해서) 아하하, 안타깝다. **오호통재라**. 토끼 간이 산
속 짐승한테만 명약인 줄 알았더니, 이런 생선들한테도 쓸모가 있더란 말이냐?
그래서 우리 조상들은 간을 대여섯 개씩 물려받았구나. 좋다. 주지, 줘. 간을 줘
서 생명을 살린다면 아까울 것이 없지. 용왕마마! 다만 한 가지 안타까운 말씀을 15
드려야겠나이다.

용왕: 뭐냐? 얼른 칼을 가져다 배를 쭉 갈라 보자.

토끼: 예로부터 토끼들은 간이 배 밖으로 나왔습니다. 호랑이, 여우, 늑대, 표범,
살쾡이, 독수리한테 쫓기다 보니 간을 배 속에 넣고는 살아갈 수가 없거든요. 산
속 깊은 골짜기에다 차곡차곡 재어 놓고 다니다 밤에만 배 안에 집어넣고 살고 20
있다고 합니다……가 아니라, 살고 있습니다.

용왕: 그거 큰일이다.

뱀장어: 저놈 말을 믿지 마세요, 폐하!

도루묵: 먼저 저놈 배를 갈라 보고, 간이 없으면 다시 토끼를 잡아 오면 어떨는지요.

토끼: (엄살을 떤다.) 아이고, 나 죽네. 그 아까운 간을, 그 용하다는 명약을 **심심산** 25
골에 숨겨 두고 아까운 목숨만 사라지네.

자라: 폐하! 다시 육지로 나가 토끼 간을 받아 오겠나이다. 산속 짐승이나 물속 짐
승이나 모두 하나뿐인 생명입니다. 힘이 들더라도 한 번 더 다녀오겠습니다.

용왕: 그래라, 그래. 간도 없는 놈을 죽여 무엇하겠느냐. 털가죽도 뒤집어 쓰는 걸
보니, 간 아니라 심장도 밖에다 내놓고 다닐 놈이로다. 얼른 서둘러 다녀오너라. 30

- **발칙하도다** 하는 짓이나 말이 매우 버릇없고 막되어 괘씸하도다.

- **모독**(冒 무릅쓸 모, 瀆 더럽힐 독) 말이나 행동으로 더럽혀 욕되게 함.

- **명약**(名 이름 명, 藥 약 약) 효험이 좋아 이름난 약.

- **오호통재**(嗚 슬플 오, 呼 부르짖을 호, 痛 아플 통, 哉 어조사 재)**라** 슬플 때나 탄식할 때 하는 말.

- **심심산골** 깊고 깊은 산골.

지문 독해

1 이 글에 대한 설명으로 알맞은 것은 무엇인가요? (   )

① 새 인물의 등장으로 새로운 사건의 시작을 알린다.

② 대사와 행동 연기를 통해 인물의 심리를 드러낸다.

③ 특정 소품을 사용하여 앞으로 전개될 사건을 암시한다.

④ 무대 밖의 인물이 무대 안의 사건에 영향을 미치고 있다.

⑤ 서로 다른 두 공간에서 진행되는 사건을 동시에 보여 주고 있다.

세부 내용

2 이 글의 등장인물에 대한 설명으로 알맞지 <u>않은</u> 것은 무엇인가요? (   )

① 뱀장어는 용왕이 토끼의 말에 넘어가지 않도록 말린다.

② 용왕은 토끼의 다른 행동으로 미루어 토끼의 말을 믿는다.

③ 자라는 수중 동물의 생명이 무엇보다 소중하다고 생각한다.

④ 도루묵은 원래 계획대로 실행해야 한다고 용왕을 설득한다.

⑤ 토끼는 다른 토끼들의 육지 생활을 근거로 자신의 주장을 펼친다.

어휘

3 이 글의 토끼의 상황을 보고 떠올릴 수 있는 속담은 무엇인가요? (   )

① 고래 싸움에 새우 등 터진다.

② 굼벵이도 구르는 재주가 있다.

③ 벼 이삭은 익을수록 고개를 숙인다.

④ 호랑이에게 물려 가도 정신만 차리면 산다.

⑤ 떡 줄 사람은 꿈도 안 꾸는데 김칫국부터 마신다.

적용

4 이 글에 따라 배우들이 연기를 한다고 할 때, 알맞은 것을 모두 찾아 기호를 쓰세요.

> ㉮ 용왕이 토끼의 말에 솔깃해하며 귀를 기울이는 모습을 보여 주어야겠군.
> ㉯ 신하들은 용왕의 말을 듣지 않고 토끼를 위협하는 모습을 보여 주어야겠군.
> ㉰ 토끼가 점잖은 말투와 과장되게 태연한 행동으로 긴장감을 숨기는 모습을 보여 주어야겠군.

(   )

지문 분석

1 인물 마음

이야기의 전개에 따른 토끼의 대사를 완성하고, 그에 알맞은 토끼의 마음을 찾아 선으로 이으세요.

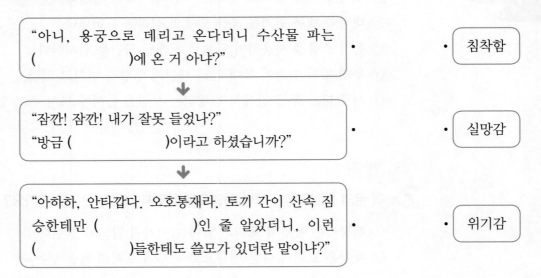

"아니, 용궁으로 데리고 온다더니 수산물 파는 ( )에 온 거 아냐?" · · 침착함

"잠깐! 잠깐! 내가 잘못 들었나?"
"방금 ( )이라고 하셨습니까?" · · 실망감

"아하하, 안타깝다. 오호통재라. 토끼 간이 산속 짐승한테만 ( )인 줄 알았더니, 이런 ( )들한테도 쓸모가 있더란 말이냐?" · · 위기감

2 주제

토끼와 용왕의 갈등 양상을 완성하고, 이를 바탕으로 주제를 생각하여 빈칸에 알맞은 말을 쓰세요.

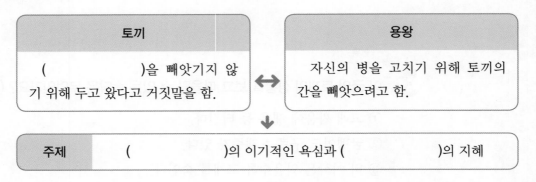

토끼	용왕
( )을 빼앗기지 않기 위해 두고 왔다고 거짓말을 함.	자신의 병을 고치기 위해 토끼의 간을 빼앗으려고 함.

주제 ( )의 이기적인 욕심과 ( )의 지혜

배경지식 「토끼와 자라」 전체 줄거리

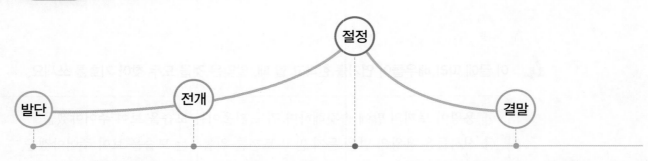

발단 **전개** **절정** **결말**

병에 걸린 용왕에게 자라가 토끼의 간을 먹어야 낫는다고 말하자, 용왕이 토끼를 데려오라고 명령함.

자라는 토끼를 데리러 육지로 나옴. 토끼를 만난 자라는 용궁 구경을 가자고 토끼를 설득하여 용궁으로 데리고 옴.

용왕과 신하들이 토끼를 잡아 간을 꺼내려 하자, 토끼는 산속에 간을 두고 왔다는 거짓말로 위기를 넘기고 용궁을 빠져 나옴.

육지로 돌아온 토끼가 자라에게 자신의 거짓말을 밝히고 자라를 놀리면서 도망가고, 자라는 땅을 치며 걱정함.

오늘의 어휘

다음 낱말의 알맞은 뜻을 찾아 선으로 이으세요.

엄살 •　　　　　• 깊고 깊은 산골.

모독 •　　　　　• 머뭇거리지 않고 가볍게 빨리.

냉큼 •　　　　　• 말이나 행동으로 더럽혀 욕되게 함.

심심산골 •　　　　　• 하는 짓이나 말이 매우 버릇없고 막되어 괘씸하도다.

발칙하도다 •　　　　　• 아픔 따위를 거짓으로 꾸미거나 실제보다 보태어서 나타냄.

---

1 다음 빈칸에 들어갈 알맞은 말을 오늘의 어휘 에서 찾아 쓰세요.

- 그는 다치지도 않았는데 괜히 　　　　　을 떨었다.

- 어른이 오시면 　　　　　 일어나서 인사부터 해야지.

- 어머니의 고향은 　　　　　에 있는 작은 마을이었다.

- 　　　　　, 어느 앞이라고 그리 실없는 말을 하느냐?

- 중죄인이라고 하더라도 인격적 　　　　　을 해서는 안 된다.

---

2 다음 글에서 밑줄 친 말과 뜻이 비슷한 말을 찾아 쓰세요.

최근에 기부금의 사용이 불분명하게 처리된다는 기사가 보도된 뒤로 기부 단체에 대한 논란이 뜨겁다. 기부금을 받을 때는 냉큼 받으면서 기부금의 처리 과정과 구체적인 내역을 밝히라는 요구에는 미적지근한 태도를 보인다는 것이다. 기부금은 사회적으로 소외된 계층을 위해 국민들이 공동체 구성원으로서 책임감을 다하려는 행동으로 볼 수 있다. 기부금을 받아 운영하는 단체는 기부금이 정상적으로 사용되었는지를 <u>얼른</u> 밝혀 국민들의 의구심을 해소해야 할 것이다.

(　　　　　　　　)

오늘의 어휘 찾아보기

초등 고학년을 위한 중학교 **필수 영역 초고필**

국어

비문학 독해 1·2 / 문학 독해 1·2 / 국어 어휘 / 국어 문법

수학

유리수의 사칙연산 / 방정식 / 도형의 각도

한국사

한국사 1권 / 한국사 2권

바른 독해의 **빠른**시**착**

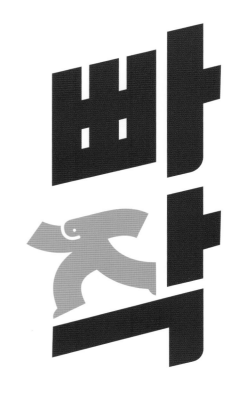

정답과 해설

초등 국어

문학 독해 5단계
5·6학년

동아출판

- **글의 종류** 현대 소설
- **글의 특징** 사춘기 소녀가 엄마와 갈등하고 화해하는 과정을 통해 어른인 엄마를 이해하면서 정신적으로 성장해 가는 과정을 그린 이야기입니다.
- **글의 주제** 엄마와의 갈등을 통한 사춘기 소녀의 정신적 성장
- **글 ❶ 중심 내용** 방문을 걸어 잠그고 있는 '나'와 그런 '나'를 이해하지 못하는 엄마가 티격태격합니다.

013쪽   지문 독해

1 ①   **2** ③, ⑤   **3** 잔소리   **4** ②

1 제시된 부분은 방문을 걸어 잠그고 있는 '나'와 그런 '나'를 이해하지 못하는 엄마가 티격태격하는 장면입니다. 즉 딸인 '나'와 엄마의 갈등을 중심으로 이야기가 전개되고 있습니다.

> **유형 분석 / 갈래**
> 전개 방식이란 소설에서 이야기를 펼쳐 나가는 방식을 말합니다. 소설의 전개 방식은 '시간이 흐르는 순서에 따른 구성(과거에서 현재, 현재에서 미래로)', '시간의 흐름을 따르지 않는 구성', '현실-꿈-현실로 전개되는 구성' 등 매우 다양합니다. 이 글은 '나'와 엄마의 갈등 상황을 시간의 흐름에 따라 담아내고 있습니다.

2 엄마가 '나'와 함께 영어 학원에 다니고 싶은 마음을 드러내는 부분은 찾을 수 없습니다. 그리고 엄마가 '나'에게 피자를 시켜 먹으라고 하는 것은 하루 종일 일하느라 피곤했기 때문입니다.

> **오답 풀이**
> ① 엄마가 퇴근한 이후에도 영어 학원 가서 공부하고 운동하다 온다고 한 말에서 알 수 있습니다.
> ② '나'는 엄마의 잔소리를 듣기 싫고, 혼자 있고 싶어 방문을 꼭꼭 걸어 잠그고 있습니다.
> ④ 엄마는 허리띠를 찾기 위해 방문을 두드리고 전화를 걸어 '나'를 깨웠습니다.

3 문을 걸어 잠그는 이유를 묻고 방 좀 치우라고 하는 엄마의 말을 듣고 '나'는 "아휴, 또."라고 말하며 '잔소리'라고 생각합니다. 이 말을 통해 엄마의 말을 잔소리로 여기며 듣기 싫어하는 '나'의 생각을 알 수 있습니다.

4 '나'는 급식으로 스파게티를 먹었다고 말하며 배달시켜 먹는 피자 대신 엄마가 직접 끓여 주시는 김치찌개를 먹고 싶어 합니다.

014쪽   지문 분석

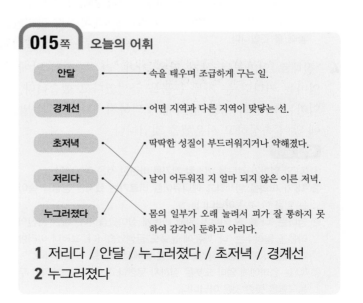

1

'나'의 행동
• '나'는 수시로 (방문)을 꼭꼭 걸어 잠금.
• '나'는 (엄마)의 말을 잔소리라 여겨 듣기 싫어함.
• '나'는 엄마에게 화를 내고, (이불)을 확 뒤집어씀.

↓

엄마는 '나'를 사춘기라고 여겨 '나'의 이름을 부르는 대신 '(춘기)'라고 부른 것임.

2

엄마의 말이나 행동		'나'의 마음 상태
'나'의 (방)에 불쑥 들어와서 (잔소리)를 함.	→	(궁금함, 억울함, 짜증 남)
'나'에게 저녁으로 (피자)를 시켜 먹고 공부하라는 말을 남긴 채 볼일 보러 나감.	→	(놀람, 서운함, 불안함)

1 엄마는 '나'의 여러 행동들을 보며 사춘기라고 여겨 '나'를 춘기라고 부르는 것입니다.

2 '내'가 엄마의 말을 잔소리로 여기는 모습에서 짜증이 난 상태임을 짐작할 수 있습니다. 그리고 피자를 시켜 먹으라는 엄마에게 김치찌개를 끓여 주면 안 되냐고 말하는 모습에서 저녁을 직접 챙겨 주지 않는 엄마에 대한 서운한 마음을 짐작할 수 있습니다.

> **유형 분석 / 인물 마음**
> '내'가 엄마의 말이나 행동에 따라 어떤 감정을 느끼는지 '나'의 말과 행동을 근거로 파악해 봅니다.

015쪽   오늘의 어휘

안달	—— 속을 태우며 조급하게 구는 일.
경계선	—— 어떤 지역과 다른 지역이 맞닿는 선.
초저녁	딱딱한 성질이 부드러워지거나 약해졌다.
저리다	날이 어두워진 지 얼마 되지 않은 이른 저녁.
누그러졌다	몸의 일부가 오래 눌려서 피가 잘 통하지 못하여 감각이 둔하고 아리다.

1 저리다 / 안달 / 누그러졌다 / 초저녁 / 경계선
2 누그러졌다

• 글 ❷ 중심 내용 엄마는 염색한 '나'의 머리를 보고 화를 내며 휴대 전화를 압수하고, '나'도 엄마에게 화가 납니다.

017쪽   지문 독해

1 (1) 예 염색한 모습   (2) 엄마

2 ④   **3** ③   **4** ⑤

1 이 글의 중심 사건은 '내'가 머리를 염색한 것 때문에 '나'와 엄마가 다툰 일입니다.

> 유형 분석 / 중심 내용
>
> 소설에는 여러 인물이 등장하여 겪는 일이 다양하게 드러나 있지만, 그중에서 이야기를 이끌어 가는 중심이 되는 사건이 있습니다. 이야기의 흐름에서 중요하지 않은 사건을 제외시키고 난 다음, 이야기의 원인과 결과를 생각하여 중심 사건을 찾아봅니다. 이 글에서는 '나'와 엄마의 갈등 상황을 중심으로 중심 사건을 정리할 수 있습니다.

2 이 글에서 엄마는 다른 친구와 '나'를 비교한 것이 아니라 자신의 어린 시절과 '나'를 비교하면서 '나'를 꾸짖었습니다.

3 엄마와 '나'는 대화를 하면서 갈등이 심화되고 있으므로, 화나 분노를 나타내는 관용 표현이 어울립니다. '눈에 불을 켜다'는 화가 나서 눈을 부릅뜬다는 뜻을 나타내는 관용 표현입니다.

> 오답 풀이
>
> ① 귀먹은 푸념.: '당사자가 듣지 못하는 데서 하는 불평.'을 뜻합니다.
> ② 눈물을 거두다.: '울음을 그치다.'를 뜻합니다.
> ④ 도마 위에 오르다.: '어떤 사물이 비판의 대상이 되다.'를 뜻합니다.
> ⑤ 가슴을 쓸어내리다.: '곤란한 일이나 걱정 따위가 해결되어 마음을 놓다.'를 뜻합니다.

4 "절대로 엄마처럼 살지 않을 거야."라는 '나'의 말에 엄마는 커다란 눈 가득 눈물을 글썽였다고 했습니다. 엄마는 자신의 생활 방식에 동의하지 않는 '나'의 말에 많이 속상하고 서운했을 것입니다.

> 오답 풀이
>
> ① '나'와 엄마가 갈등을 해소할 계기를 마련한 것은 아닙니다.
> ② '내'가 머리를 염색하고 매니큐어를 바르기는 했지만 양심을 속이는 일을 한 것은 아닙니다.
> ③ 엄마는 '나'를 잘 키우기 위해 바쁘게 살아왔습니다. 이런 자신의 마음을 몰라주는 '나' 때문에 눈물도 글썽였습니다. 그러나 이러한 마음을 '나'에게 강조하려는 모습은 글에서 확인할 수 없습니다.
> ④ '나'는 엄마에게 엄마 노릇을 잘하지 못한다고 했지만 경제적인 무능력함을 탓한 것은 아닙니다.

018쪽   지문 분석

1

'나'의 행동	'나'의 성격
• 머리에 (염색)을 함. • (매니큐어)를 바름. • 엄마 (허리띠)를 허락 받지 않고 함.	• 사춘기 소녀로 빨리 어른이 되고 싶어 함. • 공부보다는 외모를 가꾸는 일에 더 관심이 있음.

2

'나'	엄마
'나'는 엄마가 화장도 하고 파마도 하면서 자신에게는 어른들이 하는 일을 허락하지 않는 것에 대해서 (불안해함, 억울해함).	엄마는 '내'가 한 일들을 가리켜 (엉뚱한, 게으른) 짓이라고 말하며 학생은 화장이나 파마를 할 수 없다고 생각함.

갈등 원인
'나'와 엄마의 (가치관, 생활 습관)의 차이 때문에 갈등이 생김.

1 '나'는 사춘기 소녀로, 공부보다는 외모를 가꾸는 일에 더 관심이 있습니다.

2 이 글은 '내'가 염색한 일을 두고 '나'와 엄마가 갈등하는 장면입니다. '나'는 어른들이 할 수 있는 일을 자신이 할 수 없다는 것에 대해 억울해하고, 엄마는 학생은 아직 화장이나 파마를 할 나이가 아니라고 하면서 둘 사이에 가치관이 다름을 보여 줍니다.

019쪽   오늘의 어휘

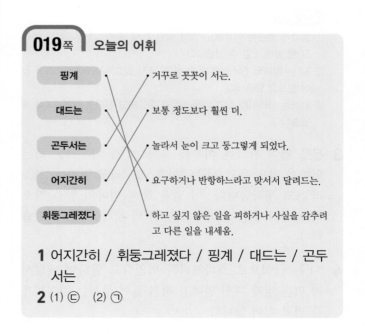

핑계	거꾸로 꼿꼿이 서는.
대드는	보통 정도보다 훨씬 더.
곤두서는	놀라서 눈이 크고 둥그렇게 되었다.
어지간히	요구하거나 반항하느라고 맞서서 달려드는.
휘둥그레졌다	하고 싶지 않은 일을 피하거나 사실을 감추려고 다른 일을 내세움.

1 어지간히 / 휘둥그레졌다 / 핑계 / 대드는 / 곤두서는

2 (1) ⓒ   (2) ㉠

• **글 ❸ 중심 내용** '나'는 할머니에게 엄마의 어린 시절 이야기
를 듣고, 엄마도 자신과 비슷한 어린 시절을 겪었다는 사실
에 피식 웃습니다.

021쪽　지문 독해

1 할머니　**2** ⑤　**3** ③　**4** ㉮

1 할머니는 딸과 손녀 간의 갈등을 이해하는 여유를 지
니고 있고, 그 갈등을 해결하는 데 중요한 역할을 하
고 있습니다.

유형 분석 / 갈래

소설에 등장하여 사건을 이끌어 가는 사람 혹은 동물을 인물이라고
합니다. 인물의 중요한 정도에 따라 중심인물, 주변 인물로 나눌 수
있는데 중심인물은 사건을 이끌어 나가는 주인공을 말하고, 주변 인
물은 사건의 진행을 도와주는 인물을 말합니다. 이 글에서는 할머니
를 주변 인물로 등장시켜 '나'에게 엄마의 어린 시절에 대해 들려주어
'내'가 엄마를 이해하는 계기를 마련해 줍니다.

2 '나'는 엄마의 비밀을 알게 되고 나서 엄마를 보니 이
상하게도 화가 나기보다 피식 웃음이 나왔다고 했습
니다. 그러므로 '내'가 엄마에게 실망하게 된 것은 아
닙니다.

오답 풀이

① 할머니는 '나'에게 엄마의 어린 시절 이야기를 들려주었습니다.
② 할머니는 엄마도 어린 시절에 속을 많이 썩였다고 말해 주었습니다.
③ '나'는 엄마의 비밀을 알게 된 후, 집 나가는 것은 잠깐 뒤로 미뤄야
　 겠다고 생각합니다.
④ '나'는 엄마의 비밀을 알게 된 후, 자는 엄마 모습을 보니 이상하게
　 도 화가 나기보다 피식 웃음이 나왔습니다.

3 '나'는 얼른 어른이 되고 싶다며 "어디든 맘대로 가고
내 맘대로 다 해 볼 거야."라고 말합니다. 따라서 '내'
가 어른이 되고 싶은 까닭은 무엇이든 자기 마음대로
할 수 있기 때문입니다.

4 할머니의 말에 의하면 엄마도 어린 시절에 '나'처럼
말썽도 피우고 어른들 속을 썩이기도 했습니다. 이런
엄마의 어린 시절을 생각하면 엄마도 '나'와 같다는
생각에 친근감을 느끼게 됩니다.

오답 풀이

㉯ 그동안 엄마의 마음을 이해하지 못하던 '나'였지만 할머니가 엄마의
　 어린 시절 이야기를 들려주어서 '나'는 화가 난 마음을 풀었습니다.
㉰ 엄마는 '내'가 열심히 공부하지 않는 것 같아 속상한 마음에 자신과
　 닮은 구석이 하나도 없다고 말한 것입니다.

022쪽　지문 분석

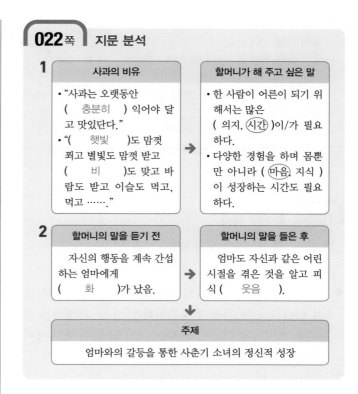

1

사과의 비유	할머니가 해 주고 싶은 말
• "사과는 오랫동안 (충분히) 익어야 달고 맛있단다." • "(햇빛)도 맘껏 쬐고 별빛도 맘껏 받고 (비)도 맞고 바람도 받고 이슬도 먹고, 먹고 ……."	• 한 사람이 어른이 되기 위해서는 많은 (의지, 시간)이/가 필요하다. • 다양한 경험을 하며 몸뿐만 아니라 (마음, 지식)이 성장하는 시간도 필요하다.

2

할머니의 말을 듣기 전	할머니의 말을 들은 후
자신의 행동을 계속 간섭하는 엄마에게 (화)가 났음.	엄마도 자신과 같은 어린 시절을 겪은 것을 알고 피식 (웃음).

주제
엄마와의 갈등을 통한 사춘기 소녀의 정신적 성장

1 할머니는 한 사람이 어른이 되려면 시간이 필요하다
는 것을 사과에 비유하여 말씀하셨습니다.

유형 분석 / 표현

소설 속 인물들은 말이나 행동을 통해 자신의 생각을 드러냅니다. 특
히 인물이 어떤 의도로 말하는지를 파악하기 위해서는 인물이 말하는
방식과 표현에 주목해야 합니다.

2 이 글은 엄마와 갈등하던 '내'가 엄마의 어린 시절의
이야기를 듣고 엄마를 이해하게 되며 정신적으로 성
장하는 이야기입니다.

023쪽　오늘의 어휘

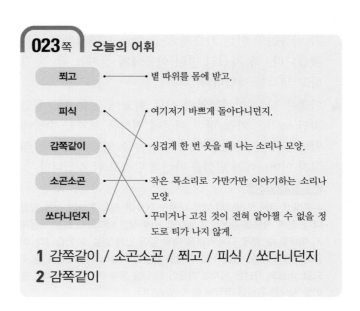

쬐고	•	•	볕 따위를 몸에 받고.
피식	•	•	여기저기 바쁘게 돌아다니던지.
감쪽같이	•	•	싱겁게 한 번 웃을 때 나는 소리나 모양.
소곤소곤	•	•	작은 목소리로 가만가만 이야기하는 소리나 모양.
쏘다니던지	•	•	꾸미거나 고친 것이 전혀 알아챌 수 없을 정도로 티가 나지 않게.

1 감쪽같이 / 소곤소곤 / 쬐고 / 피식 / 쏘다니던지
2 감쪽같이

• **글의 종류** 현대 소설
• **글의 특징** 연을 중심 소재로 하여 방황하는 아들을 바라보는 어머니의 마음을 그린 소설입니다.
• **글의 주제** 연을 날리다가 고향을 떠나는 아들을 바라보는 어머니의 마음
• **글 ❶ 중심 내용** 어머니는 가난한 처지 때문에 아들을 상급 학교에 보내지 못하고, 아들은 연을 날리며 마음을 달랩니다.

025쪽   지문 독해

1 ②   **2** ④   **3** 못을 박은   **4** ④

1 이 소설은 주로 어머니의 마음과 행동을 중심으로 쓰여 있습니다. 아들을 안쓰러워하는 마음, 걱정하는 마음 등 어머니의 마음이 말하는 이의 말을 통해 자세히 제시되고 있습니다.

2 어머니는 언제 어디서나 아들의 연을 볼 수 있었고, 연을 보면 아들의 얼굴을 보는 것 같았고, 아들의 마음을 보는 것 같았다고 하였습니다.

  오답 풀이
① 아들은 다른 아이들이 상급 학교에 간 다음에도 혼자 연을 날립니다.
② 아들이 매일 연을 날린 것은 상급 학교에 가지 못해 아쉬운 마음을 달래기 위한 것입니다.
③ 아들은 아버지가 없이 홀어머니와 함께 살고 있지만 가장 노릇을 하지는 않았습니다.
⑤ 아들이 먼저 상급 학교 안 보내 준 대신 연실이나 많이 만들어 달라고 한 것이지, 어머니가 아들에게 상급 학교 진학을 포기하면 그 대가로 연실을 마련해 주겠다고 한 것은 아닙니다.

3 어머니는 어미 곁에서 함께 땅이나 파고 살자던 소리가 아들놈의 어린 가슴에 못을 박은 모양이라고 생각했습니다. 즉 자신의 말이 아들에게 상처가 된 것 같다고 생각한 것입니다.

4 아들은 다른 아이들처럼 상급 학교에 진학하고 싶었지만 어려운 가정 형편 때문에 진학을 포기할 수밖에 없었습니다. 아들은 아쉬운 마음을 연날리기로 달래고자 어머니에게 연실을 마련해 달라고 한 것입니다.

  유형 분석/추론
추론이란 글에 드러나지 않은 내용을 미루어 짐작해 보는 것을 말합니다. 문학 작품을 추론하며 읽으면 글에 직접 나타나지 않은 내용까지 이해할 수 있게 되어 작품을 더욱 깊이 있게 읽을 수 있습니다. 이 글의 중심 사건은 상급 학교 진학을 단념한 아들이 연날리기를 한 것으로, 아들의 가난한 처지와 아들이 한 말을 통해 아들이 연날리기 놀이를 시작한 까닭을 짐작해 볼 수 있습니다.

026쪽   지문 분석

1

글의 내용	아들의 처지
• 우리 집 처지에 상급 학교가 당하기나 한 소리냐. • 어미 곁에서 함께 (땅)이나 파고 살자던 소리 • (연실) 마련이 어려워서 제철에는 남의 집 애들 연 띄우는 거나 곁에서 늘 부러워해 오던 녀석	• (상급 학교) 진학을 포기해야 하는 처지임. • 연실 마련도 어려울 정도로 집안 형편이 매우 가난함.

2

인물	한 일	성격
어머니	• (아들)을 위하여 큰맘 먹고 연실을 마련해 줌. • 하늘의 (연)을 보며 아들을 항상 생각함.	• 집요한 성격( ) • 경솔한 성격( ) • 자상한 성격(○) • 인색한 성격( )
아들	• (어머니)의 뜻대로 상급 학교 진학을 포기함. • 어머니에게 별다른 불평을 말하지 않고, (연날리기)에 집중함.	• 엉뚱한 성격( ) • 온순한 성격(○) • 융통성 없는 성격( )

1 아들은 상급 학교에 진학하고 싶어 하지만 가정 형편이 어려워 그럴 수 없는 상황에 놓여 있습니다.

2 어머니는 아들을 위해 어려운 형편에도 연실을 마련해 줍니다. 이는 꿈을 포기한 아들을 안쓰러워하는 어머니의 자상한 성격을 보여 줍니다. 또 아들은 상급 학교에 진학하고 싶지만 가정 형편을 생각해 어머니의 뜻을 따릅니다. 이는 아들의 온순한 성격을 드러냅니다.

027쪽   오늘의 어휘

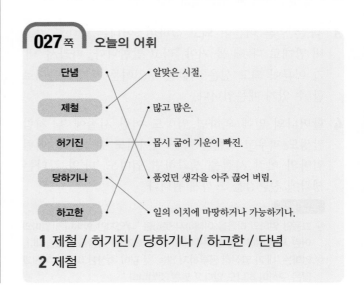

1 제철 / 허기진 / 당하기나 / 하고한 / 단념
2 제철

• **글 ❷ 중심 내용** 하늘에 떠 있는 연을 보며 안도감을 느끼던 어머니는 어느 날 연이 너무 높이 뜨고 바람이 드세자 불안해합니다. 결국 어머니는 연실이 끊어져 허공 속으로 사라지는 연을 보게 됩니다.

029 쪽   지문 독해

1 (1) ○   **2** ㉢   **3** (1) ㉮, ㉠   (2) ㉯, ㉡
4 ②, ④

1 글 **가** 는 갈등이 일어나는 '전개'에 해당하고, 글 **나** 는 그 갈등이 조금 더 커지는 '절정'에 해당합니다.

　유형 분석 / 갈래

소설 구조에는 발단, 전개, 절정, 결말이 있습니다. 제시문의 특징을 바르게 파악하여 어떤 구조에 해당하는지 찾아봅니다.
• 발단: 이야기의 사건이 시작되는 부분.
• 전개: 사건이 본격적으로 발생하고 갈등이 일어나는 부분.
• 절정: 사건 속의 갈등이 커지면서 긴장감이 가장 높아지는 부분.
• 결말: 사건이 해결되는 부분.

2 '녀석의 마음이 고이 머물고 있는 연의 위로를 감사할 뿐이었다.'에서 어머니의 생각을 알 수 있습니다.

3 비유하는 표현은 어떤 대상을 다른 대상에 빗대어 표현하는 것이기 때문에 두 대상 사이에는 공통점이 있습니다. '봄 하늘처럼 적막스럽고 외로운 아들의 모습', '빗살처럼 곧게 하늘로 뻗어 오르던 연실'에서 글에 쓰인 비유적 표현을 알 수 있습니다.

4 어머니가 불안감을 가지고 바라보던 연이 보이지 않는 상황은 긴장감을 느끼게 합니다. 평소에 어머니는 하늘에 떠 있는 연을 보며 아들이 마을을 떠나지 않고 자신 곁에 남아 있음을 확인합니다. 그리고 저녁이 되면 연이 다시 내려오듯이 어머니는 아들도 자신의 곁에 계속 머물러 주기를 바랐을 것입니다.

　오답 풀이

① 어머니는 아들의 마음이 마을에 고이 머물고 있기를 바랄 뿐, 본인이 자유롭게 지내고 싶은 마음을 드러내지는 않습니다. 이 글에서 어머니가 아닌 아들이 자신도 연처럼 자유롭게 지내길 바라며 연을 날리고 있습니다.
③ '이변'은 평소와 다른 예상치 못한 상황을 가리킵니다. 다른 날과 달리 연실이 끊어져 연이 하늘로 날아간 일은 아들과 어머니의 관계에 변화가 생길 것을 암시합니다.
⑤ 어머니는 연이 날아가고, 연실만 흘러 내려온 것을 보고 아들을 원망하기보다 아들이 떠난 것을 예감하였습니다.

030 쪽   지문 분석

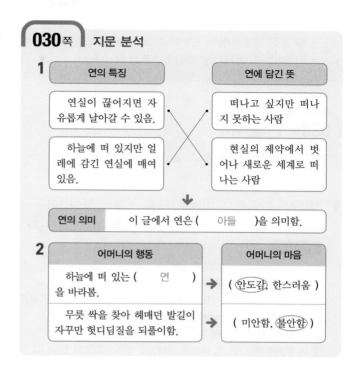

1 연은 새로운 세상으로 가고 싶은 아들을 의미합니다.

　유형 분석 / 소재 의미

소재가 지닌 상징적 의미를 파악하려면 먼저 소재의 속성부터 확인해야 합니다. 그리고 이와 견줄 수 있는 대상의 특성과 하나씩 비교해 봄으로써 그 의미를 파악할 수 있습니다.

2 연이 하늘에 떠올라 있는 동안엔 어머니도 아직은 마음을 놓을 수 있었다고 했으므로, 이를 통해 안도감을 확인할 수 있습니다. 그리고 연이 너무 높이 떠올라 있는 모습을 보며 어머니는 발을 자꾸 헛디디는데, 이는 아들이 떠날까 봐 불안해하는 마음을 드러낸 것입니다.

031 쪽   오늘의 어휘

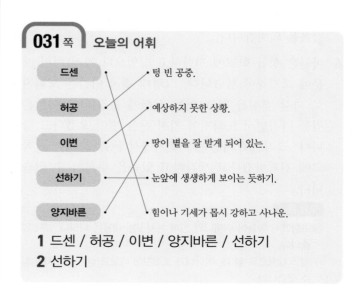

1 드센 / 허공 / 이변 / 양지바른 / 선하기
2 선하기

• 글 ❸ 중심 내용 아들이 도회지로 떠났음을 알게 된 어머니는 아들이 어딜 가든지 별 탈이 없기를 바랍니다.

033쪽 지문 독해

1 ① **2** ④ **3** ② **4** ㉒

1 이 글은 아들을 의미하는 연을 소재로 하여, 아들이 어머니 곁을 떠나는 내용에 대해 이야기하고 있습니다.

오답 풀이
② 이웃집 아이가 어머니에게 말을 하고 있으나 어머니와 아이가 갈등하는 것은 아닙니다.
③ 어머니의 말로 이야기를 끝맺고 있으나 이는 도회지로 떠난 아들이 별 탈 없기를 기원하는 내용으로 행복한 결말은 아닙니다.
④ 이 글은 시간적 흐름에 따라 전개되고 있습니다.
⑤ 이 부분에서는 공간적 배경을 자세하게 설명하고 있지 않습니다.

2 어머니는 연이 하늘로 사라진 것을 보며 아들이 자신의 곁을 떠났음을 짐작했기 때문에 이웃집 아이의 말을 듣고도 놀라는 빛이 없었습니다. 그러므로 아들이 도회지로 갔다는 사실을 믿지 않은 것은 아닙니다.

유형 분석 / 세부 내용
소설은 여러 명의 인물이 어떤 환경에서 겪는 사건들을 연결하여 만듭니다. 따라서 소설은 인물, 사건, 배경을 찾으면서 이야기의 흐름을 파악하며 읽어야 제대로 내용을 이해할 수 있습니다. 글에 등장하여 사건을 이끌어 가는 인물들이 누구인지 먼저 알아보고, 그 인물들이 한 일이 맞는지를 판단하며 글의 세부 내용을 확인해 봅니다.

3 이 글에서 연은 새로운 세상으로 나가고 싶은 아들을 상징합니다. 그러므로 연이 자취를 감추었다는 것은 곧 아들이 어머니 곁을 떠나 새로운 세상(도회지)으로 갔음을 의미합니다.

4 아들은 상급 학교에 진학하고 싶었으나 가정 형편 때문에 포기해야 했습니다. 그런데 결국 아들은 도회지로 나갈 결심을 하고 이를 실행에 옮깁니다. 아들은 집을 나가면서 도회지에 가서 돈을 벌어 오겠다고 합니다. 그러므로 아들은 도회지에서 돈을 벌어 상급 학교에 진학하겠다고 생각하고 있음을 추론할 수 있습니다.

오답 풀이
㉠ 고향에서 아들이 어머니와 함께 농사짓는 내용은 나타나 있지 않습니다.
㉡ 글의 내용으로 볼 때, 어머니가 도회지에 나오고 싶어 했는지는 알 수 없습니다.

034쪽 지문 분석

1

어머니는 (밭 언덕)에 주저앉아 연의 흔적이 시야에서 사라질 때까지 하늘을 봄.

↓

어머니는 (연)의 모습이 완전히 시야에서 사라진 뒤 한숨을 삼키며 일어남.

↓

어머니는 모든 것을 (체념)한 것 같은 거동으로 마을 길을 돌아감.

2

구절	"아가, 어딜 가거나 몸이나 성하거라……."
어머니의 마음	(아들)을 원망하기보다 아들의 앞날을 걱정함.

↓

주제	연을 날리다가 고향을 떠나가는 (아들)을 바라보는 (어머니)의 마음

1 어머니는 연의 모습이 시야에서 사라질 때까지 하염없이 바라보며 망연자실합니다. 그리고 완전히 사라진 뒤에는 결국 아들이 떠났음을 인정하며 한숨을 쉬고 체념을 하며 집으로 돌아옵니다.

2 어머니의 마지막 말에는 아들에 대한 염려, 그리고 별일이 없기를 바라는 마음이 담겨 있습니다. 이처럼 이 글은 자기의 곁을 떠난 아들을 걱정하는 어머니의 사랑에 대해 이야기하고 있습니다.

035쪽 오늘의 어휘

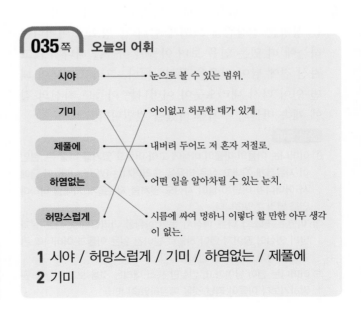

1 시야 / 허망스럽게 / 기미 / 하염없는 / 제풀에
2 기미

• **글의 종류** 현대 소설
• **글의 특징** 해방 직전과 직후를 배경으로 당시 혼란한 사회 속에서 자신에게 유리한 쪽에 붙어 행동한 기회주의자를 비판한 글입니다.
• **글의 주제** 기회주의적으로 행동하는 인물에 대한 비판
• **글 ❶ 중심 내용** 박 선생님과 강 선생님의 겉모습을 묘사하고 이들의 관계를 소개합니다.

037쪽 지문 독해

1 ②   **2** ③   **3** 큰 수캐   **4** ④

1 이 글의 말하는 이는 박 선생님의 작은 키와 큰 머리 등 겉모습을 우스꽝스럽게 표현하고 있습니다. 그리고 강 선생님과 다툴 때 한 뼘만 한 키에 그 무섭게 큰 머리통을 한 얼굴을 바싹 대든다고 하여 행동을 우스꽝스럽게 묘사하고 있습니다.

오답 풀이
① 이 글은 주변 인물인 '내'('우리'라는 말에 '나'가 포함됨.)가 주인공 '박 선생님'의 모습이나 행동을 관찰한 내용을 전하고 있습니다.
③ 제시된 글에서 인물들 간의 대화는 나타나 있지 않습니다.
④ 일제 강점기를 시간적 배경으로 하고, 학교를 공간적 배경으로 하여 사건이 일어나고 있습니다.
⑤ 이야기 안에 등장하는 학생인 '나'가 이야기를 전달하고 있습니다.

2 강 선생님은 허허 웃기를 잘하고, 별로 성을 내는 일이 없고, 아무하고나 장난을 잘한다고 하였습니다.

3 강 선생님과 박 선생님이 마주 서서 싸우는 모양은 마치 큰 수캐와 조그만 고양이가 마주 만난 형국이라고 했는데, 강 선생님이 더 몸집이 크므로 '수캐'는 강 선생님을, '고양이'는 박 선생님을 비유한 표현입니다.

유형 분석/표현
어떤 현상이나 사물을 직접 설명하지 않고, 다른 비슷한 현상이나 사물에 빗대어서 설명하는 것을 '비유'라고 합니다. 비유하는 표현을 사용하면 대상을 효과적으로 나타낼 수 있습니다. 비유를 할 때에는 원래 표현하려고 한 대상과 표현하기 위해 가져온 대상의 성질이나 색, 형태 등에 공통점이 있어야 하므로, 글에서 강 선생님과 공통점이 있는 표현을 찾으면 됩니다.

4 강 선생님과 박 선생님은 사이가 좋지 않습니다. 강 선생님이 박 선생님을 괜히 건드리는 것은 박 선생님의 행동이 마음에 들지 않기 때문일 것입니다. 그러나 박 선생님이 아이들을 괴롭히기 때문인지는 이 글에 나타나 있지 않습니다.

038쪽 지문 분석

1

별명	박 선생님의 특징	효과
뺌생, (뺌박)	혈서로 지원병을 지원했다 낙방할 만큼 키가 작음.	• 이 글을 읽는 사람들의 웃음을 유발함. • (박 선생님)에 대한 '나'의 부정적인 태도를 드러냄.
(대갈장군)	작은 몸집과 키에 비해 깜짝 놀랄 만큼 머리통이 큼.	

2

	박 선생님	강 선생님
외모	키가 작고 (예 사납게) 생김.	키가 크고 (예 순하게) 생김.
성격	너그럽지 못하고 화를 잘 냄.	마음이 넓고 여유로우며 온순함.

박 선생님과 강 선생님의 외모와 성격을 비교하여 그 차이를 드러냄으로써 박 선생님의 (긍정적인, **부정적인**) 모습을 두드러지게 보여 주고, 읽는 이가 박 선생님을 (동정적, **비판적**)으로 바라볼 수 있게 함.

1 인물을 우스꽝스럽게 표현한 별명은 읽는 이의 웃음을 유발하면서 인물에 대한 말하는 이의 부정적인 태도를 보여 줍니다.

2 박 선생님과 강 선생님은 외모와 성격, 태도 등에서 많은 차이를 보입니다. 이를 통해 작가는 박 선생님의 부정적인 모습을 더욱 강조하여 보여 주면서 읽는 이 또한 박 선생님을 부정적으로 인식하게 합니다.

039쪽 오늘의 어휘

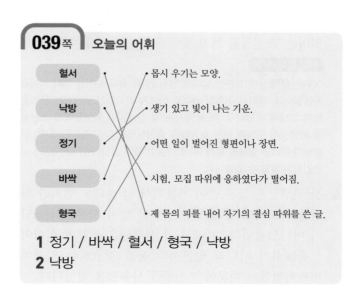

혈서 — 제 몸의 피를 내어 자기의 결심 따위를 쓴 글.
낙방 — 시험, 모집 따위에 응하였다가 떨어짐.
정기 — 생기 있고 빛이 나는 기운.
바싹 — 몹시 우기는 모양.
형국 — 어떤 일이 벌어진 형편이나 장면.

1 정기 / 바싹 / 혈서 / 형국 / 낙방
2 낙방

• 글 ❷ 중심 내용 박 선생님은 조선말을 쓰는 학생들에게 중한 벌을 주고, 강 선생님은 우리에게 말할 때 조선말을 사용합니다.

041쪽 지문 독해

1 ① 2 ⑤ 3 ④ 4 ②

1 말하는 이는 어린아이인 '나'로, 강 선생님이 일본 말에 서투르지 않은데도 조선말을 쓰는 이유를 알지 못하고 있습니다. 즉 어른들의 행동을 잘 이해하지 못한 어린아이의 시선에서 이야기를 서술하고 있습니다.

오답 풀이
② 일본이 조선말을 사용하지 못하게 하는 사실을 이야기하고 있으나 왜 그렇게 하는지에 대해서는 말하고 있지 않습니다.
③ 이 글에서 '내'가 일본의 지배에서 벗어나기를 바라는지에 대해서는 말하고 있지 않습니다.
④ 관직에 있는 조선 사람들이 일본 말을 쓰는 경우에 대해 말하고는 있으나 그들에 대해 거부감이 있는지는 말하고 있지 않습니다.
⑤ 친구와 싸울 때 자기도 모르게 조선말이 나온 것이지 조선말로 싸워야 한다고 생각한 것은 아닙니다.

2 당시에는 일본 말을 '국어'라고 하면서 조선 사람들에게 일본 말만 사용하게 했습니다. 학교 안에서는 일본 말만 써야 하고, 관료들은 평소에도 일본 말만 사용했습니다. 그러나 대부분의 사람들은 일본 사람이 없는 곳이나 학교 밖에서는 조선말로 대화했습니다.

3 학교에서고 학교 밖에서고 조선말을 하다 선생님한테 들키면 경치는 판이었다고 하면서 가장 심하게 한 선생님이 박 선생님이라고 했으므로, '밝히는'의 문맥적 의미는 '조선말을 쓰지 못하게 하는'입니다.

유형 분석 / 어휘
어휘는 문맥(글에 표현된 의미의 앞뒤 연결) 속에서 여러 가지 의미로 사용됩니다. 따라서 어휘의 의미를 바르게 파악하기 위해서는 문맥을 함께 이해해야 합니다. 이 글에서는 박 선생님이 학생들에게 조선말을 사용하지 못하게 하는 행동들을 중점적으로 다루고 있는데, 박 선생님의 이러한 행동을 통해 '박 선생님이 제일 심하게 밝히는 것'이 무엇인지 파악할 수 있습니다.

4 강 선생님은 일본 말이 서툴러서 안 쓴다고 했지만 학생들이 보기에 강 선생님은 일본 말이 서투른 선생님이 아니었습니다. 따라서 강 선생님은 일본어 실력이 부족해서가 아니라 일본어 사용을 강요하는 일제에 비판적이었기 때문에 조선말을 사용했을 것입니다.

042쪽 지문 분석

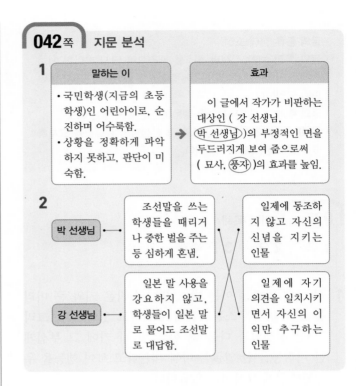

1 이 글의 '나'는 국민학생으로 사회적인 상황을 잘 파악하지 못하고 있습니다. 작가는 이를 통해 부정적인 대상을 더욱 효과적으로 풍자하고 있습니다.

2 일본 말 사용에 대해 박 선생님과 강 선생님은 정반대의 태도를 보입니다.

유형 분석 / 인물 성격
소설에서 인물의 성격은 서술자가 직접 이야기할 수도 있고, 인물의 행동이나 말을 통해 간접적으로 보여 줄 수도 있습니다. 이 글에서는 인물의 행동이 서로 다른 두 인물을 제시하여 인물의 특성을 더욱 두드러지게 하였습니다. 특정 소재나 상황에 대한 두 인물의 태도를 비교하여 각 인물의 특성을 파악해 봅니다.

043쪽 오늘의 어휘

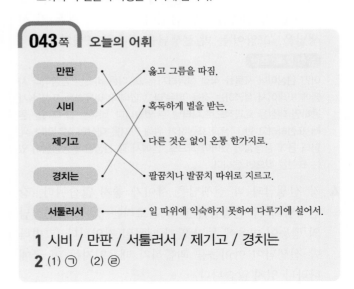

1 시비 / 만판 / 서툴러서 / 제기고 / 경치는
2 (1) ㉠ (2) ㉣

• **글 ❸ 중심 내용** 파면된 강 선생님 대신에 교장이 된 박 선생님은 이제 일본 대신 미국을 찬양하고, 이런 박 선생님을 '나'는 이상하게 생각합니다.

045쪽　지문 독해

1 ⑤　**2** 침이 마르도록　**3** ⑤　**4** ⑤

1 박 선생님은 해방 전에는 일본을 찬양하다가 해방 후에는 미국을 찬양합니다. 상황에 따라 달라지는 이러한 박 선생님의 태도가 어린아이의 눈에는 이상하게 보인 것입니다. 그러므로 제목에는 박 선생님의 기회주의적인 태도에 대한 비판이 담겨 있는 것으로 이해할 수 있습니다.

2 '뻠박 박 선생님은 미국을 침이 마르도록 칭찬했다.'라고 했는데 이는 미국을 지나치게 찬양하는 박 선생님의 태도를 나타낸 것입니다.

유형 분석/표현

박 선생님은 일제 강점기에는 친일적 태도를 취하고, 광복 직후에는 친미적 태도를 취하고 있습니다. 이와 같이 끊임없이 미국을 칭찬하는 박 선생님의 태도를 빗대어 '침이 마르도록'이라고 표현하였습니다. 시뿐만 아니라, 소설에서도 표현에 담긴 의미를 바르게 파악해야 글을 제대로 이해할 수 있습니다.

3 박 선생님의 말을 듣고 우리는 이번에는 기미가요 대신 미국 신민 서사를 불러야 하나 보다고 생각했다고 했습니다. 따라서 기미가요와 미국 신민 서사를 함께 불러야 했던 것은 아닙니다.

오답 풀이

① 강 선생님이 파면을 당한 뒤를 물려받아 뻠박 박 선생님이 교장 선생님이 되었다고 했습니다.
② 뻠박 박 선생님은 우리 조선은 미국 덕분에 해방이 되었다고 말했습니다.
③ 우리가 혹시 말끝에 "미국 놈……."이라고 하면, 뻠박 박 선생님은 단박 붙잡아다 벌을 세우곤 했습니다.
④ 우리는 뻠박 박 선생님에게 미국에도 덴노헤이까가 있느냐고 물었습니다.

4 이 글의 박 선생님은 일본을 찬양하다 미국을 찬양하는 등 그때그때 자신에게 이익이 되는 쪽의 편을 드는 사람입니다. 이러한 사람을 기회주의자라고 합니다. 기회주의적인 사람은 상황에 따라 자신에게 이익이 되는 사람만 가까이합니다.

046쪽　지문 분석

1

주장	근거
• 미국을 고맙게 여겨야 한다. • 미국이 시키는 대로 순종해야 한다.	• 미국에도 조선 사람들이 잘 살도록 근심하는 덴노헤이까가 있기 때문이다. (　) • 미국이 조선 사람들을 위해 양식, 옷감 등을 골고루 가져다주기 때문이다. (○) • 미국이 자기 나라 백성을 죽여 가며 조선의 독립을 위해 전쟁했기 때문이다. (○)

2

'나'의 눈에 비친 박 선생님
해방 전에는 (일본)을 찬양하다가 해방 후에는 (미국)을 찬양함. '나'는 박 선생님을 이상한 선생님이라고 생각함.

↓

글의 주제
기회주의적인 인물에 대한 비판

1 박 선생님은 미국을 찬양하는 태도를 보이는데 그 근거로 조선의 독립을 위해 미국이 전쟁했으며, 조선인들을 위해 온갖 물자를 주었다고 말하고 있습니다.

2 '나'는 박 선생님을 이상한 선생님이라고 생각하는데 이는 박 선생님이 해방 전과 해방 후에 전혀 다른 태도를 보이기 때문입니다. 이를 통해 작가는 박 선생님과 같은 기회주의적인 인물을 비판하고 있습니다.

유형 분석/주제

소설에서 인물의 태도가 어떻게 달라졌는지, 그러한 인물에 대해 말하는 이는 어떻게 생각하는지를 찾아 작가가 궁극적으로 하고자 하는 이야기를 파악해 봅니다.

047쪽　오늘의 어휘

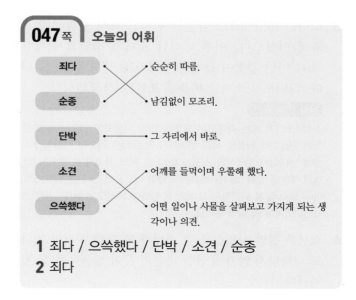

죄다	순순히 따름.
순종	남김없이 모조리.
단박	그 자리에서 바로.
소견	어깨를 들먹이며 우쭐해 했다.
으쓱했다	어떤 일이나 사물을 살펴보고 가지게 되는 생각이나 의견.

1 죄다 / 으쓱했다 / 단박 / 소견 / 순종
2 죄다

- **글의 종류** 현대 소설
- **글의 특징** 순수한 시골 소년과 서울 소녀의 맑고 풋풋한 사랑을 그려 낸 이야기입니다.
- **글의 주제** 소년과 소녀의 순수한 사랑
- **글 ❶ 중심 내용** 소녀는 자신에게 말을 걸지 않는 소년에게 조약돌을 던지고 소년은 그것을 주머니에 집어넣습니다.

049쪽   지문 독해

1 ⑤   **2** ④   **3** ②   **4** ③

1 이 글은 소년과 소녀의 순수한 사랑에 대한 이야기로, '개울가, 징검다리, 조약돌, 갈밭, 갈꽃' 등 현실에서 흔히 접할 수 있는 소재를 주로 사용하여 향토성을 드러냅니다.

[오답 풀이]
① 시간의 흐름에 따라 사건이 순차적으로 전개되고 있습니다.
② '가을 햇살, 갈꽃'이란 말에서 계절적 배경이 가을이라는 것을 보여 주고, '개울가, 징검다리' 등의 말에서 공간적 배경이 나타나 있습니다.
③ 소녀의 옷차림부터 겉모습 등을 자세하게 나타내고 있습니다.
④ 한 문장이 길지 않고, 글 전체에서 소녀의 모습을 아름답게 표현하고 있습니다.

2 소녀는 소년이 자신에게 말을 걸어 주기를 바라는 마음으로 징검다리에서 물장난을 하였습니다. 그리고 소년이 가까이 있는 것을 알았기 때문에 징검다리를 건너다가 돌아서 소년을 향해 조약돌을 던지며 "이 바보."라고 말한 것입니다.

3 소녀는 소년에게 조약돌을 던지고 나서 갈밭 사잇길로 들어섰으며, 이후 나타난 소녀가 소년의 눈에는 '소녀 아닌 갈꽃이 들길을 걸어가는 것'처럼 보였습니다. 그러므로 소녀를 비유한 표현은 '갈꽃'입니다.

[유형 분석 / 표현]
소설 「소나기」에는 아름다운 표현이 많이 사용되어 있습니다. 특히, 어떤 현상이나 사물을 직접 설명하지 않고 다른 비슷한 현상이나 사물에 빗대어서 설명하여 소설을 마치 한 편의 시처럼 표현했습니다. 여러 부분에 걸쳐 소녀를 비유한 표현이 나오는데, '소년은 이 갈꽃이 아주 뵈지 않게 되기까지 그대로 서 있었다.'에서도 소녀를 갈꽃으로 표현하였음을 꼭 알아 두세요.

4 소년은 갈밭 사잇길로 간 소녀가 꽤 오랜 시간이 지나도 나타나지 않자 궁금한 마음이 들어 발돋움을 한 것입니다.

050쪽   지문 분석

1 (㉯) ➜ (㉣) ➜ (㉰) ➜ (㉮)

2

인물	한 일	성격
소녀	• 징검다리 (한가운데, 가장자리)에 앉아 물장난을 함. • 소년을 향해 돌아서서 "이 바보."라고 말하며 (갈꽃, 조약돌)을 던짐.	(적극적, 소극적)이고 당당함.
소년	• 소녀가 비켜 주기만을 기다리며 (개울둑, 징검다리)에 앉음. • 다음 날 (늦게, 일찍) 개울가로 나옴.	(의심, 부끄러움)이 많고 자신감이 없음.

1 시간의 흐름에 따라 소년과 소녀가 어떤 일을 하였는지 차례대로 살펴봅니다.

[유형 분석 / 사건 전개]
소설 속 사건 전개 과정을 파악하려면 이야기의 흐름을 생각하며 글을 읽고, 중요한 사건을 차례대로 정리하면 됩니다. 이 글은 시간 순서에 따라 소년과 소녀가 한 행동이 나타나 있으므로, 소년과 소녀가 한 일을 차례대로 살펴봅니다.

2 소년이 말을 걸어 주기를 바라는 소녀는 소년이 말을 걸지 않자 바보라고 말하며 조약돌을 던집니다. 이를 통해 소녀는 자신의 감정을 솔직하게 표현하는 적극적인 성격임을 알 수 있습니다. 반면 소년은 소녀에게 비켜 달라는 말을 못 하고 다음 날은 아예 더 늦게 나오는데 이는 소년의 소극적인 성격을 보여 줍니다.

051쪽   오늘의 어휘

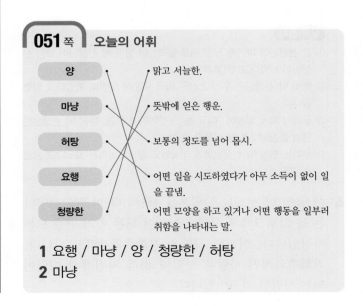

양	맑고 서늘한.
마냥	뜻밖에 얻은 행운.
허탕	보통의 정도를 넘어 몹시.
요행	어떤 일을 시도하였다가 아무 소득이 없이 일을 끝냄.
청량한	어떤 모양을 하고 있거나 어떤 행동을 일부러 취함을 나타내는 말.

1 요행 / 마냥 / 양 / 청량한 / 허탕
2 마냥

- 글 ❷ 중심 내용 소녀는 소년에게 대추를 건네며 이사 소식을 전하고 이에 소년은 아쉬움을 느낍니다.

053쪽　지문 독해

1 ②　**2** ②, ④　**3** ③　**4** 준수

1 이 글에서 말하는 이는 이야기 속에는 등장하지 않고, 이야기 밖에서 이사를 간다는 소녀의 말에 대한 소년의 생각과 속마음을 직접 말하고 있습니다.

유형 분석 / 갈래

소설과 같은 문학 작품 속에서 이야기를 전해 주는 인물을 '말하는 이' 또는 '서술자'라고 합니다. 말하는 이는 그 위치가 작품 속에 있는지, 작품 밖에 있는지에 따라 나눌 수 있고, 또 인물의 속마음까지 전달하는지, 인물과 사건을 객관적으로 관찰하는지에 따라 나눌 수 있습니다. 소설 「소나기」는 작품 밖의 말하는 이가 인물의 속마음, 사건의 처음과 끝 등을 다 알고 말해 주고 있습니다.

2 소년과 소녀의 대화 내용으로 볼 때, 그날 소년과 소녀는 소나기를 맞았고 소녀가 입고 있던 분홍 스웨터에 검붉은 진흙물 같은 물이 들었음을 알 수 있습니다.

오답 풀이

① 그날 소년과 소녀가 소나기를 맞아서 그날 이후 소녀가 앓았던 것입니다.
③ 소녀가 소년을 업고 도랑을 건넌 것이 아니라 소년이 소녀를 업고 물이 불어난 도랑을 건넜습니다.
⑤ 오늘 소녀가 소년에게 대추 한 줌을 내어 주며 이사 소식을 알리고 있습니다.

3 소녀네는 사업에서 실패해서 고향에 돌아왔는데, 고향 집마저 남의 손에 넘기게 되었습니다. 이런 경우에는 '어렵거나 나쁜 일이 겹치어 일어나다.'라는 뜻을 가진 관용구가 가장 잘 어울립니다.

오답 풀이

① 눈독 들이다.: '욕심을 내어 눈여겨보다.'라는 뜻입니다.
② 찬물을 끼얹다.: '잘되어 가고 있는 일에 뛰어들어 분위기를 흐리거나 공연히 트집을 잡아 훼방을 놓다.'라는 뜻입니다.
④ 간담이 서늘하다.: '몹시 놀라서 섬뜩하다.'라는 뜻입니다.
⑤ 뒤통수를 때리다.: '믿음과 의리를 저버리다.'라는 뜻입니다.

4 소년은 소녀와 헤어져 돌아오면서 소녀가 이사를 간다는 말을 속으로 수없이 되뇌고 있습니다. 이는 소녀가 이사 가는 것을 아쉬워하는 소년의 마음을 나타낸 것으로, 이 때문에 소년은 대추알의 단맛도 못 느끼고 있는 것입니다.

054쪽　지문 분석

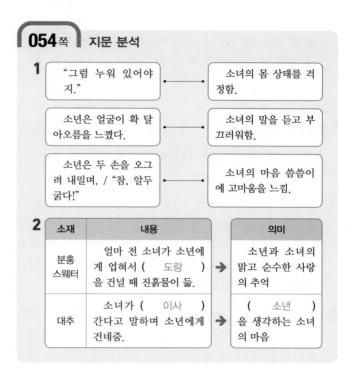

1

"그럼 누워 있어야지."	소녀의 몸 상태를 걱정함.
소년은 얼굴이 확 달아오름을 느꼈다.	소녀의 말을 듣고 부끄러워함.
소년은 두 손을 오그려 내밀며, / "참, 알두 굵다!"	소녀의 마음 씀씀이에 고마움을 느낌.

2

소재	내용		의미
분홍 스웨터	얼마 전 소녀가 소년에게 업혀서 (도랑)을 건널 때 진흙물이 듦.	→	소년과 소녀의 맑고 순수한 사랑의 추억
대추	소녀가 (이사) 간다고 말하며 소년에게 건네줌.	→	(소년)을 생각하는 소녀의 마음

1 소년의 말이나 행동을 보고, 소년의 마음이 어떠할지 알맞게 짐작해 봅니다.

2 이야기가 진행되는 과정에서 분홍 스웨터와 대추가 어떤 의미를 지니는지 생각하며 빈칸을 채워 봅니다.

유형 분석 / 소재 의미

소설에는 다양한 소재가 등장하여 사건 전개 과정에서 일정한 역할을 하기도 합니다. 이때 소재가 어떤 상황에서 어떤 용도로 쓰이고 있는지를 확인하여 소재의 의미와 기능을 파악할 수 있습니다.

055쪽　오늘의 어휘

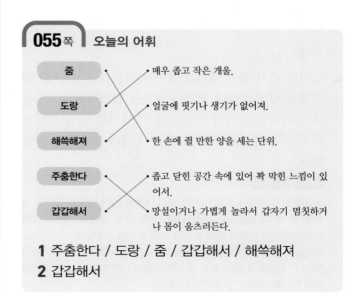

줌	매우 좁고 작은 개울.
도랑	얼굴에 핏기나 생기가 없어져.
해쓱해져	한 손에 쥘 만한 양을 세는 단위.
주춤한다	좁고 닫힌 공간 속에 있어 꽉 막힌 느낌이 있어서.
갑갑해서	망설이거나 가볍게 놀라서 갑자기 멈칫하거나 몸이 움츠러든다.

1 주춤한다 / 도랑 / 줌 / 갑갑해서 / 해쓱해져
2 갑갑해서

· **글 ❸ 중심 내용** 소년은 아버지와 어머니의 대화를 듣고 소녀가 죽었다는 사실을 알게 됩니다.

057쪽 지문 독해

1 ② **2** ④ **3** 소녀의 죽음 **4** ②

1 소설의 결말 부분으로 인물들의 대화를 통해 소녀의 죽음을 간접적으로 제시하고 있습니다. 말줄임표를 사용해 일부 내용을 생략하여 독자에게 감동과 여운을 주고 독자의 상상력을 자극합니다. 그러나 중심인물의 가치관을 변화시키지는 않았습니다.

2 이 글의 결말을 보면 소년은 아버지와 어머니의 대화를 통해 소녀가 죽었다는 사실을 알게 됩니다. 하지만 소년의 반응이 어떠했는지는 글에 직접 드러나 있지 않습니다.

〔오답 풀이〕
① 소년은 내일 소녀네가 이사하는 것을 알고, 소녀를 보러 갈 것인지 마음속으로 갈등하였습니다.
② 소년은 마을 어른들의 말을 통해 소녀네의 이사 소식을 알게 됩니다. 그리고 그날 밤 소년은 잠자리에 누워서도 소녀를 보러 갈 것인지 생각하였습니다.
③ 소년은 아버지가 윤 초시 댁에 간다는 것을 알고 큰 수탉으로 가져가라고 아버지에게 말하였습니다.
⑤ 소년은 어른들의 말을 듣고 소녀네가 양평읍으로 이사를 갈 것이고, 양평읍에 가서는 조그마한 가겟방을 보게 될 것임을 알게 되었습니다.

3 '악상'은 자식이 죽는 경우를 이르는 말입니다. 이 글에서 악상은 소녀가 어린 나이에 죽은 사건을 가리킵니다.

4 소녀는 죽기 전에 자기가 죽거든 자기가 입던 옷을 꼭 그대로 입혀서 묻어 달라는 유언을 남겼습니다. 이 옷은 소년과의 추억이 담긴 분홍 스웨터로 이는 소년과의 추억을 간직하고 싶어 하는 소녀의 마음을 나타냅니다.

〔유형 분석/추론〕
소설에 직접 나타나 있지 않지만 앞뒤 내용을 통해 인물의 마음을 짐작해 볼 수 있습니다. 이 소설에서는 특히, 주변 인물인 소년의 아버지와 어머니의 대화를 통해 소녀의 사연과 소설의 결말을 간접적으로 제시하여 문학적인 감동과 여운을 남기고, 읽는 이의 상상력을 자극합니다. 소년과 소녀의 짧고 순수한 사랑과 관련지어 소녀의 유언에 담긴 의미를 파악해 볼 수 있습니다.

058쪽 지문 분석

1

소년이 한 일
· 소년이 갈림길에서 아래쪽으로 가 (양평읍, ⊙서당골) 마을을 바라봄.
· 소년이 주머니 속의 (조약돌, ⊙호두알)을 만지작거림.
· 소년이 (⊙갈꽃, 진달래꽃)을 휘어 꺾음.

↓

소년의 마음속 갈등
소년은 (⊙소녀, 윤 초시)를 그리워하고 있으나 직접 보러 가지는 못하고 마음속으로 (갈등, ⊙체념)하고 있음.

2

제목의 의미	주제
제목: (소나기) → 갑자기 세차게 내렸다가 곧 그치는 비.	갑자기 왔다가 금방 사라지는 (소나기)처럼 짧게 끝나 버린 (소년)과 소녀의 순수한 사랑

1 소년의 구체적인 행동들로 보아, 소년은 소녀를 그리워하는 마음이 있지만 직접 소녀에게 가지 못하고 갈등하고 있음을 알 수 있습니다.

2 이 글은 갑자기 세차게 쏟아졌다가 곧 그치는 소나기처럼 짧게 끝나 버린 소년과 소녀의 순수한 사랑을 이야기하고 있습니다.

〔유형 분석/주제〕
소설의 제목은 많은 의미를 가지고 있습니다. 따라서 항상 글의 주제를 찾을 때 제목을 꼭 유념하여 살펴보아야 합니다. '소나기'라는 이 소설의 제목은 원래 '소나기'의 뜻처럼 짧게 끝나 버린 인물들의 사랑을 상징하고 있습니다.

059쪽 오늘의 어휘

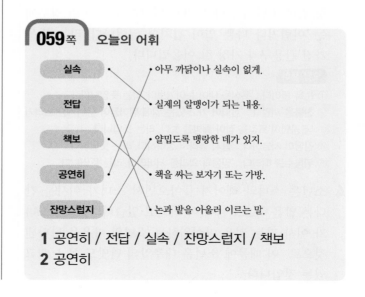

· 아무 까닭이나 실속이 없게.
· 실제의 알맹이가 되는 내용.
· 얄밉도록 맹랑한 데가 있지.
· 책을 싸는 보자기 또는 가방.
· 논과 밭을 아울러 이르는 말.

실속
전답
책보
공연히
잔망스럽지

1 공연히 / 전답 / 실속 / 잔망스럽지 / 책보
2 공연히

- **글의 종류** 현대 소설
- **글의 특징** 용이가 꿩이 날아오르는 모습을 보고 용기를 얻어 자신을 괴롭히던 아이들에게 당당하게 맞서는 과정을 그린 소설입니다.
- **글의 주제** 부당한 일에 당당하게 맞서는 용기
- **글 ❶ 중심 내용** 용이는 학교를 그만두겠다고 투정을 부리고 어머니는 조금만 참으라고 설득합니다.

061쪽　지문 독해

1 ④, ⑤　**2** ④　**3** ④　**4** 영준

1 '책 보퉁이'는 책을 보자기에 싸서 꾸려 놓은 것을 말합니다. 이는 책가방이 없던 시절에 사용한 것으로, 이 글의 시대적 배경을 짐작할 수 있게 합니다. '국민학교' 역시 지금의 초등학교를 가리키는 말로, 이 글의 시대적 배경을 짐작할 수 있습니다.

오답 풀이
① '참꽃'은 진달래꽃으로 봄이라는 계절적 배경을 드러냅니다.
② '산기슭'은 일이 일어난 공간적 배경을 드러냅니다.
③ '밭둑길'은 밭둑 위에 난 길로, 오늘날에도 농촌에 가면 볼 수 있는 길입니다.

2 용이는 아버지가 남의 집 머슴살이를 한다는 이유로 학교 갈 때 다른 아이들의 책 보퉁이까지 대신 메고 가는 게 싫어서 어머니와 갈등하게 되었습니다. 그런데 아버지가 올해만 하고 머슴살이를 그만둘 거라는 어머니의 말을 듣고 일 년만 더 참기로 하였습니다.

유형 분석/세부 내용
한 편의 소설에는 여러 인물들 간의 갈등이 다양하게 나옵니다. 갈등의 기능은 여러 가지인데, 갈등은 인물의 성격과 가치관을 드러내거나 갈등 해결 과정에서 주제를 드러내기도 합니다. 이 소설에서는 용이와 엄마, 용이와 아이들의 갈등이 나오는데 용이가 학교 가지 않겠다고 하여 생긴 엄마와의 갈등은 엄마가 들려준 아버지의 소식으로 해결이 되지요. 이처럼 갈등은 사건을 전개시키는 기능도 합니다.

3 ㉠: 용이는 속상해서 학교에 안 간다고 말했습니다. ㉡: 일 년만 참으면 된다는 생각에 희망을 가진 용이가 학교 갈 준비를 했습니다. ㉢: 용이는 반복되는 현실에 답답한 마음이 들었을 것입니다.

4 용이는 4학년이 되어서도 아이들의 책 보퉁이를 메고 다녀야 하는 게 부끄럽다고 했습니다. 이러한 용이를 안쓰럽게 여기는 것이 알맞은 감상입니다.

062쪽　지문 분석

1

용이	순이
아버지가 (머슴살이)를 한다는 이유로 다른 아이들의 책 보퉁이를 대신 메고 학교에 감.	아이들이 (곰보딱지)라고 놀려서 (학교)를 그만두고 들로 나가 나물을 캠.

공통점	아버지의 직업이나 자신의 외모와 같은 외적인 조건 때문에 다른 아이들에게 괴롭힘을 당함.

2

용이	아이들
남의 책 보퉁이를 대신 메고 학교 가는 것이 (부끄럽고 당황스럽고) 답답함.	용이 아버지가 머슴살이를 하니 용이도 (친구, 머슴)처럼 남의 짐을 날라 주어야 한다고 생각함.

갈등한 결과	용이가 (정당한, 부당한) 요구를 거절하지 못하고 아이들의 책 보퉁이를 대신 메고 감.

1 용이와 순이는 아버지의 직업이나 외모 같은 외적인 조건 때문에 다른 아이들에게 괴롭힘을 당하는 공통점이 있습니다.

2 이 글에는 남의 책 보퉁이를 대신 메고 싶지 않지만 어쩔 수 없이 메고 가야 하는 용이의 상황이 나타나 있습니다. 이를 통해 겉으로 드러나 있지는 않지만 용이가 아이들과 갈등하고 있음을 알 수 있습니다.

063쪽　오늘의 어휘

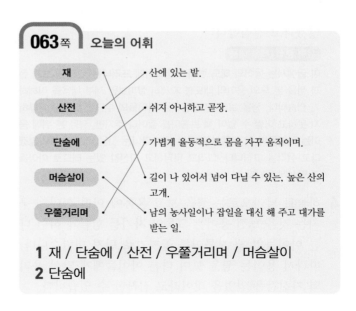

재 • — • 산에 있는 밭.
산전 • — • 쉬지 아니하고 곧장.
단숨에 • — • 가볍게 율동적으로 몸을 자꾸 움직이며.
머슴살이 • — • 길이 나 있어서 넘어 다닐 수 있는, 높은 산의 고개.
우쭐거리며 • — • 남의 농사일이나 잡일을 대신 해 주고 대가를 받는 일.

1 재 / 단숨에 / 산전 / 우쭐거리며 / 머슴살이
2 단숨에

· **글 ❷ 중심 내용** 용이는 자기를 보며 수군거리는 아이들의 모습에 화가 나 돌멩이를 골짜기 아래로 던지고, 그 순간 날아오르는 꿩을 보며 용기가 생겨 아이들의 책 보퉁이를 골짜기로 집어 던집니다.

065쪽 지문 독해

1 ⑤   **2** 돌멩이   **3** ④   **4** ①

1 용이는 저학년 아이들이 자기를 비웃는 말에 화가 나 돌멩이를 골짜기 아래로 던집니다. 그 순간 날아오르는 꿩을 보며 용기가 생겨 아이들의 책 보퉁이를 골짜기로 집어 던집니다. 이 행동은 용이의 변화된 모습을 나타내는 것으로 이 글의 중심 사건에 해당합니다.

〔오답 풀이〕
① 용이의 마음이 변하게 된 계기이지만 그 자체가 중심 사건은 아닙니다.
② 용이가 꿩에게 돌을 직접 던진 것은 아닙니다.
③ 용이가 고개를 향해 뛰어 올라간 것은 아이들의 책 보퉁이를 던진 후 홀가분한 상태에서 한 일입니다.
④ 2, 3학년 아이들이 용이에 대해 수군거린 것은 용이를 화나게 하여 용이가 돌멩이를 골짜기에 던지게 합니다. 이는 중심 사건이 일어나게 되는 원인이지 그 자체가 중심 사건은 아닙니다.

2 용이는 자신의 처지에 대해 화가 난 마음을 돌멩이를 던지는 것으로 표현하고 있습니다.

3 용이는 하늘로 날아오르는 꿩을 보며 자신감을 얻어 아이들의 책 보퉁이를 골짜기로 집어 던집니다. 그리고 앞으로는 아이들의 책 보퉁이를 대신 메고 다니지 않겠다고 결심합니다.

〔유형 분석 / 세부 내용〕
이 글에서는 용이의 태도 변화가 명확하게 드러나는데, 꿩을 보기 전과 꿩을 본 후의 용이의 태도를 자세히 살펴보면 세부 내용을 이해하기 쉽습니다. 꿩을 보기 전에 용이는 아이들의 부당한 요구를 거부하지 못하고 어쩔 수 없이 책 보퉁이를 들어다 주지만, 꿩을 본 뒤에 용이는 아이들의 책 보퉁이를 대신 메고 다니는 짓을 다시는 하지 않겠다고 생각을 고칩니다. 그리고 당당하고 자신감 있는 태도로 아이들과 맞서게 됩니다.

4 하늘로 날아오르는 꿩을 보고 온몸에 어떤 힘이 솟구치는 것을 느낀 용이는 그동안 자기를 힘들게 하던 다른 아이들의 책 보퉁이를 골짜기로 던져 버렸습니다. 따라서 용이는 꿩을 보며 다른 아이들에게 맞설 용기와 자신감을 얻었을 것이라고 짐작할 수 있습니다.

066쪽 지문 분석

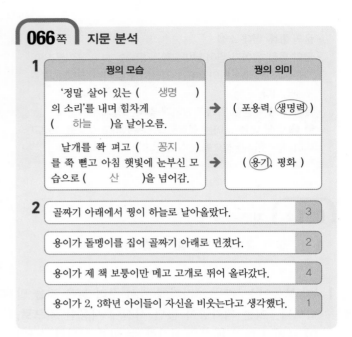

1

꿩의 모습		꿩의 의미
'정말 살아 있는 (생명)의 소리'를 내며 힘차게 (하늘)을 날아오름.	→	(포용력, (생명력))
날개를 쫙 펴고 (꽁지)를 쭉 뻗고 아침 햇빛에 눈부신 모습으로 (산)을 넘어감.	→	((용기), 평화)

2

골짜기 아래에서 꿩이 하늘로 날아올랐다.	3
용이가 돌멩이를 집어 골짜기 아래로 던졌다.	2
용이가 제 책 보퉁이만 메고 고개로 뛰어 올라갔다.	4
용이가 2, 3학년 아이들이 자신을 비웃는다고 생각했다.	1

1 용이는 날아오르는 꿩의 날갯짓에서 생명력을 느끼고, 꿩을 보며 용기와 자신감을 얻었습니다. 따라서 '꿩'은 생명력과 용기, 자신감 등을 상징한다고 할 수 있습니다.

〔유형 분석 / 소재 의미〕
소설에서 소재는 상징적 의미를 부여받아 글의 의미를 더욱 풍성하게 하기도 합니다. 이 글에서는 주요 소재인 '꿩'이 어떤 의미를 지니는지를 꿩에 대해 쓴 구절을 바탕으로 파악해야 합니다.

2 시간의 흐름에 따라 사건이 어떻게 전개되고 있는지 살펴봅니다.

067쪽 오늘의 어휘

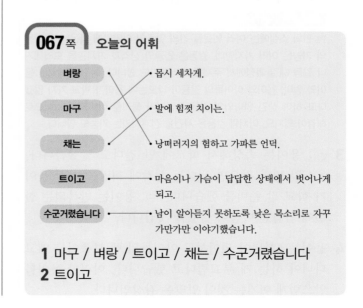

벼랑	몹시 세차게.
마구	발에 힘껏 치이는.
채는	낭떠러지의 험하고 가파른 언덕.
트이고	마음이나 가슴이 답답한 상태에서 벗어나게 되고.
수군거렸습니다	남이 알아듣지 못하도록 낮은 목소리로 자꾸 가만가만 이야기했습니다.

1 마구 / 벼랑 / 트이고 / 채는 / 수군거렸습니다
2 트이고

• 글 ❸ 중심 내용 용이는 아이들에게 당당하게 맞서고 두 팔을 내저으며 학교를 향해 달려갑니다.

069쪽 지문 독해

1 ② **2** ③ **3** (3) ○ **4** ④

1 이 글은 주인공인 용이의 말과 행동을 통해 자신감이 생긴 용이의 태도를 드러내고 있습니다.

> **오답 풀이**
>
> ① 이야기 속에 또 다른 이야기가 들어 있는 구조를 액자식 구조라고 합니다. 이 글은 액자식 구조로 이루어져 있지 않습니다.
> ③ 특정 자연물(꿩)에 대한 서로 다른 인물들의 생각은 이 글에 나타나 있지 않습니다.
> ④ 이 글에는 새로운 인물이 등장하고 있지 않습니다.
> ⑤ 이 글에서 배경이 되는 시간을 묘사하여 앞으로 일어날 갈등을 알려 주고 있지는 않습니다.

2 용이는 아이들을 피해서 발밑에 있는 돌 두 개를 거머쥐고 커다란 바윗돌 위로 뛰어올랐을 뿐입니다. 용이가 거머쥔 돌을 실제로 아이들을 향해 던지지는 않았습니다.

3 ㉠은 용이가 꿩 같다고 직접 비유하였으므로 직유법을 사용한 표현임을 알 수 있습니다. (3)도 '그'를 '여우'에 직접 비유하였으므로 직유법을 사용한 문장입니다.

> **오답 풀이**
>
> (1) 꽃이 사람처럼 웃는다고 표현했습니다. 사람이 아닌 것을 사람처럼 표현한 의인법을 사용한 문장입니다.
> (2) 부모님의 사랑을 바다에 비유하여 표현했습니다. '~은 ~이다'라고 표현하였으므로 은유법을 사용한 문장입니다.

4 이 글에서 용이는 "내일 아침에는 순이를 데리고 오자. 순이를 놀리는 녀석은 어떤 녀석이고 용서 안 할 끼다."라고 말했습니다. 따라서 이어질 내용으로 용이가 다음 날 순이를 데리고 학교에 가고 아이들이 순이를 놀리지 못하게 지켜 줄 것이라는 내용을 상상할 수 있습니다.

> **유형 분석/추론**
>
> 이어질 내용을 상상할 때에는 사건이 일어난 원인과 결과를 생각하며 이야기 흐름에 맞게 내용을 떠올려야 합니다. 이 글의 결말 부분에서는 용이가 꿩을 통해 용기와 자신감을 얻고 부당한 행동을 하는 아이들과 맞설 수 있게 되었으므로, 이 상황에서 용이가 한 말이나 행동과 연관지어 이어질 내용을 상상해 볼 수 있습니다.

070쪽 지문 분석

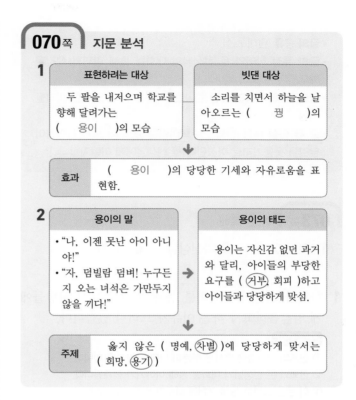

1 용이의 모습을 '꿩'에 빗댄 표현을 통해 용이의 당당한 태도를 선명하게 드러내고 있습니다.

> **유형 분석/표현 효과**
>
> 문학 작품에서는 비유를 통해 대상을 선명하게 표현하고 주제를 강조하기도 합니다. 대상을 무엇에 빗대어 표현하였고 그로 인해 어떤 효과가 있는지를 파악하면 작품을 보다 깊이 이해할 수 있습니다.

2 이 글에서 용이는 머슴의 아들이라는 이유만으로 아이들의 책 보퉁이를 대신 메야 했던 부당한 차별에 당당하게 맞서는 용기를 보여 주고 있습니다.

071쪽 오늘의 어휘

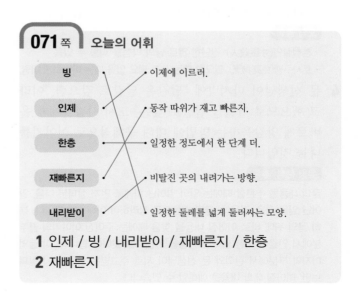

1 인제 / 빙 / 내리받이 / 재빠른지 / 한층
2 재빠른지

- **글의 종류** 현대 소설
- **글의 특징** 한뫼와 문 선생님의 대화를 통해 한뫼의 생각을 깨우쳐 주는 이야기입니다.
- **글의 주제** 세상의 모든 존재는 각자 나름의 소중한 의미를 지님.
- **글 ❶ 중심 내용** 한뫼는 수학여행을 갔을 때 도시 사람들이 달걀을 웃음거리로 여겼던 일을 선생님에게 이야기합니다.

073쪽   지문 독해

1 ③   **2** ④   **3** 와신상담   **4** ①, ④

1 한뫼와 선생님의 대화를 통해 한뫼가 도시 사람들에게 앙갚음하고자 하는 이유가 드러나 있습니다.

〔오답 풀이〕
① 한뫼의 겉모습을 묘사한 부분이 나타나 있지 않습니다.
② 한뫼와 문 선생님의 대화를 통해 이야기가 전개됩니다.
④ 이 글은 소설로 실제 경험을 다루고 있지 않습니다.
⑤ 한뫼가 도시 사람들에게 앙갚음하겠다는 것에 대해 문 선생님은 다른 방식을 제안하지만 무조건적인 비판을 하지는 않습니다.

2 한뫼는 여행비를 마련하기 위해 달걀을 소중히 모았습니다. 그런데 달걀이 도시 사람들에게 마구 천대받고 웃음거리가 되는 걸 보니 자신이 업신여김을 당하는 것 같아 울고 싶었던 것입니다.

3 '와신상담(臥薪嘗膽)'은 원수를 갚거나 마음먹은 일을 이루기 위하여 온갖 어려움과 괴로움을 참고 견딤을 비유적으로 이르는 말입니다. 한뫼는 도시 사람들에게 앙갚음을 하기 위해 중학교에 진학할 정도로 자신이 마음먹은 일을 이루겠다는 각오를 다졌습니다.

〔오답 풀이〕
• 촌철살인(寸鐵殺人): 간단한 말로 남의 약점을 찌를 수 있음.
• 토사구팽(兔死狗烹): 필요할 때는 쓰고 필요 없을 때는 야박하게 버림.

4 문 선생님이 마지막에 "달걀은 달걀로 갚으렴."이라고 했으므로 달걀을 달걀로 갚는, 도시 사람들에게 올바르게 앙갚음하는 방법에 대해 구체적으로 이야기를 나눌 것입니다.

〔유형 분석 / 추론〕
글의 내용을 추론할 때에는 일이 일어난 차례를 먼저 살펴본 다음, 일어난 일을 처음, 가운데, 끝의 흐름으로 정리하여 이해해야 합니다. 특히 글의 뒤에 바로 이어질 내용을 찾을 때에는 주어진 이야기의 끝부분에서 인물이 어떤 말이나 행동을 했는지를 찾아야 합니다. 이 글의 마지막 부분에서 한뫼와 문 선생님이 서로 주고받은 말을 다시 살펴보면, 이어질 대화 내용을 예측할 수 있습니다.

074쪽   지문 분석

1

도시 여행을 가기 전
도시 여행을 가기 위해 (달걀)을 모으며 기대함.

↓

도시 여행을 한 후
도시에서 달걀이 천대받고 (웃음거리)가 되는 것을 보고 실망함.

2

한뫼	문 선생님
부자가 되든지 (권세)를 잡든지 유명해지든지 해서 도시 사람들을 업신여기고, (도시 사람들)이 자기의 말에 떨게 하고 싶다고 말함.	한뫼의 생각이 좋은 생각이긴 하지만 너무 오래 걸리고, 너무 지나친 것 같으니 달걀은 (달걀)로 갚으라고 말함.

↓   ↓

(충동적, 폭력적)이고 자존심이 강한 아이임.	상대의 의견을 (무시, 존중)하며 새로운 제안을 하는 어른임.

1 한뫼는 도시를 여행하기 전에 기대하는 마음을 가졌다가 막상 도시 여행을 하고 난 뒤에는 달걀이 천대받고 웃음거리가 된 것을 보고 실망하였습니다.

2 한뫼가 생각하는 앙갚음의 방법으로 보아, 한뫼는 충동적입니다. 또, 선생님은 한뫼의 생각을 좋은 생각이라고 인정해 주는 것으로 보아, 상대의 의견을 존중합니다.

075쪽   오늘의 어휘

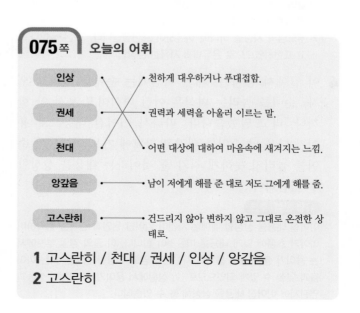

인상	•	• 천하게 대우하거나 푸대접함.
권세	•	• 권력과 세력을 아울러 이르는 말.
천대	•	• 어떤 대상에 대하여 마음속에 새겨지는 느낌.
앙갚음	•	• 남이 저에게 해를 준 대로 저도 그에게 해를 줌.
고스란히	•	• 건드리지 않아 변하지 않고 그대로 온전한 상태로.

1 고스란히 / 천대 / 권세 / 인상 / 앙갚음
2 고스란히

• 글 ❷ 중심 내용 도시 아이들을 두메로 초청하는 일에 대해 한뫼와 문 선생님이 생각의 차이를 보입니다.

077쪽 지문 독해

1 한뫼, 문 선생님   **2** ④   **3** ②   **4** ⑤

1 이 글에서는 한뫼와 문 선생님이 대화를 주고받고 있습니다. 따라서 두 사람이 이 글의 중심인물입니다.

유형 분석/갈래

소설에서 등장하는 사람을 '인물'이라고 합니다. 동물이나 식물도 소설의 인물이 될 수 있는데, 인물은 중요도에 따라 '주요 인물'과 '주변 인물'로 나눌 수 있습니다. 주요 인물은 사건을 이끌어 가는 중심인물, 즉 주인공을 말합니다. 반면에 주변 인물은 사건의 진행을 도와주는 인물로, 주인공을 돋보이게 하기 위해 소설 속 활약이 중심인물에 비해 적습니다. 이 글에서는 한뫼와 문 선생님이 '주요 인물'입니다.

2 문 선생님은 한뫼에게 이번에는 우리 반 아이들이 도시 아이들을 초청해 달걀을 달걀로 갚자고 말했습니다.

오답 풀이

① 문 선생님은 달걀을 업신여기는 도시 아이들을 꾸짖으려는 생각을 갖고 있지 않습니다.

② 문 선생님은 한뫼에게 도시 아이들을 두메에 초대하자고 했습니다.

③ 문 선생님은 식사 용도가 아니라, 여비 마련 용도로 달걀을 잘 모았다가 팔자고 했습니다.

⑤ 한뫼가 도시 아이들이 달걀과 함께 초콜릿과 주스를 먹는다고 말했습니다.

3 문 선생님은 도시에서 천대하고 웃음거리로 삼던 달걀이 두메에서는 얼마나 값어치 있게 쓰이는지 알면 도시 아이들도 놀랄 것이라고 생각하는 인물로, 한뫼가 계속 반대 의견을 말해도 너그럽게 들어 줍니다.

오답 풀이

① 문 선생님은 순간적으로 판단하여 말하거나 행동하는 능력이 뛰어나기보다 차분하게 한뫼의 말을 듣고, 자신의 생각을 말하는 성격입니다.

③ 문 선생님은 한뫼의 반발하는 말과 태도에도 불구하고, 다정한 말투로 계속 대화하려고 노력합니다.

④ 문 선생님이 희생한 내용은 글에 드러나 있지 않습니다.

⑤ 문 선생님이 받은 은혜와 은혜를 갚는 방법은 글에 나타나 있지 않고, 한뫼가 도시 사람들에게 앙갚음하려는 내용이 주로 나옵니다.

4 한뫼는 도시에는 별의별 게 다 있지만 두메에는 볼 게 없다며 도시에 비해 두메가 가치 없는 곳이라고 생각합니다. 반면 문 선생님은 한뫼와 달리 두메에는 도시와 또 다른, 두메만의 매력이 있다고 생각합니다.

078쪽 지문 분석

1

한뫼		문 선생님
• (암탉)을 기르는 것은 도시의 업신여김을 받는 것이므로 기르지 말아야 한다. • 두메산골에는 특별한 것이 없으므로 (도시 아이들)을 데려올 필요가 없다.	↔	• 봄뫼가 (암탉)을 기르는 일을 훼방 놓지 말고 도와주어야 한다. • 도시 아이들이 두메산골에 와 보고 (달걀)의 쓸모를 알아야 한다.

2

인물	말	태도
한뫼	"(선생님)까지 결국은 절 업신여기시는군요."	닭 키우는 일에 반감을 가지고 선생님의 말에 (협력적, ⦰비협력적⦱)인 태도로 말함.
문 선생님	"왜 진작 그런 생각을 못 했을까. 이건 진짜 (기막힌) 생각이야. 네 덕이다. 한뫼야, 고맙다."	한뫼의 상황을 이해하고 한뫼를 설득하려고 (⦰협력적⦱, 비협력적)인 태도로 말함.

1 한뫼는 봄뫼까지 암탉을 길러 도시의 업신여김을 받게 해서는 안 된다고 생각하여 봄뫼의 암탉을 죽이려고 합니다. 문 선생님은 이런 한뫼에게 봄뫼가 암탉 기르는 일을 방해하지 말고 도와주라고 말합니다.

2 한뫼는 문 선생님이 자신의 의견을 받아들이지 않는 것으로 여겨 반발하여 비협력적인 태도로 말하고 있습니다. 문 선생님은 그런 한뫼를 설득하기 위해 협력적인 태도로 말하고 있습니다.

079쪽 오늘의 어휘

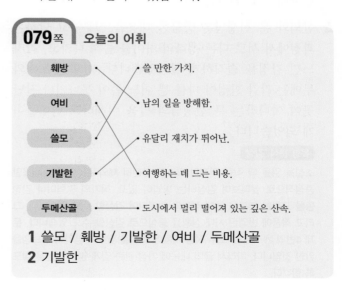

- 훼방 —— 쓸 만한 가치.
- 여비 —— 남의 일을 방해함.
- 쓸모 —— 유달리 재치가 뛰어난.
- 기발한 —— 여행하는 데 드는 비용.
- 두메산골 —— 도시에서 멀리 떨어져 있는 깊은 산속.

1 쓸모 / 훼방 / 기발한 / 여비 / 두메산골

2 기발한

• 글 ❸ 중심 내용 도시와 두메는 각각 환경이 다를 뿐 어느 쪽이 못나거나 잘난 곳이 아니라는 문 선생님의 말을 듣고 한뫼가 감동합니다.

081쪽   지문 독해

1 ⑤   **2** ②   **3** 달덩이   **4** ㉮

1 제목인 '달걀은 달걀로 갚으렴'은 문 선생님이 한 말로, 도시 아이들에게 자연을 경험하게 해 주자는 뜻이 담겨 있습니다.

2 선생님은 한뫼에게 "우리들은 싫건 좋건 앞으로 문명과 만나고 길들여질 테지만."이라고 말하였으므로 두메 아이들이 문명에 길들여질 필요가 없다고 말한 것이 아닙니다.

오답 풀이
① 한뫼는 도시에는 문명이 있다고 말하며 도시가 두메보다 우수하다는 생각을 하고 있습니다.
③ 한뫼는 우리(두메 아이들)가 모르는 게 많아 도시 아이들이 우리를 바보 취급할 것이라고 말했습니다.
④ 선생님은 "도시에는 아마 토끼풀하고 괭이밥하고도 구분하지 못하는 아이들이 많을걸."이라고 말했습니다.
⑤ 선생님은 도시 아이들이 자연을 접할 경험을 놓치고 어른이 되어 버리면 너무 불쌍하지 않냐고 말했습니다.

3 한뫼는 문 선생님의 말에 감동을 받아 선생님의 얼굴이 달덩이처럼 환하게 느껴졌습니다. 선생님의 외양을 달덩이에 빗대어 선생님에 대한 한뫼의 존경심을 나타내고 있습니다.

4 한뫼와 문 선생님은 궁금한 내용을 질문하고 답하는 과정에서 서로 다른 생각의 차이를 좁혀 나가고, 각자 느낀 감정을 솔직하게 말하였습니다. 한뫼는 도시와 두메는 각각 환경이 다를 뿐 어느 쪽이 못나거나 잘난 곳이 아니라는 문 선생님의 말을 이해하고 받아들이게 되었습니다.

유형 분석 / 감상
소설을 읽을 때 작품 외적인 요소를 완전히 제외하고 작품의 내용만 중점적으로 살펴보며 감상하는 방법이 있고, 작가의 경험이나 감정 등을 표현한 부분을 통해 작가와 관련지어 감상할 수도 있습니다. 그리고 작품에 반영된 시대 상황을 중심으로 감상할 수도 있습니다. 문제 4번의 ㉮~㉯는 모두 작품 자체에 초점을 맞추어 생각이나 느낌을 말한 것입니다. 따라서 글의 내용에 가장 관련 깊게 말한 감상을 찾도록 합니다.

082쪽   지문 분석

1 "한뫼야, 우리가 문명의 이기에 대해 모르는 건 (무식)한 거고, 도시 아이들이 밤나무와 떡갈나무와 참나무와 나도밤나무와 참피나무와 물푸레나무와 피나무와 가시나무와 은사시나무와 가문비나무와 전나무와 삼나무와 잣나무와 측백나무에 대해 몰라도 (유식)하다는 생각일랑 제발 (버려야 한다)."

↓

도시에는 (예 문명)이 있으나 두메에는 (예 자연)이 있으니 어느 쪽이 더 잘난 것이 아니다.

2

문 선생님과 대화하기 전	문 선생님과 대화한 후
도시는 (문명 전통)이 있어 두메에 비해 모든 면이 낫다.	도시는 도시대로, 두메는 두메대로 각각 (가치 유래)가 있다.

↓

주제	세상의 모든 존재는 각자 나름의 (소중한 독특한) 의미를 지님.

1 문 선생님은 도시나 두메 중 어느 한쪽이 더 잘난 곳이라고 생각하지 않습니다. 도시나 두메나 각각 환경이 다를 뿐 어느 쪽이 못나거나 잘나지 않았다는 것이 문 선생님이 한뫼에게 들려주고 싶은 생각입니다.

유형 분석 / 인물 생각
소설에서 작가는 인물의 말을 통해 특정 생각을 전달하기도 합니다. 작가가 선생님의 말을 통해 전하려는 생각이 무엇인지 파악해 봅니다.

2 문 선생님과 대화한 후에 도시에 대한 한뫼의 생각이 변합니다. 이를 바탕으로 이 글의 주제를 파악합니다.

083쪽   오늘의 어휘

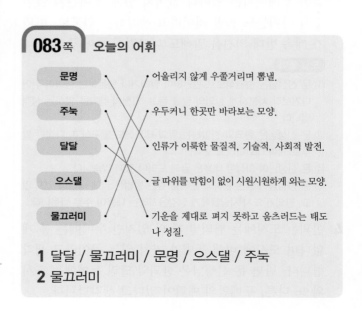

문명	어울리지 않게 우쭐거리며 뽐냄.
주눅	우두커니 한곳만 바라보는 모양.
달달	인류가 이룩한 물질적, 기술적, 사회적 발전.
으스댈	글 따위를 막힘이 없이 시원시원하게 외는 모양.
물끄러미	기운을 제대로 펴지 못하고 움츠러드는 태도나 성질.

1 달달 / 물끄러미 / 문명 / 으스댈 / 주눅
2 물끄러미

- **글의 종류** 고전 소설
- **글의 특징** 홍길동이라는 영웅적 인물의 활약을 통해 적서 차별과 탐관오리의 횡포에 대해 비판하는 이야기입니다.
- **글의 주제** 불합리한 신분 제도와 관료들의 부정부패한 현실에 대한 비판
- **글 ❶ 중심 내용** 길동이 어머니에게 집을 나갈 것임을 전하고, 어머니(춘섬)가 이를 만류합니다.

085쪽 지문 독해

1 ④, ⑤ **2** ④ **3** ③ **4** ①

1 이 글은 집을 떠나려는 길동과 이를 만류하는 길동 어머니의 대화를 중심으로 이야기가 전개되고 있으며, 인물의 마음이 직접 드러나 있습니다.

오답 풀이
① 운봉산은 길동이 언급한 옛날 장충의 아들 길산과 관련 있는 지역입니다. 이 글의 배경은 조선 시대, 춘섬의 방입니다.
② 이 글은 작품 밖의 서술자가 이야기를 전달하고 있습니다. 이러한 시점을 '전지적 작가 시점'이라고 합니다.
③ 길동, 춘섬, 초란 등 인물의 이름이 제시되어 있으나 이를 통해 앞일을 암시하고 있지 않습니다.

2 춘섬은 재상가에서 천한 신분으로 태어난 자식이 길동뿐이 아니라고 하며 길동을 꾸짖고 있습니다. 또, 길동의 말을 듣고 아들의 기구한 운명과 험난한 장래를 생각하며 슬피 울었으나, 함께 집을 떠나기로 한 것은 아닙니다.

유형 분석/세부 내용
이 글은 「홍길동전」의 전개 부분에 해당하는 내용으로, 주요 인물 홍길동과 춘섬, 초란에 대한 설명이 드러나 있습니다. 홍길동은 홍 판서의 서자로 태어나 차별을 받고, 부정적인 현실에 정면으로 맞서는 인물이며, 춘섬은 홍길동의 어머니로 아들을 늘 안타까워하는 인물입니다. 또 초란은 홍 판서의 첩으로 춘섬과 길동을 시기하는 인물입니다. 각 인물 행동을 꼼꼼히 읽어 보고, 세부 내용을 파악하도록 합니다.

3 길동은 천한 몸으로 태어나 남의 업신여김을 받는다고 했습니다. 당시에는 엄격한 신분 제도가 있어 적자(본부인이 낳은 아들)와 서자(본부인이 아닌 다른 여자에게서 태어난 아들)를 차별한 것입니다.

4 춘섬은 마음이 여리고 약한 인물로, 아들이 떠난다는 말을 듣고 아들의 기구한 운명과 험난한 장래를 생각하며 슬피 울었습니다. 이처럼 인물의 말과 행동을 통해 성격을 파악하여 평가할 수 있습니다.

086쪽 지문 분석

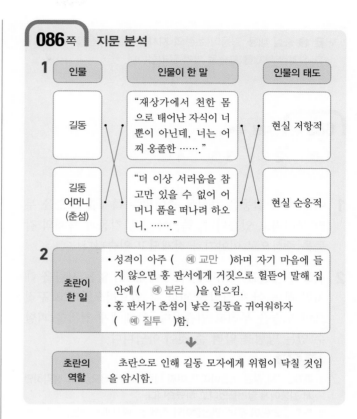

1 길동이 천한 몸으로 태어나 겪는 서러움을 참지 않겠다고 말한 것으로 보아, 현실에 저항적인 태도를 지니고 있습니다. 춘섬은 다른 재상가의 천한 자식들도 마찬가지라고 말한 것으로 보아, 현실에 순응적입니다.

2 초란은 교만하고 남을 시기하는 인물로 길동 모자를 질투합니다. 그래서 언젠가는 길동을 없애 버리려고 마음먹고 있습니다. 따라서 초란으로 인해 앞으로 길동 모자에게 위험이 닥칠 것임을 짐작할 수 있습니다.

087쪽 오늘의 어휘

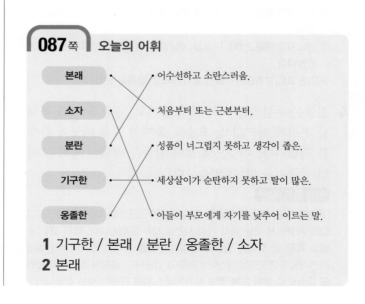

1 기구한 / 본래 / 분란 / 옹졸한 / 소자
2 본래

• 글 ❷ 중심 내용 길동이 초란의 지시를 받고 자신을 죽이려
고 침입한 특재를 도술을 부려 물리칩니다.

089 쪽 지문 독해

1 ④ **2** ④ **3** ⑤ **4** ㉮

1 이 글에서 길동은 자신을 죽이려는 특재를 도술을 부려 물리치고 있습니다. 즉, 이 글은 길동과 특재의 갈등을 중심으로 이야기가 전개되고 있습니다.

2 길동은 자신을 죽이려는 특재에게 "죄 없는 사람을 해치려 하면 어찌 천벌을 피할 수 있으리오?"라고 꾸짖으며 도술을 부리고 있습니다. 특재에게 천벌을 피할 수 있는 방법을 알려 준 것이 아닙니다.

오답 풀이
① 특재는 '저 같은 어린아이가 어찌 나를 대적하리오.'라고 생각하면서 길동에게 달려들었다고 하였습니다.
② 특재는 초란이 무녀, 관상쟁이와 함께 홍 판서에게 의논한 뒤 길동을 죽이기로 결정했다고 말했습니다.
③ 길동은 까마귀가 세 번 울고 가자 불길한 징조라고 말했습니다.
⑤ 길동은 더 머무르고 싶지 않았지만, 홍 판서의 명령이 워낙 엄해 어쩔 수 없이 밤마다 잠만 설칠 뿐이라고 하였습니다.

3 '진퇴양난(進退兩難)'은 '이러지도 저러지도 못하는 어려운 처지'를 나타내는 고사성어입니다.

오답 풀이
① 결자해지(結者解之): 일을 저지른 사람이 그 일을 해결해야 함을 뜻합니다.
② 살신성인(殺身成仁): 자기의 몸을 희생하여 옳은 도리를 행함을 뜻합니다.
③ 연모지정(戀慕之情): 이성을 사랑하여 간절히 그리워하는 마음을 뜻합니다.
④ 감탄고토(甘呑苦吐): 달면 삼키고 쓰면 뱉음을 뜻합니다.

4 길동은 둔갑법을 써서 몸을 숨기고, 주문을 외워 특재를 곤경에 빠뜨리고, 요술로 특재의 칼을 빼앗아 특재를 죽입니다. 이것으로 보아 길동은 비범한 능력을 지닌 인물임을 알 수 있습니다.

유형 분석 / 감상
「홍길동전」은 영웅적 인물인 홍길동을 주인공으로 하여 홍길동이 가정과 사회에서 겪는 여러 가지 사건을 다루고 있습니다. 특히 고전 소설의 특징 중 하나인 영웅의 일대기 구조를 지니고 있으며 비현실적이면서도 우연적으로 사건이 전개되고 있습니다. 따라서 홍길동의 활약을 중심으로 살펴 그에 맞게 생각이나 느낌을 표현한 것을 찾습니다.

090 쪽 지문 분석

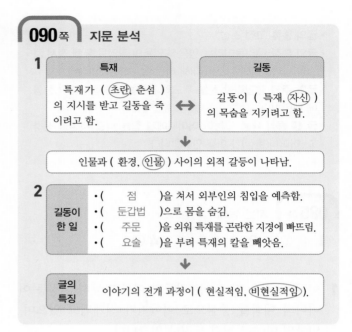

1 '외적 갈등'은 인물과 인물, 환경과 인물 사이의 갈등이고, '내적 갈등'은 한 인물이 자신의 내부에서 스스로 일으키는 심리적 갈등입니다. 특재와 길동의 갈등은 인물끼리 겪는 외적 갈등입니다.

유형 분석 / 갈등
소설에는 다양한 갈등의 양상이 나타납니다. 그중 고전 소설에는 인물과 인물의 갈등이 주로 나타나는데, 각 인물들이 처한 상황과 그에 대한 대응 방식 등을 확인하여 이들의 갈등 양상을 파악해야 합니다.

2 길동이 자신을 죽이기 위해 침입한 특재를 온갖 도술을 부려 물리치고 있습니다. 이러한 길동의 행위는 실제에서는 일어나기 어려운 일들로 이 작품의 비현실적인 성격을 보여 줍니다.

091 쪽 오늘의 어휘

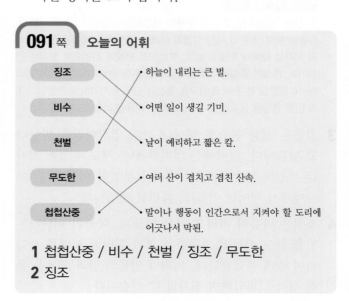

1 첩첩산중 / 비수 / 천벌 / 징조 / 무도한
2 징조

• 글 ❸ 중심 내용 길동이 도적의 무리를 활빈당이라 이름 붙이고 탐관오리의 재물을 빼앗아 가난한 사람들에게 나누어 줍니다. 또 함경 감사의 재물을 탈취합니다.

093쪽 지문 독해

1 ④ **2** ④ **3** 착취 **4** ⑤

1 활빈당은 '가난한 사람들을 살리는 무리'라는 뜻으로, 탐관오리의 재물을 빼앗아 가난한 사람들을 살리겠다는 길동의 생각이 반영된 이름으로 볼 수 있습니다.

2 길동의 부하들이 감영 남문 밖에 불을 지르자, 크게 놀란 감사가 불을 끄라고 호통을 쳐서 관속(관아의 아전과 하인)들과 백성들이 한꺼번에 달려 나와 불을 껐다고 했습니다.

오답 풀이
① 길동의 부하들은 한 명씩 두 명씩 흩어져 함경도 감영이 있는 함흥으로 숨어 들어갔다고 했습니다.
② 길동은 백성들의 재물만이 아니라 나라에 속한 재물에 대해서도 절대로 손을 대지 않았다고 했습니다.
③ 감사는 뜻밖의 사고가 나자 너무 당황했다고 했습니다.
⑤ 감사는 방에 적힌 내용을 보고 난 후에 길동의 무리가 자신의 재물을 빼앗은 것을 알게 되었습니다.

3 '마치 기름을 짜내듯'은 탐관오리가 백성들의 재물을 빼앗는 모습, 즉 착취하는 모습을 비유적으로 표현한 말입니다.

유형 분석 / 표현
관용 표현은 둘 이상의 낱말이 합쳐져 그 낱말의 원래 뜻과는 다른 새로운 뜻으로 굳어져 쓰이는 표현입니다. 관용 표현에는 관용어와 속담 등이 있으며, 글에 사용된 관용 표현의 의미를 잘 파악해야 글의 내용도 바르게 이해할 수 있습니다. '기름을 짜다'는 '착취하다'를 비유적으로 이르는 말입니다.

4 길동은 부당한 현실을 비판하고, 현실에 저항한 인물입니다. 따라서 길동과 가장 비슷한 사고방식을 추구하는 친구는 '현주'입니다.

유형 분석 / 적용
소설에 등장한 인물과 비슷한 행동을 하거나 비슷한 가치관을 가진 사람을 찾는 문제가 자주 출제됩니다. 이런 문제의 경우, 문제를 풀기 전에 소설 속에 등장한 인물이 가진 개성을 정확하게 파악하는 일부터 해야 합니다. 이 글에서는 홍길동이 자신의 신분적 한계를 스스로 극복하고, 모순된 사회 현실에 저항하고 있는 특성을 보이고 있습니다. 이런 특성을 지닌 사람을 찾아봅니다.

094쪽 지문 분석

1

길동의 행동		길동의 특징
성문 밖에 (불)을 질러 관리들이 정신이 없는 틈에 (돈), 곡식, 무기를 탈취함.	→	계획을 빈틈이 없이 꼼꼼하게 세워 행동하는 치밀한 면모를 지님.
(방)을 붙여 재물을 탈취한 사람이 홍길동 자신임을 밝힘.	→	(백성들)에게 해가 가지 않게 하려는 마음을 가짐.
둔갑법과 (축지법)을 써서 처소로 돌아옴.	→	비범한 능력을 가짐.

2

활빈당의 활동
조선 팔도를 다니며 각 고을의 수령이 (정당한, ⓐ부당한) 방법으로 모은 재물을 빼앗아 가난하고 의지할 데 없는 (ⓑ백성들, 관료들)에게 나누어 줌.

↓

중심 생각
당시 관료들의 부정부패한 현실에 대한 비판

1 길동의 행동들이 지닌 의미를 생각하여 특징을 파악하도록 합니다.

2 이 글은 길동의 활빈당 활동을 통해 작가의 생각을 드러내고 있습니다. 활빈당은 백성들의 재물을 빼앗은 관리들의 재물을 도로 빼앗아 백성들에게 나누어 주는데, 이는 당시 백성들에게 횡포를 부렸던 부패한 관리들에 대한 작가의 비판적 견해를 드러낸 것입니다.

095쪽 오늘의 어휘

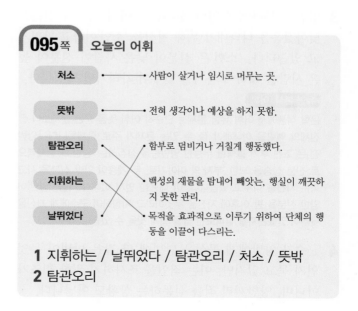

처소 • ——— • 사람이 살거나 임시로 머무는 곳.

뜻밖 • ——— • 전혀 생각이나 예상을 하지 못함.

탐관오리 • • 함부로 덤비거나 거칠게 행동했다.

지휘하는 • • 백성의 재물을 탐내어 빼앗는, 행실이 깨끗하지 못한 관리.

날뛰었다 • • 목적을 효과적으로 이루기 위하여 단체의 행동을 이끌어 다스리는.

1 지휘하는 / 날뛰었다 / 탐관오리 / 처소 / 뜻밖
2 탐관오리

- **글의 종류** 고전 소설
- **글의 특징** 양반 매매 증서의 내용 및 증서와 관련된 부자의 반응을 통해 양반의 부정적인 모습을 풍자한 소설입니다.
- **글의 주제** 양반의 허례허식과 부정부패에 대한 비판
- **글 ❶ 중심 내용** 부자는 양반의 빚을 대신 갚아 주는 대가로 양반 신분을 사고, 양반은 자신을 찾아온 군수에게 이 사연을 설명합니다.

097쪽 지문 독해

1 ③ **2** ② **3** 소인 **4** ③

1 이 글에서 양반은 부자에게 양반 신분을 판 다음 군수가 자신을 찾아오자 벙거지와 베잠방이의 옷차림으로 군수를 맞이하고 '소인'이라고 자신을 지칭하여 자신이 낮은 신분의 사람이 되었음을 보여 주고 있습니다.

오답 풀이
① 양반이 군수를 대하는 태도에서 과장된 행동이 드러나지만, 위기가 해결된 후의 일입니다.
② 인물들이 질문하는 모습은 나타나 있으나 이는 상황에 대한 궁금증을 나타낸 것이지 긍정적 인식을 드러낸 것은 아닙니다.
④ 이 글에 비현실적인 요소는 드러나 있지 않습니다.
⑤ 양반이 군수에게 머리를 조아리는 행위를 반복하고 있지만 이는 자신이 신분이 낮아졌음을 나타내는 것입니다.

2 부자는 아무리 돈이 많아도 늘 업신여김을 당하며 살아온 것이 창피했다고 했습니다. 그래서 양반 신분을 사서 떵떵거리며 살고 싶어 합니다.

3 양반은 부자에게 양반 신분을 팔아서 자신의 신분이 낮아졌음을 나타내기 위해 자신을 '소인'이라고 가리키고 있습니다. '소인'은 신분이 낮은 사람이 신분이 높은 사람을 대하여 자기를 낮추어 가리키던 말입니다.

유형 분석/어휘
문학 작품에서 어휘 유형 문제는 단순히 어휘 뜻을 묻는 문제보다 글 전체의 맥락을 이해해야 풀 수 있는 문제가 주로 출제됩니다. 「양반전」은 조선 후기 몰락한 무능한 양반층을 상징하는 '양반'과 경제력으로 신분 상승을 꾀한 '부자'의 이야기로, 두 계층이 양반 신분을 사고파는 사건을 다루고 있습니다. 이 내용을 먼저 이해한 다음, '양반'이 양반 신분을 판 이후에 자신을 무엇이라고 지칭하며 군수에게 자신을 낮추어 말했는지를 살펴보면 답을 쉽게 찾을 수 있습니다.

4 군수가 양반에게 곡식을 단번에 다 갚은 방법이 무엇인지 묻고 있지만, 이는 죄인을 조사하기 위한 취조가 아니며, 양반끼리 죄를 심문하는 상황도 아닙니다.

098쪽 지문 분석

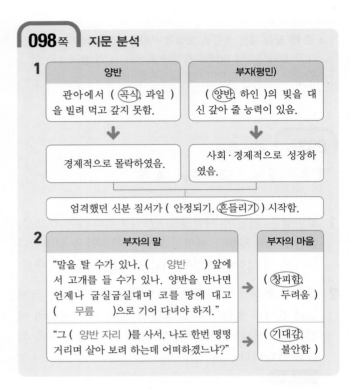

1 이 글에서 양반은 경제적으로 무능하여 곡식을 빌려 먹고 갚지 못해 잡혀갈 처지에 있으며, 평민인 부자는 이 소식을 듣고 빚을 대신 갚아 주고 양반 신분을 사려 합니다. 이를 통해 신분 질서가 점점 흔들리기 시작한 사회 상황을 짐작할 수 있습니다.

2 이 글에서 부자는 돈이 아무리 많아도 양반들에게 업신여김을 당하는 자신의 처지를 한탄하고 있습니다. 그러면서 양반 신분을 사서 자신도 양반처럼 떵떵거리며 살고 싶다는 소망을 내비치고 있습니다.

099쪽 오늘의 어휘

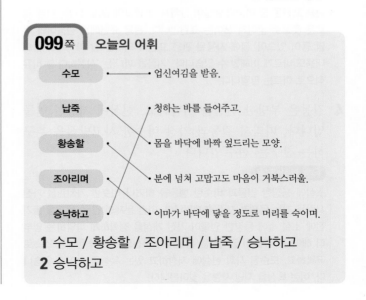

1 수모 / 황송할 / 조아리며 / 납죽 / 승낙하고
2 승낙하고

• 글 ❷ 중심 내용 군수가 양반 매매 증서를 작성해서 보여 주자 부자는 자신에게 이익이 되게 다시 고쳐 달라고 합니다.

101쪽 지문 독해

1 ④   **2** ⑤   **3** ④   **4** 양반 / 양반

1 이 글은 부자와 양반이 신분을 사고팔았다는 얘기를 들은 군수가 이들의 매매 사실을 확인해 주기 위해 작성한 양반 매매 증서의 내용에 대해 이야기하고 있습니다.

2 술을 마실 때는 수염이 말려 들어가지 않도록 조심조심 천천히 마셔야 한다고 했으나, 술을 아예 마시지 말라고 하지는 않았습니다. 그리고 담배를 피울 때에는 볼이 오목하도록 연기를 깊게 빨아들여서는 안 된다고 했으나, 담배를 아예 피우지 말라고 하지는 않았습니다.

〔오답 풀이〕
① 밥 먹을 때 국부터 떠먹지 말고, 국물 먹을 때 소리를 내서는 안 된다고 했습니다.
② 제사 지낼 때 스님을 청해 불공을 드리는 일을 해서는 안 된다고 했습니다.
③ 아무리 날씨가 더워도 버선을 벗어서는 안 된다고 했습니다.
④ 남과 이야기를 나눌 때에는 침을 튀기지 말아야 한다고 했습니다.

3 부자는 뭐가 안 된다, 뭘 해야 한다는 말만 늘어놓지 말고 자기에게도 뭔가 이롭도록 증서를 고쳐 달라고 했습니다. 이는 증서 내용에는 양반으로 사는 데 좋은 점이 없기 때문에 양반으로서 누릴 수 있는 좋은 점을 써서 고쳐 달라고 한 것입니다.

4 이 글은 양반 매매 증서를 통해 겉만 꾸미고 실속 없는 예절을 중요하게 여기는 양반의 허례허식을 풍자하고 있습니다. 〔보기〕에서는 두꺼비를 통해 약자에게 강하고 강자에게 약한 양반의 허세를 풍자하고 있습니다.

〔유형 분석/적용〕
비슷한 주제를 가진 두 작품의 공통점을 찾는 문제가 자주 출제됩니다. 이런 경우, 새로 제시된 글에 사용된 소재의 상징적 의미를 정확하게 파악해야 문제를 풀 수 있습니다. 「두꺼비 파리를 물고」에서 '두꺼비'는 무능한 양반을, '파리'는 나약한 백성을, '백송골'은 큰 권력을 가진 중앙 관리 또는 외세를 가리킵니다. 「양반전」과 「두꺼비 파리를 물고」 모두 양반을 풍자하였습니다.

102쪽 지문 분석

1

첫 번째 증서: 양반이 지켜야 할 규범과 행실
• 손에 돈을 쥐어서는 안 되며 (쌀값)을 물어서도 안 됨.
• 아무리 더운 날씨에도 (버선)을 꼭 신어야 하고, 밥을 먹을 때에는 (상투) 바람으로 먹으면 안 됨.
• 추울 때 (화롯가)에서 불을 쬐어도 안 되며, 말할 때 침을 튀겨서도 안 됨.

↓

• 비생산적이며 ((체면), 실용성)을 중시하는 모습
• 규범과 형식에 얽매여 인간다운 삶을 살지 못하는 어리석은 모습

2

표현 방식	효과
• 양반(옷차림새, (매매 증서))를 통해 양반이 지켜야 할 것들을 보여 줌. • 허례허식에 빠진 양반들의 모습을 풍자하여 표현함.	글에서 (양반)의 부정적인 모습을 간접적으로 폭로함으로써 양반에 대한 문제의식을 효과적으로 드러냄.

1 첫 번째 증서에서는 양반이 지켜야 할 규범과 행실을 나열하여 겉치레와 형식에 얽매여 있는 당시 양반들을 풍자하고 있습니다.

2 허례허식에 빠진 양반을 우스꽝스럽게 표현하여 그들의 부정적인 모습을 간접적으로 폭로하고 있습니다.

〔유형 분석/표현〕
풍자는 대상의 부정적인 면을 직접적으로 비판하는 것이 아니라 우스꽝스럽게 표현함으로써 간접적으로 공격하는 방식입니다. 이 글에서 양반들의 모습을 어떻게 서술하고 있는지, 그리고 그러한 방식이 독자에게 어떤 영향을 주는지 파악해 봅니다.

103쪽 오늘의 어휘

불공   •   • 숯불을 담아 놓는 그릇의 주변.

신선   •   • 벼슬아치들이 나랏일을 보던 집.

관가   •   • 권리나 의무, 사실 따위를 증명하는 문서.

증서   •   • 부처 앞에 향, 등, 꽃, 음식 따위를 바치고 기원함.

화롯가 •   • 도(道)를 닦아서 현실의 인간 세계를 떠나 자연과 벗하며 산다는 상상의 사람.

1 불공 / 화롯가 / 관가 / 신선 / 증서
2 신선

• 글 **❸ 중심 내용** 부자의 요청에 따라 군수가 두 번째 매매 증서를 작성하고, 이를 본 부자는 도둑놈 같은 양반은 되지 않겠다고 하며 달아납니다.

105쪽 **지문 독해**

1 ⑤ **2** (1) ○ (2) ✕ (3) ○ (4) ✕ (5) ○
3 ④ **4** ⑤

1 홍패는 마르지 않는 돈 자루나 마찬가지라고 하며 이후에 이를 이용하여 양반이 누릴 수 있는 특권에 대해 나열하고 있습니다.

유형 분석/중심 소재

소재는 작가가 소설 속 이야기를 펼쳐 나가기 위해 사용하는 재료를 말합니다. 작가는 독자에게 소설의 주제를 효과적으로 전달하기 위해서 다양한 소재를 사용하는데, 그 가운데에서도 중요한 의미를 담고 있는 중심 소재가 무엇인지 파악할 수 있어야 작품을 더욱 잘 감상할 수 있습니다. 이 글은 양반들의 부정부패와 특권 의식을 담은 두 번째 매매 증서에 대한 내용으로, 양반의 특권을 대표하는 소재로 '홍패'가 사용되었습니다.

2 양반은 벼슬을 하면 노력하지 않아도 이익을 볼 수 있고, 벼슬을 못 해도 온갖 일들을 마음대로 할 수 있다고 했습니다.

오답 풀이

⑵ 두 번째 매매 증서에는 양반은 과거를 잘 치르면 문관이 되고, 못 치러도 진사는 차지할 수 있다고 하였습니다.
⑷ 두 번째 매매 증서에는 양반이 문과에 합격해 홍패를 받으면 권력을 이용해 큰돈을 얻을 수 있다고 되어 있습니다.

3 부자는 두 번째 매매 증서의 내용을 듣고 양반의 행태가 도둑놈과 다를 바가 없다고 생각합니다. 이에 양반이 되는 것을 포기하고 달아난 것입니다.

4 양반이 조상 덕에 벼슬에 나갈 수 있다는 것은 아버지 덕에 하는 일 없이 월급만 받는 아들과 유사합니다.

오답 풀이

① 품위를 중시하는 모습은 두 번째 증서가 아닌, 첫 번째 증서 속 양반의 모습과 관련이 깊습니다.
② 두 번째 증서에서 양반의 모습을 비판하고 있지만, 양반의 겉과 속이 다른 것을 비판하지는 않았습니다.
③ 불 난 건물에 들어가 아이를 구조한 소방관은 희생정신을 발휘한 용감한 사람으로, 이 글의 양반의 부정적 모습과는 전혀 다릅니다.
④ 두 번째 증서에서 양반이 가족을 대하는 모습은 드러나 있지 않고, 주로 평민들에게 신분을 이용해 부당한 특권을 누리는 모습이 나옵니다.

106쪽 **지문 분석**

1

두 번째 증서: 양반이 누릴 수 있는 권리

• 문과에 통과하지 못해도 벼슬을 할 수 있으며 고을의 (수령)이 되어 마음껏 즐길 수 있음.
• 이웃집 (소)를 몰아다가 내 밭을 먼저 갈아도 되고, 남을 시켜 내 밭의 잡초를 뽑게 할 수 있음.
• 백성의 코에 (잿물)을 들이붓고, 상투를 쥐어뜯고, 수염을 잡아채어 뽑아낼 수도 있음.

↓

• 백성을 마음대로 부리는 비인간적인 모습
• (정당한, ⟨부당한⟩) 특권을 누리며 자신의 이익을 취하는 모습

2

부자의 말	"저더러 그런 말도 안 되는 (날도둑놈) 같은 양반이 되라는 말씀이십니까?"

↓

작가의 의도	(양반)의 특권 의식과 부도덕한 모습을 비판함.

1 두 번째 증서에서는 양반이 누릴 수 있는 권리를 나열하여 특권을 누리며 백성들을 마음대로 부리는 부도덕한 양반의 행태를 풍자하고 있습니다.

2 작가는 '날도둑놈'이라는 부자의 말을 통해 양반들에 대한 비판적인 시각을 드러내고 있습니다.

유형 분석/주제

이 소설은 양반을 희화화하고 양반의 부정적인 면을 폭로하여 조선 후기 양반층을 풍자하고 비판하고 있습니다. 특히, 부자가 양반 매매 증서에 쓰인 내용을 다 듣고 나서 양반을 '날도둑놈'이라고 평가하는 부분에서 양반에 대한 작가의 비판 의식이 잘 드러납니다.

107쪽 **오늘의 어휘**

1
잿물 ──── 짚이나 나무를 태운 재를 우려낸 물.
문관 ──── 조선 시대에, 각 고을을 맡아 다스리던 지방 관들을 통틀어 이르는 말. (문과 출신의 벼슬아치. / 한 사람이 살아 있는 동안. 연결은 교차)
수령 ──── 문과 출신의 벼슬아치.
한평생 ──── 한 사람이 살아 있는 동안.
통통하게 ──── 살이 쪄서 몸이 옆으로 퍼진 듯하게.

1 잿물 / 한평생 / 통통하게 / 문관 / 수령
2 통통하게

- **글의 종류** 고전 소설
- **글의 특징** 남성들보다 뛰어난 능력을 지닌 여성 영웅의 일대기를 다룬 소설입니다.
- **글의 주제** 홍계월의 영웅적인 능력과 활약
- **글 ❶ 중심 내용** 계월을 진찰한 어의가 천자에게 계월이 여자 같다는 보고를 하고, 천자는 계월이 여자임을 알게 되고도 벼슬을 그대로 유지시킵니다.

109쪽 **지문 독해**

1 ㉣   **2** ③   **3** ④   **4** ㉮

1 "문무를 두루 갖추었고 충성으로 나라를 보호했으니 그의 충효와 재주는 천하의 남자라도 감히 따르지 못할 만하도다."라고 한 천자의 말에서 여성 주인공의 뛰어난 재능과 영웅적인 활약이 잘 드러납니다.

[유형 분석 / 갈래]

고전 소설은 옛날에 쓰인 소설로, 우리나라에서는 19세기 이전에 쓰인 소설을 말합니다. 고전 소설은 다루는 내용에 따라 영웅 소설, 가정 소설, 애정 소설, 우화 소설 등으로 나누는데 이 「홍계월전」은 여성 홍계월의 일대기를 그린 영웅 소설입니다.

2 천자는 "만일 좌승상이 여자라면 어찌 여자의 몸으로 전쟁터에 나가 10만 대군을 무찌르고 올 수 있었단 말이냐?"라고 말하여 계월이 여자라는 것에 의문을 드러내고 있습니다.

[오답 풀이]

① 계월은 전쟁터에 다녀온 후로 계속 몸이 좋지 않았는데, 병세가 점점 심해져서 주위 사람들로부터 간호를 받았습니다.
② 천자의 말 "어서 가서 좌승상의 병세를 보고 오라. 만일 위중하면 짐이 친히 가 보리라."에서 천자의 생각을 알 수 있습니다.
④ 계월의 생각 '어의가 나의 맥을 보았으니 필시 내가 여자임을 알았을 것이야.'에서 계월이 짐작한 것을 알 수 있습니다.
⑤ 어의는 "좌승상의 맥이 남자의 맥이 아니오니 참으로 이상하옵니다."라고 천자에게 보고하였습니다.

3 계월은 규중의 여인으로 살아가야 할 자신의 신세가 서글퍼 눈물을 그칠 수 없었다고 했습니다. 즉 앞으로 벼슬을 할 수 없을 거라는 생각에 눈물을 흘린 것입니다.

4 계월은 자신이 여자라는 정체가 탄로 났을 것이라고 생각하였습니다. 그리고 천자는 계월이 올린 상소를 읽고 여자라 하더라도 벼슬을 거둘 수 없다고 말했습니다. 이로 볼 때 계월이 올린 상소는 자신이 여자임을 밝히고 벼슬에서 물러나겠다는 내용일 것입니다.

110쪽 **지문 분석**

1

글의 내용
• (계월)이 남장한 여성으로 성공하여 세상에 이름을 떨침. • 천자가 계월의 능력을 인정하고 그의 (벼슬)을 그대로 둠.

↓

글에 드러난 여성에 대한 인식
• 주체적인 한 인간으로서 여성의 능력을 인정함.   (○) • 희생적이고 다른 이의 말에 무조건 따르는 여성을 긍정적으로 여김.   ( )

2

천자가 한 일		천자의 특징
앓고 있는 계월에게 (어의)를 보내어 진료하게 함.	→	(거만하다, 배려심이 많다).
어의에게 진상이 밝혀질 때까지 계월의 정체에 대해 (말)이 새어 나가지 않게 하라고 지시함.	→	(조급하다, 신중하다).

1 계월이 남장을 하고 벼슬을 하여 세상에 이름을 떨친 것, 천자가 계월이 여자임을 알게 되고도 벼슬을 그대로 유지시킨 것은 주체적인 한 인간으로서 여성의 능력을 인정한 것으로 볼 수 있습니다.

2 천자가 계월에게 친히 어의를 보내어 진료하게 한 것에서 계월을 총애함을 알 수 있습니다. 그리고 진상이 밝혀질 때까지 계월의 정체에 대해 발설하지 말라는 지시에서는 신중하게 상황을 받아들이는 성격을 확인할 수 있습니다.

111쪽 **오늘의 어휘**

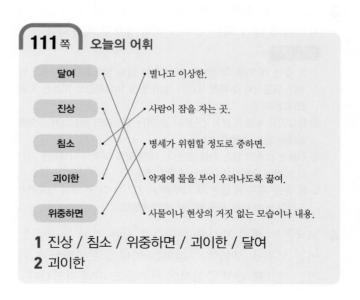

1 진상 / 침소 / 위중하면 / 괴이한 / 달여
2 괴이한

• 글 ② 중심 내용 나라에 변고가 생기자 천자가 계월을 다시 불러 적을 무찌르게 하고, 계월은 남편인 보국을 자신의 부하로 삼습니다.

113쪽 **지문 독해**

1 ③ **2** ① **3** ② **4** ㉳

1 오왕과 초왕의 반란은 평화롭던 나라를 다시 위기에 빠뜨리는 사건입니다.

유형 분석/중심 소재

소설에서 소재는 다양한 기능을 합니다. 인물의 심리를 드러내거나 이야기의 장면과 장면을 연결하고, 주제와 관련해 상징적인 의미를 지니기도 합니다. 또 갈등을 일으키거나 없애기도 하고, 앞으로 일어날 일을 암시하기도 합니다. 이 글에서는 오왕과 초왕이 합심하여 일으킨 반란으로 변고가 생겼으므로, 갈등을 일으킨 기능을 한 것입니다.

2 신하들은 계월을 불러들일 것을 권유하면서 그 근거로 계월이 규중에 있으나 이름이 대신에 올라 있고, 직책도 그대로임을 내세우고 있습니다.

오답 풀이

② 계월은 규중에서 외롭고 울적하게 지내다가 천자의 명을 받고 기쁜 마음에 관복을 갈아입고 천자에게 나아갔습니다.
③ 오왕과 초왕이 반란을 일으켜 명나라의 수도를 향해 쳐들어오고 있지만, 명나라의 수도를 옮겼다는 내용은 드러나 있지 않습니다.
④ 보국의 부모는 계월을 괄시해 온 아들 보국을 책망하였고, 나라의 안위가 중요하니 보국이 부원수 임무를 수행할 것을 당부하였습니다.
⑤ 계월에게 대원수의 직책이 주어졌고, 계월은 남편 보국에게 부원수로 따를 것을 명령하였습니다.

3 '제 도끼에 제 발등 찍힌다.'는 자기가 한 일이 도리어 자기에게 해가 되는 경우를 비유적으로 이릅니다.

오답 풀이

① 닭 쫓던 개 지붕 쳐다본다.: 애써 하던 일이 실패로 돌아가거나 남보다 뒤떨어져 어찌할 도리가 없이 됨을 비유적으로 이르는 속담입니다.
③ 돌다리도 두들겨 보고 건넌다.: 잘 아는 일이라도 세심하게 주의를 하라는 뜻의 속담입니다.
④ 하늘은 스스로 돕는 자를 돕는다.: 어떤 일을 이루기 위해서는 자신의 노력이 중요함을 이르는 속담입니다.
⑤ 똥 묻은 개가 겨 묻은 개 나무란다.: 자기는 더 큰 흉이 있으면서 도리어 남의 작은 흉을 본다는 뜻의 속담입니다.

4 보국은 계월이 자신을 부원수로 삼은 것에 불만인데, 이는 남편을 부하로 부리려는 아내를 못마땅하게 여기는 것으로 남성 중심적인 사고를 드러낸 것입니다.

114쪽 **지문 분석**

1

계월		보국
• (보국)보다 능력이 뛰어남. • 사회적 지위를 이용하여 보국을 자신의 부하로 삼음.	↔	• (계월)보다 능력이 부족함. • (남성)의 사회적 힘을 이용하여 열등감을 극복하고자 함.

2

천자와 관리들	보국의 부모
계월이 여자임을 알고 나서도 계월의 벼슬을 유지해 주고, 국난을 당했을 때 (높은 벼슬, 많은 돈)을 주며 계월을 부름.	보국이 불평하지 못하게 말리고, 보국에게 (부모, 계월)의 지시를 따르도록 당부함.

계월을 둘러싼 주변인들이 계월의 (예 뛰어난) 능력을 인정함.

1 계월은 남편인 보국보다 뛰어난 능력을 지니고 있어, 그를 부하로 삼으며 남성의 권위를 인정하지 않고 있습니다. 이에 대해 보국은 남편인 자신이 아내의 부하로 들어가는 것에 대해 불평을 하며 남성의 권위를 내세우고 있습니다.

2 보국의 부모는 아들인 보국의 불평에 동조하지 않고 계월의 뜻을 따르도록 당부하고 있으며, 천자와 관리들은 국난 극복을 위해 계월을 다시 등용하고 있습니다. 이를 통해 이들이 모두 계월의 뛰어난 능력을 인정하고 있음을 알 수 있습니다.

115쪽 **오늘의 어휘**

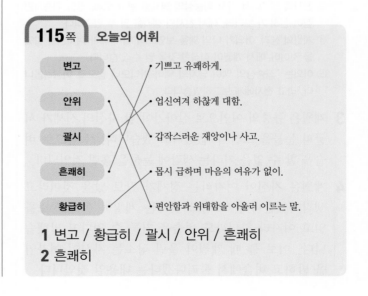

변고	•	• 기쁘고 유쾌하게.
안위	•	• 업신여겨 하찮게 대함.
괄시	•	• 갑작스러운 재앙이나 사고.
흔쾌히	•	• 몹시 급하며 마음의 여유가 없이.
황급히	•	• 편안함과 위태함을 아울러 이르는 말.

1 변고 / 황급히 / 괄시 / 안위 / 흔쾌히
2 흔쾌히

• 글 ❸ 중심 내용 계월이 신이한 능력을 발휘하여 위험에 처한 천자를 구합니다.

117쪽 지문 독해

1 ② **2** ⑤ **3** ② **4** 지현

1 이 글의 주인공 계월은 천자가 위기에 처하자 단번에 찾아가 천자를 위기에서 구해 내고 있습니다. 이를 통해 계월의 영웅적인 면모를 부각하고 있습니다.

오답 풀이
① 홍계월은 두려움 없이 용감하게 적과 맞서 싸우는 등 일관된 성격을 보이고 있습니다.
③ 이야기 밖의 말하는 이가 등장인물의 심리까지 서술하고 있습니다.
④ 홍계월과 적의 외적 갈등이 나타나 있습니다.
⑤ 침략으로 황폐해진 성안을 묘사하고 있으나 침울한 분위기입니다.

2 여공은 난리 속에 길을 잃고 하수도 구멍에 숨어 들어와 목숨을 지킬 수 있었습니다. 그러나 가족들을 지키지 못한 부끄러움 때문에 하수도 구멍에 숨어 있었던 것은 아닙니다.

오답 풀이
① 맹길은 강변에서 천자에게 항서를 올리라고 쩌렁쩌렁 호령하였습니다.
② 여공은 천자를 업은 신하들이 북문으로 도망치는 모습을 보았다고 하였습니다.
③ 계월은 여공을 보고 깜짝 놀라 여공의 손을 부여잡고 울음을 터뜨렸습니다.
④ 여공은 난리 속에 길을 잃고 하수도 구멍에 몸을 감추고 있었습니다.

3 '풍전등화'는 바람 앞의 등불이라는 뜻으로, 매우 위태로운 처지에 놓여 있음을 비유적으로 이르는 말입니다.

오답 풀이
① 명약관화(明若觀火): '불을 보듯 분명하고 뻔함.'을 뜻하는 말입니다.
③ 역지사지(易地思之): '처지를 바꾸어서 생각하여 봄.'을 뜻하는 말입니다.
④ 일거양득(一擧兩得): '한 가지 일을 하여 두 가지 이익을 얻음.'을 뜻하는 말입니다.
⑤ 삼고초려(三顧草廬): '인재를 맞아들이기 위하여 참을성 있게 노력함.'을 뜻하는 말입니다.

4 계월은 천자를 구하기 위해 홀로 적진으로 뛰어들어 맹길을 사로잡고 무수한 군사를 베어 항복을 받아 냈습니다. 이러한 모습에서 계월의 비범함이 두드러지게 나타납니다.

118쪽 지문 분석

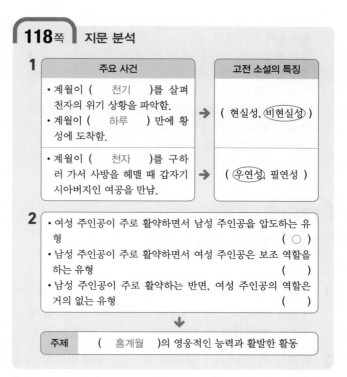

1 | 주요 사건 | | 고전 소설의 특징 |
|---|---|---|
| • 계월이 (천기)를 살펴 천자의 위기 상황을 파악함.
• 계월이 (하루) 만에 황성에 도착함. | → | (현실성, (비현실성)) |
| • 계월이 (천자)를 구하러 가서 사방을 헤맬 때 갑자기 시아버지인 여공을 만남. | → | ((우연성) 필연성) |

2
• 여성 주인공이 주로 활약하면서 남성 주인공을 압도하는 유형	(○)
• 남성 주인공이 주로 활약하면서 여성 주인공은 보조 역할을 하는 유형	( )
• 남성 주인공이 주로 활약하는 반면, 여성 주인공의 역할은 거의 없는 유형	( )

↓

주제	(홍계월)의 영웅적인 능력과 활발한 활동

1 계월이 비범한 능력을 발휘하는 부분에서 비현실적인 특징을 확인할 수 있고, 계월이 시아버지를 만나는 부분에서 우연성을 확인할 수 있습니다.

유형 분석/글의 특징
고전 소설은 비현실적이고 우연적인 사건이 자주 일어납니다. 고전 소설의 이러한 특징을 파악하기 위해서는 우선 사건이 구체적으로 어떻게 진행되고 있는지를 확인해야 합니다.

2 이 글은 여성 영웅 홍계월의 활약을 다루고 있습니다.

119쪽 오늘의 어휘

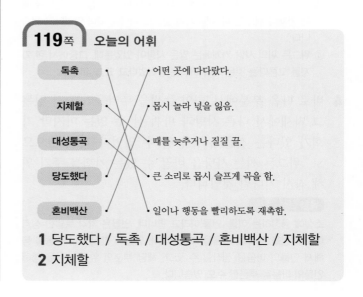

독촉	어떤 곳에 다다랐다.
지체할	몹시 놀라 넋을 잃음.
대성통곡	때를 늦추거나 질질 끎.
당도했다	큰 소리로 몹시 슬프게 곡을 함.
혼비백산	일이나 행동을 빨리하도록 재촉함.

1 당도했다 / 독촉 / 대성통곡 / 혼비백산 / 지체할
2 지체할

- **글의 종류** 외국 소설
- **글의 특징** 어린 시절에 '내'가 겪은 일과 어른이 되어 '내'가 겪은 일을 중심으로 어린아이의 순수함을 지켜 주려는 어른의 이해심을 그린 소설입니다.
- **글의 주제** 어린아이의 순수함을 지켜 주려는 어른의 이해심
- **글 ❶ 중심 내용** '내'가 어린 시절에 어머니와 함께 갔던 위그든 씨의 사탕 가게를 떠올립니다.

121쪽 지문 독해

1 ① **2** ⓒ **3** ⑤ **4** ②

1 위그든 씨는 아이들이 사탕을 고르면 잠시 기다리며 사탕을 바꿀 수 있는 기회를 주었는데 이것을 통해 너그럽고 이해심이 많은 성격을 보여 주고 있습니다.

2 위그든 씨는 나이가 많은 노인으로, 그의 머리를 직유법을 사용하여 '구름처럼 희고 고운 백발'이라고 비유적으로 표현하였습니다.

3 어머니는 처음 들르셨던 날 이후부터는 먹고 싶은 것을 언제나 '내'가 고르게 하셨다고 했습니다. 그러나 '내'가 먼저 어머니에게 직접 사탕을 고르겠다고 부탁하지는 않았습니다.

오답 풀이
① 어머니는 매주 한두 번 시내를 나가셨는데, 그 시절에는 아이 보는 사람이 없었기 때문에 '나'는 늘 어머니를 따라다녔다고 했습니다.
② 어머니는 시내에 나갈 때 '나'를 위하여 그 사탕 가게에 들르시는 것이 규칙처럼 되어 버렸다고 했습니다.
③ 우리 집에서 전차를 타러 나갈 때나 차에서 내려 집으로 돌아올 때는 언제나 위그든 씨 사탕 가게 앞으로 지나게 되어 있었다고 했습니다.
④ 위그든 씨의 사탕 가게에는 많은 사탕이 있었는데, 그중에서 한 가지를 고른다는 것은 꽤나 어려운 일이었다고 했습니다.

4 바로 다음 부분에서 '하얀 눈썹을 추켜올리고 서 있는 그 자세에서 다른 사탕과 바꿔 살 수 있는 마지막 기회가 있다는 것을 누구나 알 수 있었다.'라고 했으므로, 위그든 씨는 사탕을 바꿀 수 있는 기회를 주기 위해 잠시 기다린 것입니다.

유형 분석/추론
소설에 등장하는 이를 '인물'이라고 합니다. 인물은 각각 특별한 성격이나 개성을 가지고, 마음을 드러냅니다. 인물이 한 말이나 행동을 통해서 인물의 마음을 짐작할 수 있고, 해당 부분의 앞뒤 내용을 통해 인물의 마음을 추론할 수도 있습니다.

122쪽 지문 분석

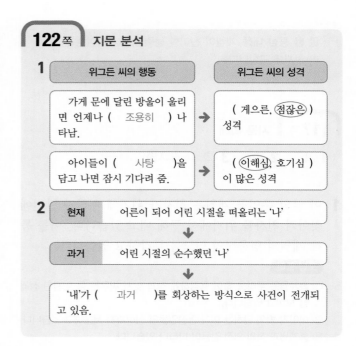

1 언제나 조용히 나타나는 모습에서 점잖은 성격을 알 수 있고, 아이들이 사탕을 바꿀 기회를 주기 위해 기다리는 모습에서 이해심이 많은 성격을 알 수 있습니다.

2 이 글의 말하는 이인 '나'는 어른으로 자신이 네 살 때쯤, 위그든 씨의 사탕 가게에 얽힌 기억을 떠올리며 이야기를 펼쳐 나가고 있습니다.

유형 분석/사건 전개
소설에서 사건은 다양한 방식으로 전개됩니다. 이때 시간을 나타내는 표지(단서)를 확인하여 시간의 흐름에 따른 사건 전개인지, 과거를 회상하는 사건 전개인지 등을 파악할 수 있습니다.

123쪽 오늘의 어휘

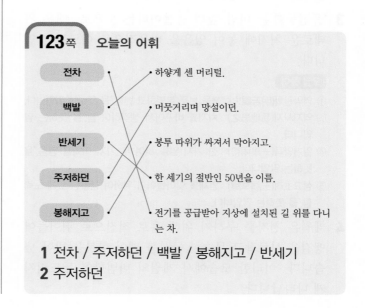

1 전차 / 주저하던 / 백발 / 봉해지고 / 반세기
2 주저하던

• 글 ❷ 중심 내용 '나'는 혼자 위그든 씨의 사탕 가게에 가서 사탕값으로 버찌씨를 내밀고, 위그든 씨는 2센트를 거슬러 줍니다.

125쪽 지문 독해

1 ④   2 ③, ⑤   3 ③   4 ①

1 이 글은 '내'가 위그든 씨의 사탕 가게에 가서 사탕값으로 버찌씨를 내고 위그든 씨가 2센트를 거슬러 준 이야기입니다. '내'가 혼자 위그든 씨의 사탕 가게에 간 것은 뒤에 이어지는 사건을 일으키는 중심 사건으로 볼 수 있습니다.

유형 분석 / 중심 내용
소설 구성의 3요소 중 '사건'이 있습니다. 사건은 인물들을 중심으로 벌어지는 갈등과 상황을 말합니다. 한 편의 소설에는 하나의 사건만 있는 것이 아니라, 여러 가지 사건이 함께 일어납니다. 그 가운데 인물에게 가장 중요한 일이 무엇인지 파악해야 소설의 내용을 바르게 이해할 수 있습니다.

2 '그러던 어느 날'은 '내'가 혼자 위그든 씨 사탕 가게에 찾아간 날입니다. '나'는 두근거리는 가슴을 안고 진열대로 걸어갔고, 위그든 씨가 자신의 얼굴 구석구석을 바라보자 돈이 모자란지 걱정스럽게 물었습니다.

오답 풀이
① 누군가를 보고 싶거나 만나고 싶은 경우, 또는 어떤 것이 매우 필요한 경우에 드는 마음입니다.
② 필요할 때 없거나 모자라서 만족스럽지 못한 경우, 또는 어떤 일에 미련이 남는 경우에 드는 마음입니다.
④ 일을 잘 못하거나 양심에 거리끼어 볼 낯이 없는 경우, 또는 조심스러운 관계인 경우에 드는 마음입니다.

3 어머니는 '내'가 혼자 사탕 가게에 간 사실 때문에 꾸중을 한 것이지, 돈을 내지 않고 사탕을 사서 꾸중한 것은 아닙니다.

오답 풀이
① 그 무렵 '나'는 돈이라는 것에 대해 전혀 아는 것이 없어서, 그저 무엇인가를 건네면 물건을 받을 수 있다고 생각했습니다.
② '나'는 이만하면 맛있게 먹을 수 있겠다 싶을 만큼 사탕을 골랐습니다.
④ '나'는 혼자 사탕 가게에 가서 어머니에게 꾸중을 들었습니다.
⑤ '나'는 사탕값으로 여섯 개의 버찌씨를 내밀었습니다.

4 위그든 씨는 버찌씨로 사탕을 살 수 있다고 생각하는 어린 '나'의 순수한 마음을 지켜 주기 위해서 손해를 보면서도 거스름돈을 준 것입니다.

126쪽 지문 분석

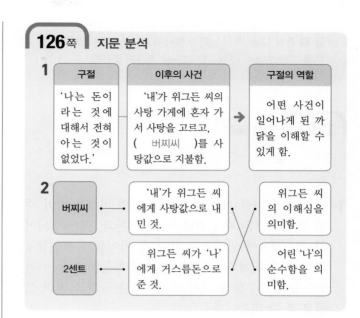

구절	이후의 사건	구절의 역할
'나는 돈이라는 것에 대해서 전혀 아는 것이 없었다.'	'내'가 위그든 씨의 사탕 가게에 혼자 가서 사탕을 고르고, (버찌씨)를 사탕값으로 지불함.	어떤 사건이 일어나게 된 까닭을 이해할 수 있게 함.

2

버찌씨 — '내'가 위그든 씨에게 사탕값으로 내민 것. — 어린 '나'의 순수함을 의미함.
2센트 — 위그든 씨가 '나'에게 거스름돈으로 준 것. — 위그든 씨의 이해심을 의미함.

1 '나'는 돈에 대한 개념이 없었기 때문에 사탕값으로 버찌씨를 내려고 한 것입니다. 그러므로 이 구절은 '내'가 왜 사탕값으로 버찌씨를 내게 되었는지 그 까닭을 이해하게 합니다.

2 돈에 대한 개념이 없던 '나'는 사탕값으로 버찌씨를 내는데 이는 어린아이였던 '나'의 순수한 마음을 의미합니다. 그리고 이런 '나'의 순수함을 지켜 주기 위해서 위그든 씨는 오히려 2센트를 거슬러 주는데, 이는 위그든 씨의 이해심을 의미합니다.

127쪽 오늘의 어휘

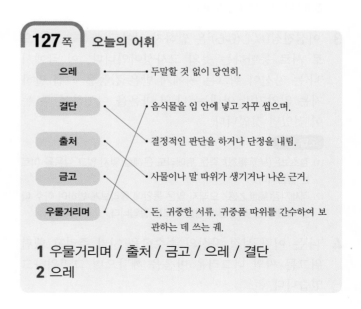

으레 — 두말할 것 없이 당연히.
결단 — 음식물을 입 안에 넣고 자꾸 씹으며.
출처 — 결정적인 판단을 하거나 단정을 내림.
금고 — 사물이나 말 따위가 생기거나 나온 근거.
우물거리며 — 돈, 귀중한 서류, 귀중품 따위를 간수하여 보관하는 데 쓰는 궤.

1 우물거리며 / 출처 / 금고 / 으레 / 결단
2 으레

• 글 ❸ 중심 내용 어린 남매가 열대어값으로 터무니없이 적은 돈을 내밀었지만 '나'는 거스름돈을 거슬러 줍니다.

129쪽 지문 독해

1 ④ **2** ① **3** (2) ○ **4** ⑤

1 이 글에서 어린 시절 순수했던 '나'의 마음을 지켜 주기 위해 위그든 씨가 건네준 거스름돈과, 어른이 되어 자신의 가게에 열대어를 사러 온 아이들의 순수함을 지켜 주기 위해 '내'가 건네준 거스름돈은 모두 어린 아이들의 순수함을 지켜 주려는 어른들의 이해의 선물로 볼 수 있습니다.

유형 분석/중심 내용
소설의 제목은 소설의 내용을 대표할 수 있는 것으로 붙입니다. 이 소설에서는 중심 인물들이 서로를 이해하는 장면이 세 번에 걸쳐 나옵니다. 특히, 그중에서 어린 시절의 '나'를 이해해 준 위그든 씨, 어른이 되어 만난 어린이들을 이해해 준 '나'와 관련한 장면이 중점적으로 그려져 있습니다.

2 '나'는 아이들의 모습이 버찌씨를 가지고 사탕을 사러 간 자신과 비슷함을 느꼈고, 아이들이 열대어의 값으로 턱없이 부족한 돈을 낼 것임을 금세 알아챘습니다.

유형 분석/세부 내용
글을 읽을 때, 글에 쓰인 표현이 가리키는 사건을 찾아보려면 앞뒤 내용을 자세히 읽어 보아야 합니다. 이 글에서 '내'가 알아챈 '앞으로 일어나게 될 사태'는, 소녀가 '내' 손바닥에 5센트짜리 백동화 두 개와 10센트짜리 은화 한 개를 쏟아 놓은 것입니다. 이것은 열대어값으로 많이 부족한 금액을 의미합니다.

3 '이심전심(以心傳心)'은 말하지 않아도 마음과 마음으로 서로 통한다는 뜻의 고사성어입니다. 이 글에서 '나'는 자신이 위그든 씨에게 받은 감동을 직접 말하지는 않았지만 아내는 '나'의 마음을 이해하여 두 눈이 젖었던 것입니다.

오답 풀이
(1) 결초보은(結草報恩): 죽은 뒤에라도 은혜를 잊지 않고 갚음을 이르는 말입니다.
(2) 격세지감(隔世之感): 오래지 않은 동안에 몰라보게 변하여 아주 다른 세상이 된 것 같은 느낌을 이르는 말입니다.

4 '나'는 어린 시절 자신의 순수함을 지켜 주려고 했던 위그든 씨의 너그러운 마음을 깨달으며 그리워하고 있습니다.

130쪽 지문 분석

1

'나'는 터무니없이 적은 돈을 내민 어린 남매에게 값비싼 (열대어)를 줌.	**인물들의 마음**
'나'의 과거 이야기를 들은 아내가 '나'의 (뺨)에 조용히 입을 맞춤.	• '나'는 어린 남매의 순수함을 이해함. • 아내는 ('나')의 마음을 이해함.

2

글의 내용	의미
위그든 씨가 '내'게 물려준 유산	어린아이의 순수함을 지켜 주려고 한 (이해심, 동정심)
위그든 씨의 나지막한 웃음소리	'나'의 (용감한, 순수한) 마음을 지켜 주려 했던 위그든 씨에 대한 (그리움, 걱정스러움)

주제	어린아이의 (예 순수한 마음)을 지켜 주려는 어른의 (예 이해심)

1 '나'는 어린 남매의 순수함을 지켜 주기 위해 적은 돈을 받고 열대어를 주었으며, 아내는 '내'가 느꼈을 감정을 이해하여 '나'의 뺨에 입을 맞춘 것입니다.

유형 분석/인물 마음
소설 속 사건들이 서로 비슷한 양상을 지닐 때, 인물들이 각각 어떤 반응을 보이는지를 살펴봅니다. 이를 통해 사건 속에서 인물의 마음이나 태도의 유사성을 파악할 수 있습니다.

2 이 글은 '내'가 어린아이의 순수함을 지켜 주려고 했던 위그든 씨를 떠올리며, 위그든 씨의 마음을 이해하게 되는 과정을 감동적으로 그리고 있습니다.

131쪽 오늘의 어휘

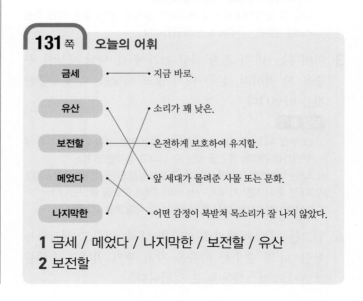

금세 • ——— 지금 바로.
유산 • • 소리가 꽤 낮은.
보전할 • • 온전하게 보호하여 유지할.
메었다 • • 앞 세대가 물려준 사물 또는 문화.
나지막한 • • 어떤 감정이 북받쳐 목소리가 잘 나지 않았다.

1 금세 / 메었다 / 나지막한 / 보전할 / 유산
2 보전할

- **글의 종류** 현대 시
- **글의 특징** 햇비를 맞으며 밝게 자라는 아이들을 보며 희망을 노래한 글입니다.
- **글의 주제** 햇비를 맞으며 밝게 자라나는 아이들의 모습

135쪽 지문 독해

1 ②   **2** ①   **3** 예 해님이 웃는다
4 (1) ○   (2) ○

1 이 글에서는 '아씨처럼 나린다 / 보슬보슬 햇비'에서 직유법이, '해님이 웃는다 / 나 보고 웃는다.'에서 의인법이, '하늘 다리 놓였다 / 알롱알롱 무지개'에서 은유법이 사용되었습니다. 이와 같은 비유적 표현을 사용해 햇비가 내리다 그친 후 무지개가 뜬 상황을 구체적으로 표현하고 있습니다.

오답 풀이
① 공간적 배경과 시간적 배경이 구체적으로 드러나 있지 않습니다.
③ '동무들아 이리 오나'에서 특정 행동을 하게끔 하는 말투를 사용하고 있지만 이는 말하는 이가 자신의 생각을 강요한 것은 아닙니다.
④ 이 글에 대화는 나타나 있지 않습니다.
⑤ 이 글의 말하는 이는 '나'이지만 '내'가 동무들과 사건을 일으키거나 갈등을 겪지는 않습니다.

2 무지개를 하늘 다리에 빗대어 비가 그친 후 하늘에 무지개가 뜬 상황을 나타내고 있습니다.

3 '해님이 웃는다'는 의인법을 사용하여 해를 사람처럼 표현한 부분으로, 1연과 2연에서 반복되었습니다.

유형 분석/표현
시에는 다양한 표현 방법이 사용됩니다. 표현 방법 중 사람이 아닌 것을 사람처럼 표현하는 방법을 '의인법'이라고 합니다. 의인법을 사용하면 사람이 아닌 무생물이나 동식물이 사람처럼 말하고, 행동하고, 생각하는 것 같이 표현할 수 있습니다. 이 글에서도 의인법을 사용해 읽는 이가 해를 친근하게 느낄 수 있게 했습니다.

4 시인은 일제 강점기의 어둡고 절망적인 시대를 살았지만 '해님이 웃는다 / 즐거워 웃는다.'라는 구절에서 알 수 있듯이 밝고 희망찬 미래를 꿈꾸며 즐거운 분위기를 나타내고 있습니다.

오답 풀이
③ 이 시에서 '햇비'는 긍정적인 의미로 사용되었습니다. 1연에서 '보슬보슬 햇비 / 맞아 주자 다 같이'를 보면 햇비를 온몸으로 맞겠다는 뜻과 햇비를 반갑게 맞이해 주겠다는 뜻 두 가지로 해석할 수 있습니다.

136쪽 지문 분석

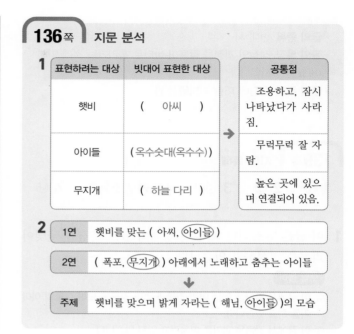

1

표현하려는 대상	빗대어 표현한 대상	공통점
햇비	(아씨)	조용하고, 잠시 나타났다가 사라짐.
아이들	(옥수숫대(옥수수))	무럭무럭 잘 자람.
무지개	(하늘 다리)	높은 곳에 있으며 연결되어 있음.

2

1연	햇비를 맞는 (아씨, ⓐ아이들)
2연	(폭포, ⓐ무지개) 아래에서 노래하고 춤추는 아이들

↓

주제	햇비를 맞으며 밝게 자라는 (해님, ⓐ아이들)의 모습

1 이 글은 다양한 비유적 표현을 통해 대상의 속성을 효과적으로 드러내고 있습니다. 조용히 잠깐 내리다 그치는 햇비는 아씨에, 비를 맞으며 즐겁게 놀면서 쑥쑥 크는 아이들은 옥수숫대에, 하늘 위에 걸쳐 있는 무지개는 하늘 다리에 비유하여 나타내고 있습니다.

유형 분석/표현
시에서는 대상 간의 유사성(공통점)에 근거하여 빗대어 표현하는 경우가 있습니다. 각 대상의 유사성이 무엇인지 파악하여 비유적 표현의 의미를 이해해야 합니다.

2 각 연의 중심 내용을 정리하여 이 글에서 말하는 이가 나타내고 싶은 내용을 파악할 수 있습니다.

137쪽 오늘의 어휘

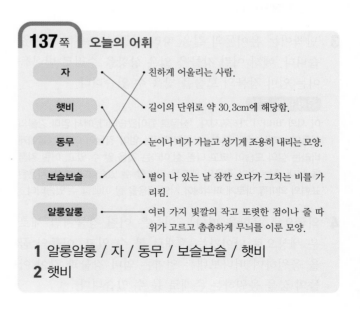

자	•	• 친하게 어울리는 사람.
햇비	•	• 길이의 단위로 약 30.3cm에 해당함.
동무	•	• 눈이나 비가 가늘고 성기게 조용히 내리는 모양.
보슬보슬	•	• 볕이 나 있는 날 잠깐 오다가 그치는 비를 가리킴.
알롱알롱	•	• 여러 가지 빛깔의 작고 또렷한 점이나 줄 따위가 고르고 촘촘하게 무늬를 이룬 모양.

1 알롱알롱 / 자 / 동무 / 보슬보슬 / 햇비
2 햇비

• **글의 종류** 현대 시
• **글의 특징** 성장의 과정을 강물이 바다로 흘러가는 것에 빗대어 표현한 시입니다.
• **글의 주제** 성장에 대한 기대와 소망

139쪽　지문 독해

1 ①　　**2** ③　　**3** 엄마 / 시린 몸 / 조용히　　**4** ④

1 이 글은 '~습니다'와 같은 형태의 말로 문장을 끝맺어 리듬을 형성하고 있습니다.

　오답 풀이
② 이 글에서 말하는 이는 어린 강물과 엄마 강물을 보며 그들의 이야기를 하고 있습니다.
③ 이 글에서 강물은 과거를 떠올리고 있지 않습니다.
④ 이 글은 움직임을 흉내 내는 말을 사용하고 있지 않습니다.
⑤ 엄마 강물이 어린 강물에게 해 준 말을 인용하고 있지만 엄마 강물과 어린 강물이 대화를 주고받지는 않습니다.

2 엄마 강물은 은어들의 길을 따라 산골로 돌아온 것이지, 은어들과 함께 돌아온 것이 아닙니다.

　오답 풀이
① 어린 강물은 엄마 손을 놓지 않고 있었는데 파도의 배 속으로 뛰어드는 꿈을 꾸다 엄마 손을 놓치고 말았습니다.
② 엄마 강물은 "잘 가거라 내 아들아. 이제부터는 크고 다른 삶을 살아야 된단다."라고 했습니다.
④ 어린 강물은 엄마 강물과 헤어져야 하는 상황이 다가오자, 엄마 손을 더욱 꼭 그러쥔 채 놓지 않았습니다.
⑤ 엄마 강물은 어린 강물을 보내고, 반짝이는 은어들의 길을 따라 산골로 돌아왔습니다.

3 '반짝이는 은어들의 길을 따라 산골로 조용히 돌아왔습니다.'에서 어린 강물을 잃은 상황을 순리로 받아들이는 엄마 강물의 모습을 찾을 수 있습니다.

　유형 분석 / 표현
이 시의 '바다가 가까워지자', '산골로 돌아왔습니다.'에서 엄마 강물의 이동이 나타납니다. 특히 ㉠ 부분에서는 엄마 강물이 어린 강물에게 바라는 삶의 모습이 '크고 다른 삶'이라는 것을 알 수 있고, 어린 강물을 보내 주는 엄마 강물의 태도를 파악할 수 있습니다. 시에 사용된 표현의 의미를 바르게 파악해야 시의 내용을 잘 이해할 수 있습니다.

4 외국으로 유학을 떠나는 아들은 어린 강물처럼 새로운 세상으로 나아가는 존재로 볼 수 있고, 아들의 꿈을 응원하며 떠나보내는 엄마는 엄마 강물과 같이 아들의 꿈을 응원하는 존재로 볼 수 있습니다.

140쪽　지문 분석

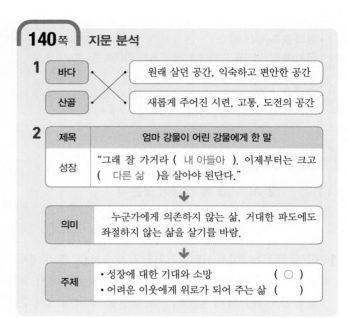

1 이 시에서 바다는 어린 강물이 엄마 강물과 헤어져 새롭게 나아가야 할 공간이며, 산골은 어린 강물을 바다로 보낸 엄마 강물이 원래 있던 곳으로 돌아오는 공간입니다.

　유형 분석 / 배경 의미
시에서 공간적 배경은 시적 상황과 연결될 때 중요한 의미를 지니기도 합니다. 이 시에서는 어린 강물과 엄마 강물이 처한 상황을 고려하여 각각의 공간이 어떤 의미를 지닐지 파악해 봅니다.

2 이 시의 제목인 '성장'과 어린 강물, 엄마 강물이 처해 있는 상황을 바탕으로 엄마 강물이 한 말의 의미를 파악합니다.

141쪽　오늘의 어휘

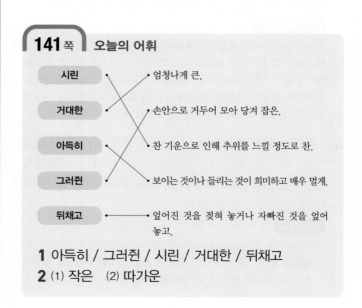

1 아득히 / 그러쥔 / 시린 / 거대한 / 뒤채고
2 (1) 작은　(2) 따가운

- **글의 종류** 현대 시
- **글의 특징** 절망적인 상황일지라도 희망과 사랑이 있다는 믿음을 강조한 시입니다.
- **글의 주제** 시련을 극복하고 스스로 사랑을 찾기 위해 노력하는 삶의 태도

143쪽   지문 독해

1 ⑤   **2** ㉡   **3** ④   **4** ㉯, ㉱

1 이 글은 '~ 사람이 있다', '길이 끝나는 곳에서도' 등을 반복하여 운율을 형성하고 주제를 강조합니다. 그러나 색깔을 대비한 부분은 없습니다.

> **유형 분석 / 갈래**
> 시의 형식이나 구성 요소(운율, 심상, 주제), 말하는 이가 놓여 있는 상황, 말하는 이의 정서나 태도 등을 묻는 문제가 자주 출제됩니다. 이 글은 반복을 통해 리듬이 느껴지게 하고, 말하는 이가 절망적인 상황에서도 희망과 사랑이 있음을 확신에 찬 말투로 전하고 있습니다. 또한 7~9행에서는 절망적 상황을 구체적 자연물을 통해 표현했습니다.

2 스스로 봄 길이 되는 것은 절망적인 상황에서도 희망을 잃지 않는 것을 의미합니다. 반면에 ㉠, ㉢, ㉣, ㉤은 '절망적인 상황'을 의미합니다.

3 이 글은 절망적인 상황에서도 '길이 있다'고 믿는 말하는 이를 통해 희망적인 삶의 태도를 말하고 있습니다. 어떠한 곤경에서도 희망은 있는 것이니 낙심하지 말라는 뜻의 ④번 속담이 이 시와 가장 관련 있습니다.

> **오답 풀이**
> ① 핑계 없는 무덤이 없다: 아무리 큰 잘못을 저지른 사람도 그것을 변명하고 이유를 붙일 수 있다는 말입니다.
> ② 어느 집 개가 짖느냐 한다: 남이 하는 말을 무시하여 들은 체도 아니함을 비유적으로 이르는 말입니다.
> ③ 귀 장사 하지 말고 눈 장사 하라: 실지로 보고 확인한 것이 아니면 말하지 말라는 뜻의 말입니다.
> ⑤ 가는 토끼 잡으려다 잡은 토끼 놓친다: 지나치게 욕심을 부리다가 이미 차지한 것까지 잃어버리게 됨을 비유적으로 이르는 말입니다.

4 민우와 현주는 모두 신체의 장애를 딛고 자신이 소망하는 바를 이룬 사람들입니다. 즉 이들은 모두 절망적인 상황에서도 희망을 잃지 않는 사람들로, 스스로 봄 길이 되어 끝없이 걸어가는 사람들로 볼 수 있습니다.

> **오답 풀이**
> ㉮ '길이 되는 사람'은 절망적인 상황에서도 희망을 잃지 않는 사람을 말합니다. 친구에게 회장 자리를 양보하는 연수가 절망적인 상황에 있는 것은 아닙니다.

144쪽   지문 분석

1

1~6행	절망적인 상황에서도 (희망)을 잃지 않는 사람이 있음.
7~9행	사랑이 끝난 (절망)적인 상황이 찾아옴.
10~14행	사랑이 끝난 곳에서도 (사랑)을 베푸는 사람이 있음.

2

표현
• 길이 끝나는 곳에서도 / (길)이 있다
• 길이 끝나는 곳에서도 / (길이 되는 사람)이 있다
• 사랑이 끝난 곳에서도 / (사랑으로 남아 있는 사람)이 있다

말하는 이가 추구하는 가치
어떤 상황 속에서도 (⦸희망과 사랑⦸, 후회와 반성)을 갖고 꿋꿋하게 살아가는 삶의 태도를 중요하게 생각한다.

1 이 시를 내용상 세 부분으로 구분하여 빈칸에 들어갈 말을 차례대로 써 봅니다.

2 이 시는 시련을 극복하고 스스로 사랑을 찾기 위해 노력하는 삶의 태도에 대해 노래하였습니다.

> **유형 분석 / 주제**
> 역설은 겉으로 이치에 맞지 않는 것 같지만 그 속에 진리를 담고 있는 표현으로, 글의 흐름 속에서 그 의미를 이해해야 합니다. 이 글은 절망적인 상황에서도 희망을 잃지 않는 태도를 강조하기 위해 '길이 끝나는 곳'에 '길이 있다'는 역설적 표현을 사용하고 있습니다. 표현의 의미를 파악하여 말하는 이가 추구하는 가치를 알아봅니다.

145쪽   오늘의 어휘

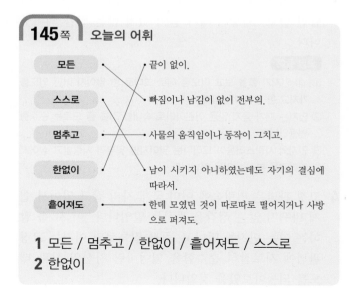

1 모든 / 멈추고 / 한없이 / 흩어져도 / 스스로
2 한없이

- **글의 종류** 현대 시
- **글의 특징** 풀을 꽃으로 여기는 민지의 순수한 모습을 보며 그렇지 못한 자신의 삶을 돌아보는 시입니다.
- **글의 주제** 맑고 순수한 민지를 보며 자신의 삶을 돌아봄.

147쪽　지문 독해

1 ⑤　　**2** ④ → ⑦ → ⑭ → ⑪　　**3** ③　　**4** ⑤

1 말하는 이가 강원도 산골에 사는 제자의 딸인 '민지'와 대화하며 민지의 순수한 마음에 대해 이야기하는 시입니다.

〔오답 풀이〕
①, ④ 말하는 이가 순수한 민지를 통해 그렇지 못한 자신의 삶을 돌아보며 반성하고 있습니다.
② '강원도 평창군 미탄면 청옥산 기슭'이라는 공간적 배경이 구체적으로 나타나 있습니다.
③ 말하는 이와 민지가 주고받은 대화가 그대로 나타나 있습니다.

2 제자를 찾아간 말하는 이가 제자의 딸 민지와 있었던 일을 차례대로 나열해 봅니다.

〔유형 분석/세부 내용〕
장면을 차례대로 나열하려면 장면의 시간적 배경과 공간적 배경의 변화, 말하는 이에게 일어난 일 등을 자세히 살펴보아야 합니다. 이 글은 크게 말하는 이가 제자의 집에 찾아가는 장면과 말하는 이가 제자의 집에서 제자의 딸 민지와 대화하는 장면으로 나눌 수 있습니다. 말하는 이가 민지와 대화를 주고받는 장면은 다시 대화의 흐름에 따라 차례를 나열해 볼 수 있습니다.

3 '꽃이야, 하는 그 애의 말'은 민지의 맑고 순수한 마음이 담긴 말로, 세상의 때가 묻어 있지 않은 말을 의미합니다.

〔오답 풀이〕
①, ④ 민지가 풀을 보고 떠오른 대로 그대로 한 말이지 어떤 의도를 가지고 한 말이 아닙니다.
② 민지는 때가 묻지 않은 어린아이로 속내를 감출 줄 모르는 순수한 인물입니다.
⑤ 민지의 사랑스러움이 드러나는 말이지만 일부러 사랑받고 싶어서 어리광을 부리는 말은 아닙니다.

4 고정 관념은 머릿속에 이미 굳게 자리 잡고 있어서 쉽게 바뀌지 않는 생각을 뜻하는 말입니다. 이 시 속 말하는 이는 민지를 만나고, 풀을 잡초로만 여기는 고정 관념에 사로잡혀 순수함을 잃어버린 자신의 삶과 태도를 되돌아보았을 것입니다.

148쪽　지문 분석

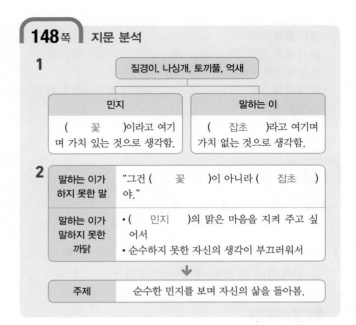

1

질경이, 나싱개, 토끼풀, 억새	
민지	말하는 이
(꽃)이라고 여기며 가치 있는 것으로 생각함.	(잡초)라고 여기며 가치 없는 것으로 생각함.

2

말하는 이가 하지 못한 말	"그건 (꽃)이 아니라 (잡초)야."
말하는 이가 말하지 못한 까닭	• (민지)의 맑은 마음을 지켜 주고 싶어서 • 순수하지 못한 자신의 생각이 부끄러워서
주제	순수한 민지를 보며 자신의 삶을 돌아봄.

1 민지는 질경이, 나싱개, 토끼풀, 억새와 같은 풀에 물을 주고 인사하며 꽃이라고 합니다. 말하는 이는 민지에게 "그건 잡초야."라고 말하려다 입을 다물었습니다.

2 말하는 이는 민지에게 "그건 잡초야."라고 말하려다 입을 다물었습니다. 이로 볼 때, 말하는 이가 민지에게 풀을 잡초라고 말하지 않은 까닭은 풀을 꽃처럼 가치 있게 여기는 민지의 순수한 마음을 지켜 주고 싶었기 때문으로 볼 수 있습니다. 또한 자신은 세상의 때가 묻어 민지처럼 순수하지 못하다는 생각에 부끄러움을 느꼈기 때문으로도 볼 수 있습니다.

149쪽　오늘의 어휘

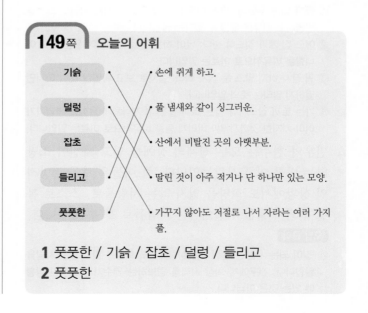

기슭	손에 쥐게 하고.
덜렁	풀 냄새와 같이 싱그러운.
잡초	산에서 비탈진 곳의 아랫부분.
들리고	딸린 것이 아주 적거나 단 하나만 있는 모양.
풋풋한	가꾸지 않아도 저절로 나서 자라는 여러 가지 풀.

1 풋풋한 / 기슭 / 잡초 / 덜렁 / 들리고
2 풋풋한

- **글의 종류** 고전 시조
- **글의 특징** 작가가 백성들을 도덕적으로 깨치기 위해 쓴 글입니다. 순우리말을 사용하여 이해하기 쉽고, 권장하는 듯한 말투를 사용하여 바람직한 생활을 권유합니다.
- **글의 주제** 효도, 근면·상부상조, 노인 공경

151쪽   **지문 독해**

1 ③   **2** ③   **3** ②, ④   **4** 예솔

1 제목 '훈민가'는 백성을 가르치는 노래라는 뜻입니다. 〈제4수〉는 부모님에 대해, 〈제13수〉는 농민에 대해, 〈제16수〉는 노인에 대해 가르침을 주고 있습니다.

유형 분석/중심 내용

「훈민가」는 전 16수로 이루어진 시조로, 효의 실천과 근면한 삶, 노인을 공경하는 삶을 권장하는 내용으로 이루어져 있습니다. 이해하기 쉬운 우리말과 권장하는 듯한 말투를 사용하여 읽는 이에게 바람직한 생활을 권유하고 있습니다. 이러한 글의 특징을 통해 글쓴이가 글을 쓴 목적을 파악할 수 있습니다.

2 ㉠은 서로 도우며 농사짓는 모습에 대한 것입니다. '상부상조(相扶相助)'가 서로서로 돕는다는 뜻입니다.

오답 풀이

① 오매불망(寤寐不忘): 자나깨나 잊지 못함을 뜻하는 말입니다.
② 형설지공(螢雪之功): 반딧불·눈과 함께 하는 노력이라는 뜻으로 고생하면서 부지런하고 꾸준하게 공부하는 자세를 말합니다.
④ 유유상종(類類相從): 비슷한 사람들끼리 서로 어울려 사귀는 것을 말합니다.
⑤ 약육강식(弱肉强食): 약한 자가 강한 자에게 먹힌다는 뜻으로, 생존 경쟁의 살벌함을 말합니다.

3 〈제13수〉에서 근면성과 상부상조 정신을 강조하고 있습니다. 또, 〈제4수〉에서 부모님이 살아 계실 때 효도해야지 돌아가신 다음에 후회해 봤자 소용없다는 뜻을 전하고 있습니다.

오답 풀이

① 〈제4수〉에서 부모님의 은혜에 대해서는 언급하지 않았습니다.
③ 〈제16수〉에서 노인은 늙은 것도 서러운데 무거운 짐까지 지게 할 수 없다고 하였습니다.
⑤ 이 시조는 유교 윤리를 노래한 것입니다.

4 말하는 이는 노인이 무거운 짐을 지고 있으면 자신이 대신 짊어지겠다고 했습니다. 이는 노인을 공경하는 태도를 강조한 것으로, 할머니를 도와 손수레를 끌어드린 예솔이는 말하는 이가 칭찬할 만한 친구입니다.

152쪽   **지문 분석**

1

말하는 이를 농민으로 할 때	말하는 이를 양반으로 할 경우
• 말하는 이가 일하면서 듣는 이에게 농사일을 열심히 하자고 권유하는 느낌을 줌. • 듣는 이가 친근하고 거부감 없이 받아들이도록 함.	• 말하는 이는 일을 하지 않으면서 듣는 이에게만 (심부름, (농사일))을 열심히 하라는 느낌을 줄 수 있음. • 듣는 이에게 ((명령), 경청)하는 느낌만 줄 수 있음.

2

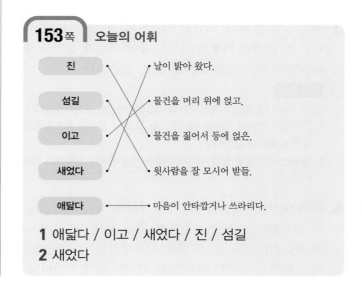

제4수	부모님이 살아 계실 때 잘 섬겨야 한다.	효도
제13수	날이 밝으면 호미를 메고 나가자.	노인 공경
	내 논을 다 매면 다른 사람의 논도 매어 주자.	부지런함.
제16수	노인의 짐을 들어 주자.	서로 도움.

1 양반이 열심히 일하라고 명령한다면 거부감이 들겠지만, 자신과 처지가 같은 농민이 함께 농사일을 열심히 하자고 이야기하면 이를 친숙하고 거부감 없이 받아들일 수 있으므로 글쓴이는 말하는 이를 농민으로 설정한 것입니다.

2 각 수에서 말하는 이가 권유하는 행동을 정리하여 말하는 이가 중요하게 여기는 가치가 무엇인지 파악합니다. 이를 바탕으로 글의 주제를 이해할 수 있습니다.

153쪽   **오늘의 어휘**

진		날이 밝아 왔다.
섬길		물건을 머리 위에 얹고.
이고		물건을 짊어서 등에 얹은.
새었다		윗사람을 잘 모시어 받들.
애닯다		마음이 안타깝거나 쓰라리다.

1 애닯다 / 이고 / 새었다 / 진 / 섬길
2 새었다

가
- **글의 종류** 고전 시조
- **글의 특징** 이방원이 정몽주를 회유하기 위해 지은 시조입니다.
- **글의 주제** 새 왕조에 동참할 것을 회유함.

나
- **글의 종류** 고전 시조
- **글의 특징** 이방원의 시조에 대한 대답으로 고려 왕조에 충성 하겠다는 의지를 강조한 시조입니다.
- **글의 주제** 고려에 대한 변함없는 충성

155쪽 | 지문 독해

1 일편단심 **2** ② **3** ② **4** ④

1 나에서 말하는 이는 임을 향한 마음이 변함이 없다는 생각을 '일편단심'(진심에서 우러나오는 변치 않는 마음)이라는 말을 통해 강조하고 있습니다.

2 가의 말하는 이는 '만수산 드렁칡'에 빗대어 상대방이 자신과 함께할 것을 권유하며 설득하고 있습니다.

오답 풀이
① 가의 말하는 이는 상대에게 자신의 뜻을 따를 것을 권유하고 있지 만 이를 명령의 방식으로 제시하고 있지는 않습니다.
③ 나에서 '죽고 죽어', '고쳐 죽어'에서 같은 말을 반복하고 있지만 이 는 자신의 뜻에는 변함이 없다는 것을 강조하기 위함이지 상대의 생각에 찬성하는 것은 아닙니다.
④ 나의 '가실 줄이 있으랴'(있겠습니까?)에서 물음의 방식을 활용하 고 있으나 이는 자신의 뜻이 변함이 없음을 강조하는 표현입니다.
⑤ 나에서 '백골이 진토되어'에서 과장된 표현을 쓰고 있으나 이는 상 대를 비판하는 뜻은 아닙니다.

3 가의 말하는 이가 '이런들 어떠하며 저런들 어떠하리' 라고 한 것에서 이렇게 살아도 좋고 저렇게 살아도 좋 다는 생각을 가지고 있음을 알 수 있습니다.

오답 풀이
①, ③ 만수산 드렁칡이 얽혀져도 상관없다는 생각을 표현하였습니다.
④ '이런들 어떠하며 저런들 어떠하리'는 '이렇게 살아도 좋고 저렇게 살아도 좋다'는 뜻입니다.
⑤ 말하는 이는 글을 통해 시대의 흐름에 따라 살자고 설득하고 있습 니다.

4 나의 말하는 이는 어떠한 상황에서도 임을 향한 마음 이 변함없다는 것을 강조하기 위해 '일백 번 고쳐 죽 어(죽을지라도)'라는 표현을 사용했습니다. 그러므로 이 표현에는 말하는 이의 강한 의지가 담겨 있습니다.

156쪽 | 지문 분석

1

시대의 흐름에 맞게 살자고 권유 함.	임을 향한 마 음이 변함없음을 강조함.	소재 역할
(만수산 드렁칡)	(백골, 진토)	말하는 이의 생각을 효과적 으로 전달함.

2

가의 말하는 이 — 마음을 돌려 자신과 함께할 것을 회유함. → 명분보다는 현실 중시

나의 말하는 이 — 임에 대한 충정을 다짐하며 제안을 거절함. → 현실보다는 명분 중시

1 '만수산 드렁칡'은 이렇게 살아가든, 저렇게 살아가든 시대의 흐름에 따라 사는 게 어떠하냐는 말하는 이의 생각을 효과적으로 전달하기 위해 사용한 자연물이 고, '백골', '진토'는 일편단심을 강조하기 위해 사용한 소재입니다.

2 가의 말하는 이는 구체적인 사물인 '만수산 드렁칡'에 견주어 시대의 흐름에 따를 것을 권유하고 있는데 이 를 통해 임금에 대한 충성심보다는 현실을 중시함을 알 수 있습니다. 나의 말하는 이는 '일편단심'이라는 말을 통해 자신의 충성심이 어떤 경우에도 변하지 않 을 것임을 단호하게 말하고 있는데, 이를 통해 신하로 서 임금에 대한 충성심을 중요하게 생각함을 알 수 있 습니다.

157쪽 | 오늘의 어휘

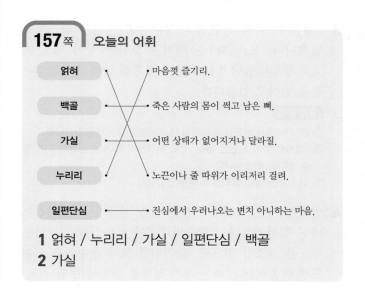

얽혀 — 노끈이나 줄 따위가 이리저리 걸려.
백골 — 죽은 사람의 몸이 썩고 남은 뼈.
가실 — 어떤 상태가 없어지거나 달라질.
누리리 — 마음껏 즐기리.
일편단심 — 진심에서 우러나오는 변치 아니하는 마음.

1 얽혀 / 누리리 / 가실 / 일편단심 / 백골
2 가실

- **글의 종류** 현대 수필
- **글의 특징** 막내의 야구 방망이에 얽힌 이야기를 바탕으로 감동을 주는 수필입니다.
- **글의 주제** 야구 대회를 통해 단결심을 배우는 막내와 아이들의 순수한 마음
- **중심 내용** 글쓴이는 막내의 반 아이들이 야구 대회를 개최하게 된 사연을 듣고 감동을 받습니다.

161쪽 지문 독해

1 야구 방망이   **2** ①   **3** ④   **4** ㉯, ㉣

1 이 글에서 야구 방망이는 막내와 반 아이들의 단결심과 자존심, 노력을 상징합니다.

[유형 분석 / 중심 소재]

이 수필에서 '야구 방망이'는 다양한 역할을 합니다. 막내가 집에 늦게 오기 시작하는 원인이자, 막내의 늦은 귀가로 인한 글쓴이의 걱정과 의아함을 불러일으키는 매개체가 됩니다. 또 동시에 막내와 반 아이들을 단합하게 하는 매개체가 되고 수필의 끝부분에서 글쓴이와 막내의 갈등이 해소되었음을 보여 주는 역할을 하기도 합니다.

2 막내의 반에 새로운 선생님이 오신 것이 아니고 막내의 반 아이들이 다른 반으로 뿔뿔이 흩어진 것입니다.

[오답 풀이]

② 막내의 담임 선생님은 무슨 깊은 병환으로 입원을 하셔서 한 두어 달 쉬시게 되었다고 했습니다.

③ 막내의 반은 결승전에 진출했으나 결승에서 그만 패하고 말았다고 했습니다.

④ 담임 선생님의 입원 후 막내의 반은 해체되었는데, 배치된 반 아이들의 괄시가 말이 아니라고 했습니다.

⑤ 막내의 반 아이들이 기죽지 않을 방법으로 채택한 것이 야구 대회를 주최하여 우승을 차지하는 것이라고 했습니다.

3 '맑고 푸른 별'은 어려움을 함께 극복하며 성장하는 막내와 반 아이들의 맑고 순수한 마음을 상징합니다.

4 글쓴이는 막내의 이야기를 듣고 '감동 비슷한 것이 가슴에 꽉 차 오는 것 같았다.'라고 했습니다. 이는 글쓴이가 막내의 순수하고도 의지 있는 모습에 감동을 받은 것으로 볼 수 있습니다.

[오답 풀이]

㉮ 막내는 반 아이들과 기죽지 않을 방법으로 야구 대회 우승을 차지하고 싶어 한 것이지, 야구 선수가 되길 꿈꾼 것은 아닙니다.

㉰ 아버지인 글쓴이는 야구 대회에서 꼭 우승하겠다고 말하는 막내를 보고, 망국민의 독립운동사라도 읽은 것처럼 감동을 받았다고 했습니다.

162쪽 지문 분석

1

비유적 표현	효과
• 열광의 (도가니)처럼 들끓던 결승 • 무슨 망국민의 (독립운동사)라도 읽은 것처럼 감동 비슷한 것 • 막내와 그 애의 친구 애들의 초롱초롱한 눈 같은 맑고 푸른 (별)	• 장면이나 감정을 더욱 생생하게 드러냄. • 글쓴이가 글을 통해 말하고자 하는 상황을 더욱 구체적으로 표현함.

2

사건	막내의 마음
반 친구들과 헤어지게 되고, 새 반 아이들에게 (괄시)를 받음. →	서러운 마음
야구 대회를 주최하기로 하고 매일 연습함. →	우승하고 싶은 간절한 마음
결승전에서 졌지만 다음에 (우승)할 것이라 다짐함. →	포기하지 않는 마음

주제	야구 대회를 통해 (단결심 독립심)을 배우는 막내와 막내의 반 아이들의 (순수한 능청스러운) 마음

1 결승전의 분위기를 열광의 도가니에 빗대고 있으며, 막내의 말에 감동받은 글쓴이의 마음을 독립운동사를 읽은 것에 빗대었습니다. 그리고 아이들의 초롱초롱한 눈을 맑고 푸른 별에 빗대어 표현하고 있습니다.

2 글쓴이는 우승하기 위해 매일 연습하며 단결심을 배우는 막내와 아이들의 순수한 마음에 감동받게 됩니다.

163쪽 오늘의 어휘

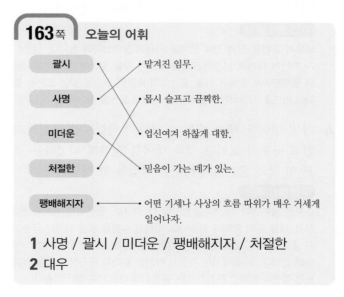

1 사명 / 괄시 / 미더운 / 팽배해지자 / 처절한
2 대우

- **글의 종류** 현대 수필
- **글의 특징** 글쓴이가 자전거를 배웠던 경험에서 얻은 깨달음을 담고 있는 수필입니다.
- **글의 주제** 자전거 타기를 통해 깨달은 삶의 진리
- **중심 내용** 글쓴이는 자전거 타기를 계속 시도하다 실패하지만 결국 성공하게 되고 이를 통해 깨달음을 얻습니다.

165쪽　지문 독해

1 ②, ③　　**2** ④　　**3** 난생처음 봄을 맞는 장끼(처럼)
4 ⑤

1 이 글은 글쓴이가 처음 자전거 타기에 성공한 경험을 통해 깨달은 점을 쓴 수필입니다. 시간의 흐름에 따라 글쓴이의 체험과 심리 변화가 잘 나타나 있습니다.
　오답 풀이
　① 유명인의 말은 글에 드러나 있지 않으며, 글쓴이의 일상적인 경험을 통해 얻은 깨달음이 드러나 있습니다.
　④ 글쓴이는 여러 번의 실패 끝에 처음으로 자전거 타기에 성공한 일과 관련지은 생각을 드러냈습니다.
　⑤ '삽시간에 어른이 된 기분으로 ~ 길을 내달렸다.'를 통해 글쓴이가 어린 시절의 경험을 회상한 것임을 짐작할 수 있지만 현재 고향에 간 것인지는 알 수 없습니다.

2 '어느새 내 발은 페달을 차고 있었고 자전거는 도랑과 똥통 옆을 지나고 있었다.'라고 했으므로, 글쓴이는 도랑에 빠지지는 않았습니다.

3 글쓴이는 자전거 타기에 처음 성공한 흥분된 마음을 '난생처음 봄을 맞는 장끼'에 비유하여 표현하였습니다.
　유형 분석 / 표현
　비유적 표현을 찾기 전에 문제를 자세히 살펴보아야 합니다. 글쓴이가 자전거 타기에 성공한 모습을 표현한 것을 찾아야 하므로 제시문의 뒷부분에서 찾아야 하고, 글쓴이의 흥분된 모습을 빗댄 표현을 찾아야 하므로 직접적인 서술이 아닌 비유적 표현을 찾아야 합니다.

4 처음 영어를 배울 때는 실패를 경험했지만 포기하지 않고 꾸준히 노력한 결과 영어를 잘하게 되었다는 것은 이 글의 글쓴이와 비슷한 경험을 한 것입니다.
　유형 분석 / 적용
　수필은 글쓴이가 자신의 경험담을 쓴 것으로, 글쓴이의 가치관이나 성격, 태도 등이 드러나 있습니다. 따라서 수필을 읽을 때에는 글쓴이가 중심 소재에 대해 어떻게 생각하고, 어떻게 대하고 있는지를 파악해야 합니다. 이 글에서는 자전거 타기를 끝까지 포기하지 않을 만큼 도전 정신이 강하고 끈기가 있는 글쓴이의 태도가 드러나 있습니다.

166쪽　지문 분석

1

자전거 타기에 계속 실패하며 쓰러짐.	설렘, 뿌듯함
자전거와 한 몸이 되어 가속이 붙은 내리막을 달려 내려감.	실망감, 막막함
오르막에 올라서 자전거를 타기로 결심하고 아래를 내려다봄.	긴장감, 망설임

2 글쓴이는 수백 번의 시행착오 끝에 (자전거 타기)에 성공함.

↓

세상을 움직여 온 (비밀)을 알게 됨.
– 일단 시작한 일은 중간에 그만둘 수 없음.
– 노력해도 잘되지 않을 때에는 본능(자연의 판단)에 맡겨야 함.

↓

| 주제 | 자전거 타기에 처음 성공한 경험을 통해 깨달은 삶의 진리 |

1 글쓴이는 자전거 타기를 시도하지만 실패하고 날이 어두워지기 시작하자 막막한 마음으로 집으로 돌아오려 합니다. 돌아오는 중에 오르막에 올라 자전거를 타고 내려가 볼까 생각합니다. 아래에는 똥통과 도랑이 있어 망설였지만, 결국 시도하고 성공하며 삽시간에 어른이 된 기분 즉 뿌듯함을 느낍니다.

2 이 글은 수필로 글쓴이의 경험과 깨달음을 이야기하고 있습니다. 글쓴이는 자전거 타기에 성공하며 세상을 움직여 온 비밀, 즉 삶의 진리를 깨닫게 됩니다.

167쪽　오늘의 어휘

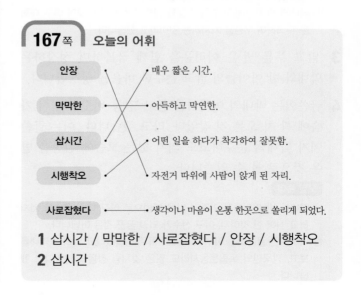

안장	매우 짧은 시간.
막막한	아득하고 막연한.
삽시간	어떤 일을 하다가 착각하여 잘못함.
시행착오	자전거 따위에 사람이 앉게 된 자리.
사로잡혔다	생각이나 마음이 온통 한곳으로 쏠리게 되었다.

1 삽시간 / 막막한 / 사로잡혔다 / 안장 / 시행착오
2 삽시간

• **글의 종류** 고전 수필
• **글의 특징** 글쓴이가 행랑채를 수리하며 깨달은 바를 사람의 경우와 나라의 정치에 적용하는 글입니다.
• **글의 주제** 잘못을 알고 그것을 고쳐 나가는 자세의 중요성

169쪽 지문 독해

1 (1) ㉮, ㉱ (2) ㉯, ㉲ **2** ③ **3** ② **4** ②, ④

1 이 글은 글쓴이가 집을 수리한 경험을 바탕으로 깨달은 바를 이야기하고 있습니다.

유형 분석/갈래

수필은 일상적 경험과 이를 통해 얻은 깨달음을 이야기하는 구조가 많기 때문에 해당 부분이 사실인지, 의견인지 판단할 수 있어야 합니다. 한문 문체의 하나인 설(說)은 보통 사물의 이치를 풀이한 다음 의견을 덧붙여 서술하는 형식으로 이루어집니다. 이 글도 '체험 – 깨달음'의 2단 구조로 되어 있습니다.

2 '호미로 막을 것을 가래로 막는다.'는 커지기 전에 처리하였으면 쉽게 해결되었을 일을 방치하여 두었다가 나중에 큰 힘을 들이게 된 경우를 비유적으로 이르는 속담입니다.

오답 풀이

① 우물에 가 숭늉 찾는다.: 모든 일에는 질서와 차례가 있는데 일의 순서도 모르고 성급하게 덤빔을 비유적으로 이르는 말입니다.
② 믿는 도끼에 발등 찍힌다.: 잘되리라고 믿고 있던 일이 어긋나거나 믿고 있던 사람이 배반하여 오히려 해를 입음을 비유적으로 이르는 말입니다.
④ 열 번 찍어 안 넘어가는 나무 없다.: 아무리 뜻이 굳은 사람이라도 여러 번 권하거나 꾀고 달래면 결국은 마음이 변한다는 말입니다.
⑤ 하늘이 무너져도 솟아날 구멍이 있다.: 아무리 어려운 경우에 처하더라도 살아 나갈 방도가 생긴다는 말입니다.

3 글쓴이는 잘못을 알고 고치기를 꺼리지 않으면 해를 받지 않고 다시 착한 사람이 될 수 있다고 했습니다.

4 글쓴이는 집을 수리한 경험을 소재로 삼아 삶의 이치를 말하며, 백성을 좀먹는 무리들인 탐관오리를 제거해야 나라가 바로 설 수 있다는 정치 개혁에 대한 의견을 제시하였습니다.

유형 분석/추론

고전 수필은 읽는 사람에게 교훈을 주려는 의도로 쓰여진 것이 많습니다. 「이옥설」 또한 글쓴이가 행랑채를 수리하면서 깨달은 점인 '잘못을 알았으면 바로 고치는 자세가 중요하다.'라는 교훈을 전하고 있습니다. 백성을 괴롭히는 탐관오리들로 인해 나라가 위태로운 지경이었던 당시 사회적 상황과 관련지어 창작 의도를 추론해 봅니다.

170쪽 지문 분석

1

1문단	(안채, ⑭행랑채)가 퇴락하여 수리한 경험을 이야기함.
2문단	깨달음을 (식물, ⑭사람)에 적용함.
3문단	깨달음을 (가정, ⑭정치)에 적용함.

↓

자신의 경험을 통해 얻은 깨달음을 (축소, ⑭확장)하여 다른 상황에 적용함.

2

사람의 경우	정치의 경우
• 자신의 잘못을 알고도 고치지 않으면 점점 더 나빠짐. • (잘못)을 알고 바로 고치면 다시 착한 사람이 될 수 있음.	• (백성)을 좀먹는 무리를 내버려 두면 나라가 위태로워짐. • 늦기 전에 잘못을 바로잡아야 정치가 올바르게 됨.

↓

주제	잘못을 알고 그것을 (⑩ 바로 고치는) 자세의 중요성

1 글쓴이는 행랑채를 수리하면서 깨달은 내용을 사람에게, 그리고 정치에 확장하여 적용하며 자신의 생각을 드러내고 있습니다.

2 이 글에서 글쓴이는 집을 제때 수리하지 않으면 더 큰 수리비가 들듯이, 사람도 잘못을 하면 바로 고쳐야 하고, 정치도 잘못된 것을 즉시 바로잡아야 한다는 것을 깨달았습니다. 이를 통해 잘못을 알면 바로 고쳐야 하는 자세가 중요함을 말하고 있습니다.

171쪽 오늘의 어휘

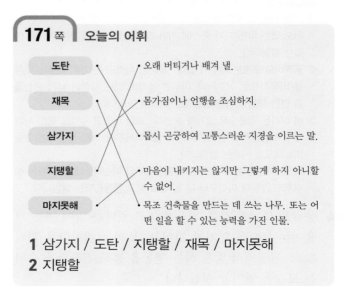

도탄 •　　　　• 오래 버티거나 배겨 낼.
재목 •　　　　• 몸가짐이나 언행을 조심하지.
삼가지 •　　　　• 몹시 곤궁하여 고통스러운 지경을 이르는 말.
지탱할 •　　　　• 마음이 내키지는 않지만 그렇게 하지 아니할 수 없어.
마지못해 •　　　　• 목조 건축물을 만드는 데 쓰는 나무. 또는 어떤 일을 할 수 있는 능력을 가진 인물.

1 삼가지 / 도탄 / 지탱할 / 재목 / 마지못해
2 지탱할

- **글의 종류** 희곡
- **글의 특징** 고전 소설인 「토끼전」을 희곡으로 각색한 글입니다.
- **글의 주제** 용왕의 이기적인 욕심과 토끼의 지혜
- **중심 내용** 토끼가 자라에게 속아 용궁에 오고 간을 육지에 두고 왔다는 거짓말로 용왕을 속여 위기에서 벗어납니다.

173쪽 지문 독해

1 ②   **2** ③   **3** ④   **4** ㉮, ㉰

1 희곡에서는 대사와 지문(지시문)을 통해 인물의 심리가 드러납니다. 이 글에서도 '부르르 떨며 화를 낸다.', '침착함을 잃지 않고, 과장해서' 등과 같은 지문을 통해 인물의 심리를 어떻게 연기해야 할지 설명합니다.

유형 분석/갈래

희곡은 해설, 지문(지시문), 대사로 이루어집니다. 해설은 희곡의 맨 앞에 나와 때와 곳, 등장인물, 무대 장치를 설명하는 부분입니다. 지문은 인물의 동작, 표정, 심리, 분위기 등을 설명하는 부분이고, 대사는 인물, 즉 배우가 하는 말을 쓴 부분입니다.

2 자라는 '산속 짐승이나 물속 짐승이나 모두 하나뿐인 생명'이라고 말했는데, 이는 모든 동물의 생명이 소중하다는 생각을 드러낸 것입니다.

3 '호랑이에게 물려 가도 정신만 차리면 산다.'는 아무리 위급한 경우를 당하더라도 정신만 똑똑히 차리면 위기를 벗어날 수가 있다는 말로, 토끼가 꾀를 부려 위기를 벗어나는 상황과 어울리는 속담입니다.

오답 풀이

① 고래 싸움에 새우 등 터진다.: 강한 자들끼리 싸우는 통에 아무 상관도 없는 약한 자가 중간에 끼어 피해를 입게 됨을 비유적으로 이르는 말입니다.

② 굼벵이도 구르는 재주가 있다.: 무능한 사람도 한 가지 재주는 있음을 비유적으로 이르거나, 아무런 능력이 없는 사람이 남의 관심을 끌 만한 행동을 함을 놀림조로 이르는 말입니다.

③ 벼 이삭은 익을수록 고개를 숙인다.: 교양이 있고 수양을 쌓은 사람일수록 겸손하고 남 앞에서 자기를 내세우려 하지 않는다는 것을 비유적으로 이르는 말입니다.

⑤ 떡 줄 사람은 꿈도 안 꾸는데 김칫국부터 마신다.: 해 줄 사람은 생각지도 않는데 미리부터 다 된 일로 알고 행동한다는 말입니다.

4 용왕은 토끼가 간을 육지에 놓고 왔다는 말에 귀를 기울이는 모습을 연기할 것이고, 토끼는 침착함을 잃지 않고, 과장해서 말을 하는 행동을 통해 긴장감을 숨기는 모습을 연기할 것입니다.

174쪽 지문 분석

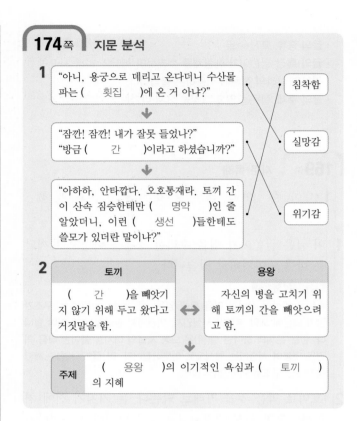

1 사건의 전개 과정에서 토끼가 한 말을 바탕으로 토끼의 심리를 파악할 수 있습니다.

2 간을 빼앗기지 않으려는 토끼와 간을 빼앗으려는 용왕 사이의 갈등이 이 글의 중심 사건입니다. 이 갈등을 통해 위기를 벗어나려는 토끼의 지혜와 자신의 병만 나을 수 있다면 죄 없는 동물의 목숨도 앗을 수 있다는 용왕의 이기적인 욕심을 확인할 수 있습니다.

175쪽 오늘의 어휘

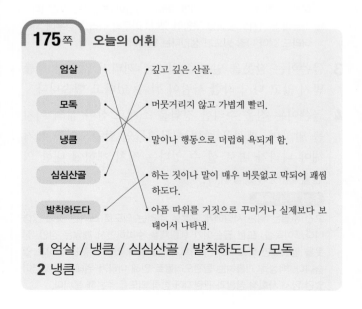

1 엄살 / 냉큼 / 심심산골 / 발칙하도다 / 모독
2 냉큼

탄탄한 개념의 시작
큐브수학!

큐브
수학
개념

새 교과서 개념을 쉽게

반복 학습으로 탄탄하게

무료 강의로 빠짐없이

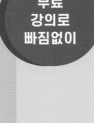

NEW

수학 1등 되는 **큐브수학**

연산
1~6학년 1, 2학기

개념
1~6학년 1, 2학기

개념응용
3~6학년 1, 2학기

실력
1~6학년 1, 2학기

심화
3~6학년 1, 2학기

동아출판

정답과 해설